FORMAÇÃO DE EDUCADORES EM CIÊNCIAS E MATEMÁTICA:
ESTREITANDO AS RELAÇÕES ENTRE ENSINO E PESQUISA

Volume 2

UNIVERSIDADE ESTADUAL PAULISTA
unesp

Reitor
Prof. Titular Pasqual Barretti

Vice-reitor
Profa. Titular. Maysa Furlan

Pró-reitora de Pós-Graduação
Profa. Dra. Maria Valnice Boldrin

Pró-reitora de Graduação
Profa. Titular Celia Maria Giacheti

Pró-reitora de Extensão Universitária
Prof. Titular Raul Borges Guimarães

Pró-reitor de Pesquisa
Prof. Titular Edson Cocchieri Botelho

Pró-Reitoria de Planejamento Estratégico e Gestão
Prof. Titular Estevão Tomomitsu Kimpara

FACULDADE DE CIÊNCIAS

Diretora
Profa. Associada Vera Lucia Messias Fialho Capellini

Vice-Diretor
Prof. Associado José Remo Ferreira Brega

Programa de Pós-Graduação em Educação para a Ciência

Coordenador
- Prof. Assoc. Nelson Antonio Pirola

Vice-Coordenador
- Profa. Dra. Luciana Maria Lunardi Campos

Membros Titulares
- Prof. Dr. Leandro Londero da Silva
- Profa. Dra. Luciana Massi
- Prof. Assoc. Nelson Antonio Pirola
- Profa. Dra. Luciana Maria Lunardi Campos
- Fabiano Willian Parma (Representante Discente)

Membros Suplentes
- Prof. Assoc. Roberto Nardi
- Profa. Dra. Ana Carolina Biscalquini Talamoni
- Profa. Dra. Isabel Cristina de Castro Kondarzewski
- Prof. Assoc. Renato Eugênio da Silva Diniz
- Hinan Tsai Sun (Representante Discente)

Seção Técnica de Pós-Graduação
Supervisora
Caroline Etâne Bolla Ruggeri

Secretário
Dã Jônatas Pereira Marcondes

Série
Educação para a Ciência
Conselho Editorial

Prof. Adj. Roberto Nardi (Coordenador) – (UNESP/FC)
Profa. Dra. Adjane da Costa Tourinho e Silva (UFS)
Prof. Dr. Aguinaldo Robinson de Souza (UNESP/FC)
Prof . Dr. Arthur Galamba (Kings' College – Londres – Inglaterra)
Profa. Dra. Beatriz Salemme Côrrea Cortela (UNESP/FC)
Profa. Dra. Daise Chapani (UESB)
Profa. Dra. Daniela Melaré Vieira Barros (U. Aberta – Lisboa – Portugal)
Profa. Dra. Divanísia do Nascimento Souza (UFS)
Prof. Dr. Edwin Germán García Arteaga (U. del Valle – Cáli – Colômbia)
Profa. Dra Fernanda Cátia Bozelli (UNESP/FEIS)
Prof. Dr. Fernando Bastos (UNESP/FC)
Profa. Dra. Isabel Cristina de Castro Kondarzewski (UNESP/FEG)
Profa. Dra. Isabel Malaquias (U. Aveiro – Portugal)
Prof. Dr. Júlio César Castilho Razera (UESB)
Profa. Dra. Maria Jose P. M. de Almeida (Unicamp)
Prof. Dr. Maurício Compiani (Unicamp)
Prof. Dr. Nelson Antônio Pirola
Profa. Dra. Nicoletta Lanciano (U. La Sapienza – Roma – Itália)
Profa. Dra. Odete Pacubi Baierl Teixeira (UNESP/FEG)
Profa. Dra. Olga Lucía Castiblanco Abril (UDFJC – Bogotá – Colômbia)
Prof. Adj. Renato Eugênio da Silva Diniz (UNESP/IBB)
Prof. Dr. Rodolfo Langhi (UNESP/FC)
Profa. Dra. Sandra Regina Teodoro Gatti (UNESP/FC)
Profa. Dra. Veleida Anahi Silva (UFS)
Prof. Adj. Washington Luiz Pacheco de Carvalho (UNESP/FEIS)

Faculdade de Ciências - UNESP - Campus de Bauru
Av. Eng. Luiz Edmundo Carrijo Coube, 14-01 – Vargem Limpa
Cep: 17033-360 - Bauru - SP
Fone: (14) 3103-6000
Fax: (14) 3103-6074
Home-page: http://www.fc.unesp.br

Educação para a Ciência
36º Volume

FORMAÇÃO DE EDUCADORES EM CIÊNCIAS E MATEMÁTICA:
ESTREITANDO AS RELAÇÕES ENTRE ENSINO E PESQUISA

Volume 2

ORGANIZADORES
ROBERTO NARDI
BRUNO FERREIRA DOS SANTOS
VELEIDA ANAHI DA SILVA

São Paulo, 2023

Copyright © 2023 Organizadores
1ª Edição

Direção editorial: José Roberto Marinho

Capa: Fabrício Ribeiro
Diagramação: Fabrício Ribeiro

CULTURA ACADÊMICA
Editora

Cultura Acadêmica
Praça da Sé, 108
Cep: 01001-900
São Paulo - SP
Tel.: (11) 3242-7171
www.culturaacademica.com.br

Editora Livraria da Física
www.livrariadafisica.com.br
(11) 3815-8688 | Loja do Instituto de Física da USP
(11) 3936-3413 | Editora

Edição revisada segundo o Novo Acordo Ortográfico da Língua Portuguesa

Dados Internacionais de Catalogação na publicação (CIP)
(Câmara Brasileira do Livro, SP, Brasil)

Formação de educadores em ciências e matemática: estreitando as relações entre ensino e pesquisa: volume 2 / organizadores Roberto Nardi, Bruno Ferreira dos Santos, Veleida Anahi da Silva. – São Paulo: Livraria da Física, 2023. – (Educação para a ciência; v. 36)
Cultura Acadêmica, 2023

Vários autores.
Bibliografia.
ISBN 978-65-5563-348-1 (Livraria da Física)
ISBN 978-65-5954-403-5 (Cultura Acadêmica)

1. Ciências - Estudo e ensino 2. Matemática - Estudo e ensino 3. Pesquisa 4. Professores de ciências - Formação profissional 5. Professores de matemática - Formação profissional
I. Nardi, Roberto. II. Santos, Bruno Ferreira dos. III. Silva, Veleida Anahi da. IV. Série.

23-165161   CDD-370.71

Índices para catálogo sistemático:
1. Professores: Formação: Educação 370.71
Eliane de Freitas Leite - Bibliotecária - CRB 8/8415

Todos os direitos reservados. Nenhuma parte desta obra poderá ser reproduzida sejam quais forem os meios empregados sem a permissão da Editora.
Aos infratores aplicam-se as sanções previstas nos artigos 102, 104, 106 e 107 da Lei Nº 9.610, de 19 de fevereiro de 1998

SUMÁRIO

Apresentação 7
ROBERTO NARDI, VELEIDA ANAHÍ, BRUNO SANTOS

Argumentação como uma prática epistêmica 19
FERNANDA DOS SANTOS, ADJANE DA COSTA TOURINHO E SILVA,
ROBERTO NARDI

Situações e lugares de saber na aprendizagem sobre o corpo humano 39
EANES DOS SANTOS CORREIA, VELEIDA ANAHI DA SILVA,
RENATO EUGÊNIO DA SILVA DINIZ

A formação de professores de Ciências e Biologia em duas universidades estaduais brasileiras: versando sobre identidade docente e espaços formativos 57
LUCAS DA CONCEIÇÃO SANTOS, MOISÉS NASCIMENTO SOARES,
RENATO EUGÊNIO DA SILVA DINIZ

A Botânica na formação docente: do currículo às percepções docentes 77
WAGNER DE JESUS SILVA, MÁRCIA MARTINS ORNELAS,
GUADALUPE EDILMA LICONA DE MACEDO

O livro didático de Biologia e a História da Ciência: a genética mendeliana 111
JÚLIA CHITI PINHEIRO, FERNANDO BASTOS, GIULIANO DOS REIS

Didaticagrafia no ensino de Física por meio do *Goalball* para estudantes com deficiência visual: uma intepretação a partir da percepção epistemológica da relação com o saber 135
WILLDSON ROBSON SILVA DO NASCIMENTO, EDER PIRES DE CAMARGO,
VELEIDA ANAHI DA SILVA

A formação didático-pedagógica de licenciandos revelada no contexto do estágio supervisionado de um curso de Física de dupla modalidade..................153
AUGUSTO CESAR ARAUJO LIMA, FERNANDA CÁTIA BOZELLI

Um estudo longitudinal sobre o imaginário de licenciandos em Física e o desenvolvimento da identidade docente......................173
JÉSSICA DOS REIS BELÍSSIMO, ROBERTO NARDI

Uma análise fenomenológica das reflexões de uma professora de Química sobre sua prática pedagógica...193
ADONAY DE OLIVEIRA TEIXEIRA, BEATRIZ DOS SANTOS SANTANA, BRUNO FERREIRA DOS SANTOS

A identidade e as narrativas dos professores de Engenharia........223
JOÃO PAULO CAMARGO DE LIMA, ROBERTO NARDI

"Chegou ela!": Narrativas de professoras de Ciências sobre se tornarem mestras e regressarem ao campo de trabalho 259
REGIANE BARRETO MARTINS, TALAMIRA TAITA RODRIGUES BRITO

Observatório Didático de Astronomia da Unesp: contribuições para a pesquisa, ensino, extensão e divulgação científica.............287
RODOLFO LANGHI, LUCAS GUIMARÃES BARROS

APRESENTAÇÃO

Apresentamos aqui o segundo volume do livro concebido e organizado a partir do relatório final do **Projeto Procad Unesp/UESB/UFS**, intitulado *Formação de Educadores em Ciências e Matemática: estreitando as relações entre Ensino e Pesquisa*[1], que foi desenvolvido no período de 2014 a 2020; uma parceria entre os programas de **Pós-graduação em Educação para a Ciência**[2], sediado na Faculdade de Ciências da Universidade Estadual Paulista "Júlio de Mesquita Filho" (Unesp), câmpus de Bauru, **Pós-graduação em Educação Científica e Formação de Professores** da Universidade Estadual do Sudoeste da Bahia (UESB)[3], câmpus de Jequié, e **Pós-graduação em Ensino de Ciências e Matemática**[4], iniciado em 2008, e sediado na Universidade Federal de Sergipe (UFS), em Aracaju.

Lembramos que o Programa Nacional de Cooperação Acadêmica – Procad, de acordo com o Edital 071/2013, por meio do qual as atividades foram financiadas, teve por objetivo apoiar ações conjuntas de ensino e pesquisa, em instituições diferentes, que estimulassem a formação pós-graduada e, de maneira complementar, a graduada. O programa objetivou também atender ao disposto no Plano Nacional de Pós-graduação (PNPG) previsto para o período (2011-2020), o qual previu "ações visando à diminuição das assimetrias regionais observadas no Sistema Nacional de Pós-graduação – SNPG". Dessa forma, pautou-se pelo estímulo à interação científico-acadêmica, ao se constituir em redes de cooperação; estimular novas linhas de pesquisa nos programas participantes e, assim, contribuir para o equilíbrio regional da pós-graduação brasileira. O Procad também visou ampliar a formação de mestres e doutores e a produção científica acadêmica entre os pares, além de apoiar o desenvolvimento de projetos

---

1 *Programa Procad – Edital n.º 071/2013, apoiado pela Capes (Coordenação de Aperfeiçoamento de Pessoal de Nível Superior). Auxílio n.º 2945/2014, Processo n.º 88881.068420/2014-01. Vigência 10/10/2014 a 30/9/2020.*

2 https://www.fc.unesp.br/#!/ensino/pos-graduacao/programas/educacao-para-a-ciencia/programa/

3 http://www2.uesb.br/ppg/ppgecfp/

4 https://www.sigaa.ufs.br/sigaa/public/programa/apresentacao.jsf?lc=pt_BR&id=224

de pesquisa, promovendo a mobilidade de docentes e discentes de pós-graduação entre as equipes das três universidades no Projeto.

De fato, as ações desenvolvidas na rede de cooperação Unesp/UESB/UFS proporcionaram o fortalecimento dos programas de pós-graduação envolvidos, ao possibilitar o incremento da mobilidade inter-regional, quando alunos de iniciação científica, mestrado, doutorado e pós-doutorado puderam estagiar nas três universidades. Foram dezenas de pesquisadores que puderam desenvolver seus projetos, com a supervisão de docentes das três Instituições de Ensino Superior (IES). A interação nesse período proporcionou diversas missões de estudo e pesquisa e vários estágios pós-doutorais, com a duração mínima de 12 meses. Os pesquisadores e estudantes também puderam apresentar resultados de pesquisa em diversos eventos nacionais e internacionais da área, promovendo a internacionalização da pesquisa nacional. Além de artigos, livros e capítulos de livros, as publicações de trabalhos completos em atas e *proceedings* desses eventos contribuíram para ampliar as produções de docentes e discentes em nossos programas.

O fortalecimento dos currículos de pesquisadores, pós-graduandos e graduandos e, consequentemente, dos programas nesse período, foram decisivos para atingir o principal dos objetivos do Procad: fortalecer e consolidar os programas envolvidos. Por exemplo, o Programa de Pós-graduação em Educação Científica e Formação de Professores da UESB, iniciado em 2011, com o curso de Mestrado, teve seu conceito ampliado no quadriênio (2013-2016) e implantou, em 2020, o curso de Doutorado. Por outro lado, o Programa de Pós-graduação em Ensino de Ciências e Matemática da UFS, iniciado em 2008, passou a fazer parte do doutorado acadêmico em Rede (RENOEN – Rede Nordeste de Ensino), na área de ensino de Ciências e de Matemática. Essa associação em Rede (AR), aprovada em reunião de 2020, do Conselho Técnico-Científico da Educação Superior da Capes (CTC-ES), passou a envolver sete IES dos Estados da região Nordeste (UFS, UFAL, UFC, IFCE, UEPB, UESB e UFRPE), e tem a proposta de "proporcionar alternativas para oportunizar o acesso à formação em nível de excelência a mestres que querem estudar, mas, por conta do trabalho, não podem se deslocar para longe de suas atividades".

Este segundo livro complementa as produções publicadas no primeiro (volume 24 da Série Educação para a Ciência), socializando-as, não só entre docentes e discentes desses programas, mas também com os demais programas de pós-graduação dessa área 46 (Ensino) da Capes. O livro traz 11 novos capítulos, cuja edição não foi possibilitada anteriormente, durante o período da pandemia por que passamos. Como no primeiro volume, são também produtos relacionados a estudos empreendidos em nível de pós-doutorado, doutorado, mestrado e iniciação científica. Esses capítulos são descritos a seguir.

No primeiro capítulo, intitulado *Argumentação como prática epistêmica*, os autores Fernanda dos Santos, Adjane da Costa Tourinho e Silva e Roberto Nardi destacam o papel da prática da argumentação para o ensino de ciências, além dos aspectos teórico-metodológicos que contribuem para a análise dessa prática em sala de aula. Destacam a importância da prática para a aquisição da linguagem científica, ao contribuir com a compreensão de conceitos e da natureza discursiva da ciência. Enfatizam, entretanto, que, "apesar do avanço nas pesquisas que defendem a importância de promover práticas argumentativas durante as aulas, há ainda um vasto caminho a percorrer para que isso se instaure de fato nas salas de aula reais". Justificam a necessidade dessa discussão na formação de professores, tendo em vista que se trata de uma das competências exigidas nos documentos oficiais. Propõem, assim, "que se invista em pesquisas que discutam estratégias que potencialmente gerem espaço para a argumentação".

Em *Situações e lugares de saber na aprendizagem sobre o corpo humano*, temática do capítulo 2, Eanes dos Santos Correia, Veleida Anahi da Silva e Renato Eugênio da Silva Diniz tomam como referência os estudos de Bernard Charlot sobre a *Relação com o Saber*. Esse pesquisador constatou que, estudantes de classes populares, em países como França e Tunísia, "aprendem mais saberes fora da escola do que dentro desse ambiente formal de educação, sendo a escola uma instituição cujo sentido dos estudantes é passar de ano, ganhar um diploma após o término do Ensino Médio e ter um emprego melhor que o de seus pais, no futuro próximo". No estudo, os autores citados entrevistaram 21 estudantes pertencentes a três turmas de duas escolas de educação básica do Estado do Sergipe, com idades entre 12 a 16 anos. Os pesquisadores classificaram as respostas em cinco categorias, a partir das noções da *relação com o saber* de Charlot e outros estudos que discutem a temática *corpo humano* em aulas de Ciências. Para o caso dessa amostra, concluíram "que há diversos lugares e situações em que esses adolescentes conversam e aprendem sobre o corpo humano: nas aulas de ciências, na escola, sozinhos, com familiares ou no ambiente de casa e com amigos; ou seja, envolvem relações consigo mesmo, o outro e o mundo".

No capítulo 3, intitulado *A formação de professores de Ciências e Biologia em duas universidades estaduais brasileiras: versando sobre identidade docente e espaços formativos*, Lucas da Conceição Santos, Moisés Nascimento Soares e Renato Eugênio da Silva Diniz focalizam a identidade e profissionalização docente, a partir das vivências do primeiro autor em um desses cenários de formação, o Pibid-UESB, bem como na Unesp, câmpus de Botucatu. O objetivo central foi responder à seguinte questão de pesquisa: "Considerando alguns cenários da licenciatura, como o Pibid, o Centro Acadêmico, o estágio e os grupos de pesquisa, quais as contribuições particulares de tais espaços formativos para a constituição da identidade docente dos licenciandos da Universidade Estadual do Sudoeste da Bahia (UESB – câmpus/Jequié) e da Universidade Estadual Paulista (Unesp – câmpus/Botucatu)?" Os entrevistados foram licenciandos dos cursos de ciências biológicas das duas universidades, tendo como pré-requisito a participação deles em pelo menos um dos cenários de formação dentre os quatro destacados. As conclusões do estudo mostram que os espaços formativos a partir de suas singularidades, pluralidades, incompletudes e complementariedades, trazem implicações diretas ao processo contínuo de se tornar professor. Os autores destacam a "importância de promover a vivência dos futuros professores em diferentes espaços formativos, viabilizando novas condições de produzir a docência, contribuindo significativamente com a melhoria dos processos de ensino e aprendizagem e na formação da identidade de profissionais críticos, reflexivos, transformadores e comprometidos com o seu papel social".

Os autores do próximo capítulo, intitulado *A Botânica na formação docente: do currículo às percepções docentes*, Wagner de Jesus Silva, Márcia Martins Ornelas e Guadalupe Edilma Licona de Macedo, entendem que, em diversas instituições do ensino superior no Brasil, "as propostas curriculares de cursos para formação de professores se apresentam de maneira fragmentada". Apesar de elas seguirem a legislação exigida para autorização de funcionamento e reconhecimento de cursos, "a maioria contempla apenas o currículo básico para cumprir as exigências, sem inovações, permanecendo no modelo tradicional de ensino, concordando com autores que entendem que o modelo da racionalidade técnica é o mais difundido nos cursos de formação de professores". Dessa forma, a pesquisa aqui descrita visou analisar como se dá o ensino de Botânica no processo de formação docente em Ciências Biológicas em quatro Universidades Estaduais da Bahia". O estudo justifica um recorte na disciplina Botânica, tendo em vista o surgimento nos currículos de disciplinas que relacionam a Botânica e o ensino de Ciências e Biologia, tais como: "Prática de Botânica aplicada à Educação básica" e "Biologia e Sistemática de Algas". O estudo analisou os projetos pedagógicos dos cursos, particularmente as disciplinas de Botânica, considerando a necessidade de reorganização curricular visando atender as demandas contemporâneas, incluindo, por exemplo, questões como as *político-econômicas e socioculturais*. Os autores sugerem que os docentes formadores possam propor reflexões acerca do currículo e prática pedagógica, tais como: "A que tipo de profissional, de fato, os conhecimentos sobre Botânica atenderão? Por intermédio da Botânica, o que é necessário à aprendizagem do professor de Biologia e desnecessário para o Biólogo e vice-versa? O que a instituição objetiva ao ofertar disciplinas de Botânica com estrutura curricular idêntica para o licenciando e para o bacharelando?" Essas questões são sugeridas a partir de constatações que a formação docente em Ciências Biológicas está ainda subordinada à formação para o bacharelado. As disciplinas ainda se mostram propícias à formação de professores que reflitam, por exemplo, "sobre temas como os potenciais econômicos de madeiras, a utilização de algas pela indústria de cosméticos e pela culinária que, numa vertente crítica, pode questionar a reprodução do modo de produção capitalista e a ideia antropocêntrica subjacente".

O capítulo 5, intitulado *O livro didático de Biologia e a História da Ciência: a genética mendeliana*, é decorrente de pesquisa, em nível de mestrado, de Júlia Chiti Pinheiro, orientado por Fernando Bastos e escrito em colaboração com Giuliano dos Reis. O estudo procura responder às seguintes questões: "Como a História da Ciência *é abordada nos livros de Biologia* analisados pelo Programa Nacional do Livro didático do Ensino Médio (PNLDEM), dentro do tema da Genética Mendeliana? Esses livros estão de acordo com as reflexões oportunizadas pelas pesquisas em Ensino?" A pesquisa aponta que, "na maioria dos livros analisados, o tema foi abordado de maneira integrada, contextualizada e com poucas distorções, o que faz concluir que os materiais estão acompanhando e se alinhando cada vez mais com as reflexões das pesquisas em Ensino". Observa-se que o edital de seleção e o processo de análise dos livros para a composição do rol disponível para cada edição do PNLD incorporaram aspectos importantes para garantir a presença e a expressividade da História da Ciência nos materiais. Por sua vez, o "Guia de livros didáticos foi preciso ao identificar e expressar as potencialidades de cada material em relação aos elementos contemplados de HC". Sendo assim, os autores destacam que o "Guia de livros didáticos do PNLD analisado mostra-se um recurso importante e esclarecedor para o processo de escolha realizado pelos professores, visto que aquilo que apresentam sobre os materiais pareceu refletir as intencionalidades dos autores".

No capítulo a seguir, denominado *Didaticagrafia no ensino de Física por meio do* Goalball *para estudantes com deficiência visual: uma intepretação a partir da percepção epistemológica da relação com o saber*, Willdson Robson Silva do Nascimento, Eder Pires de Camargo e Veleida Anahi da Silva apresentam pesquisa, cujo referencial teórico principal são os estudos de Bernard Charlot sobre a *Relação com o Saber*. O objetivo do estudo foi *"analisar o sentido da mobilização no processo de ensino e aprendizagem para os estudantes com deficiência visual por meio da "didaticagrafia no ensino de física", pautada no sentido, desejo, prazer, quando do envolvimento em uma atividade intelectual"*. Para tanto, foi utilizado o *Goalball*, esporte criado para cegos, que surge após o fim da Segunda Guerra Mundial, como uma forma de amenizar os efeitos devastadores deixado pela guerra aos soldados envolvidos nos conflitos. Os autores verificaram que "não foi apenas contextualizando o ensino de física através do Goalball que o estudante se mostrou desejoso e prazeroso em estar naquele espaço construído na escola e pensando nele, mas foi fruto de um conjunto de ações, que foi desde as escolhas didáticas, por meio dos conteúdos e metodologia, até uma estrutura de projeto de ensino definido". Possibilitou ainda "que as aulas se tornassem uma atividade intelectual, uma vez que a Relação com o Saber, também é uma relação com o outro. Esse outro é o mediador que o ajuda a envolver-se, engajar-se com a física, por exemplo". Os autores encontraram indícios da importância de os estudantes entrarem na sua mobilização e compreenderam que "o Goalball foi uma "boa razão" para colocar o estudante na rota do processo da sua aprendizagem".

No capítulo 7, Augusto Cesar Araujo Lima e Fernanda Cátia Bozelli apresentam resultados de um estudo denominado *A formação didático--pedagógica de licenciandos revelada no contexto do Estágio Supervisionado de um curso de Física de dupla modalidade*. Esta pesquisa procurou responder "em que medida o acompanhamento de licenciandos em Física de um curso com dupla modalidade de formação, durante a realização do estágio supervisionado, pode revelar indicadores da formação didático-pedagógica". Dentre as conclusões, os autores identificaram "a mobilização de saberes disciplinares, curriculares, das ciências da educação, da tradição pedagógica e experienciais pelos licenciandos entre o planejamento das aulas e as sessões de reflexão sobre suas regências". Os discursos produzidos pelos licenciandos revelaram "o desenvolvimento de alguns indicadores da formação didático-pedagógica relacionados, principalmente ao domínio do conhecimento específico e à instrumentalização técnica e matemática; entretanto, não foram encontrados indicativos da mobilização de conhecimentos didático-pedagógicos associados à responsabilidade social da profissão". Concluem que tal desarticulação "pode estar relacionada à dupla modalidade sob a qual o curso está organizado, contribuindo para a formação de profissionais mistos, com parte de suas características inerentes ao professor e parcela delas próximas às de um bacharel". Complementam, ainda, que *essa forma de tratar o conhecimento contribui para a não compreensão da teoria e prática como unidade, não promovendo o desenvolvimento da práxis docente, distanciando o futuro professor do perfil crítico, que é o esperado para o licenciado segundo o projeto pedagógico do curso estudado. O trabalho mostra que o projeto pedagógico do curso analisado, bem como sua matriz curricular, têm papel fundamental na modificação dos imaginários do(a)s licenciando(a)s em Física, no processo de constituição dos saberes para a docência e no desenvolvimento da construção da identidade docente e, portanto, nos leva a adotar a compreensão de que é também possível e viável que, durante a formação inicial, as disciplinas ofereçam subsídios à constituição do imaginário da pesquisa como promotora,* não apenas da reflexão, mas também *da crítica e, por conseguinte, facilitadora da práxis docente.* Dentre outras conclusões, os autores defendem que "a formação inicial de professores deve contemplar uma sólida formação teórica e a compreensão da práxis docente, possibilitando o desenvolvimento de professores como intelectuais críticos e, por conseguinte, proporcionando que os docentes desenvolvam sua identidade profissional tendo consciência das limitações da racionalidade liberal e, enquanto seres individuais e coletivos, possam lutar pela emancipação de sua classe".

No capítulo a seguir, denominado *Um estudo longitudinal sobre o imaginário de licenciandos em Física e o desenvolvimento da identidade docente,* Jéssica dos Reis Belíssimo e Roberto Nardi relatam resultados de pesquisa que objetivou estudar "aspectos do processo de formação de professores de Física, em especial da pesquisa em educação e ensino de Física, e identificar como se constitui o processo da identidade profissional ao longo do curso de licenciatura". Procuraram responder à seguinte questão: "De que maneira os imaginários de licenciandos em Física sobre o conhecimento científico, o ensino da ciência e o processo de constituição de saberes para a docência vão se modificando ao longo do curso e delineando sua identidade profissional?" O estudo foi realizado em um curso de Licenciatura em Física de uma Universidade pública paulista, no qual uma amostra de futuros professores foi acompanhada desde o ingresso na universidade até a conclusão do curso. Questionários e entrevistas semiestruturadas foram utilizados na constituição dos dados e o referencial teórico e metodológico da pesquisa foi centrado na Análise de Discurso Pecheutiana, dialogando com outros autores que analisam criticamente a formação de professores como Freire, Gauthier e Giroux. O estudo mostra que "o projeto pedagógico do curso analisado, bem como sua matriz curricular, possui um papel fundamental na modificação dos imaginários do(a)s licenciando(a)s em Física, no processo de constituição dos saberes para a docência e no desenvolvimento da construção da identidade docente. Portanto, nos leva a adotar a compreensão de que é também possível e viável que, durante a formação inicial, as disciplinas ofereçam subsídios para a constituição do imaginário da pesquisa como promotora, não apenas da reflexão, mas também da crítica e, por conseguinte, facilitadora da práxis docente". Dentre outras conclusões, os autores defendem que "a formação inicial de professores deve contemplar uma sólida formação teórica e a compreensão da práxis docente, possibilitando o desenvolvimento de professores como intelectuais críticos". Isso, por sua vez, "permite que os docentes desenvolvam sua identidade profissional tendo consciência das limitações da racionalidade liberal e, enquanto seres individuais e coletivos, possam lutar pela emancipação de sua classe".

Em *Uma análise fenomenológica das reflexões de uma professora de Química sobre sua prática pedagógica*, Adonay de Oliveira Teixeira, Beatriz dos Santos Santana e Bruno Ferreira dos Santos apresentam resultados de estudo de natureza fenomenológica. O capítulo é fruto de uma pesquisa desenvolvida pelo Grupo de Estudos e Pesquisa Ensino de Química e Sociedade (GEPEQS), que tinha por objetivo caracterizar e modificar a prática pedagógica de uma professora de Química, a partir do exercício de reflexão estimulada. A proposta do capítulo surge como uma continuação da pesquisa descrita. Assim, os autores se dedicam "a investigar e discutir de que forma as experiências vivenciadas pela professora durante essa pesquisa impactaram em seu desenvolvimento profissional docente". **Por meio de análise ideográfica e nomotética, foram identificadas inicialmente** 11 invariantes que, após movimentos de redução, resultaram em quatro: *Prática pedagógica intuitiva*, *Desmotivação na prática*, *Mudança reflexiva* e *Prática reflexiva*, que resultaram em duas categorias abertas: *Prática* e *Reflexão*. O estudo procurou se somar às "pesquisas em educação em ciências que usam a abordagem fenomenológica, a fim de compreender melhor os processos de formação de professores de ciências, especialmente aqueles submetidos a rotinas educacionais que resistem às mudanças". Os pesquisadores concluem que "a reflexão estimulada realizada pela professora a partir de sua experiência na pesquisa de intervenção cumpre um papel formador, ao direcionar seu olhar para sua ação como educadora e profissional".

No próximo capítulo, intitulado *Identidade e narrativas de professores de Engenharia*, os autores João Paulo Camargo de Lima e Roberto Nardi relatam estudo, em nível de pós-doutorado realizado pelo primeiro autor, sob supervisão do segundo, sobre a identidade de professores de

Engenharia, por meio de suas narrativas e histórias de vidas. Para tanto, realizam entrevistas e registros de campo com seis professores de Engenharia de Universidade Federal, no Sul do Brasil. As entrevistas se centraram nas percepções dos professores sobre "suas compreensões do significado do ser professor, com as suas experiências, histórias de vidas e suas relações com os outros e si mesmos", de forma a "identificar elementos ou fatores que pudessem caracterizar suas identidades". Foram identificadas quatro temáticas que representam a identidade desses professores: lugares e cenas, família, infância e curiosidade; pessoas e momentos no caminho para a docência; e a sala de aula, ser professor e ser engenheiro. O estudo evidencia que "os elementos ou fatores identificados corroboram com as pesquisas anteriores a respeito da identidade do professor, apontando para uma natureza múltipla, complexa, que leva em conta aspectos sociais, históricos, culturais e psicológicos, assim como as experiências de ensino e as percepções e visões a respeito da profissão". Os autores defendem que "as visões do que é engenharia e do que é ser engenheiro podem atuar como fatores positivos ou negativos ao desenvolvimento da identidade e das atividades em sala de aula. Evidenciam, ainda, a necessidade de ampliar as pesquisas a respeito da relação entre a cultura disciplinar (Engenharia) e a identidade do professor".

O capítulo a seguir, intitulado "Chegou ela! Narrativas de professoras de Ciências sobre tornarem-se mestras e regressarem ao campo de trabalho", de autoria de Regiane Barreto Martins e Talamira Taita Rodrigues Brito, também mostra o uso de narrativas, trazendo detalhes da pesquisa, em nível de mestrado, da primeira autora e orientado pela segunda. A pesquisa vem se juntar aos estudos sobre formação continuada de professores e apresenta reflexões sobre "como ocorreram os movimentos de retorno das professoras mestras à escola", na expectativa de "atualizar tais reflexões com demandas já apresentadas no plano atual das discussões sobre tal temática", uma vez que a pesquisa tem continuidade agora, sob a forma de uma tese de doutorado. As autoras entendem que o estudo proporciona "uma reflexão sobre tal condição docente na expectativa de nos juntarmos às vozes que se anunciaram nesta pesquisa abordando um tema que certamente ainda precisará de mais conversas, debates e lutas da categoria de professore(a)s da Educação Básica para serem acolhidas em seus direitos trabalhistas e de classe".

No último capítulo, intitulado *Observatório Didático de Astronomia da Unesp: contribuições para a pesquisa, ensino, extensão e divulgação científica*, Rodolfo Langhi e Lucas Guimarães Barros descrevem as origens e o desenvolvimento do *Observatório Didático de Astronomia "Lionel José Andriatto" da Faculdade de Ciências da Unesp*, um importante espaço dedicado ao ensino e à divulgação da Astronomia na cidade de Bauru e região. O Observatório foi sendo idealizado a partir de 2004, quando um Grupo de Estudos, formado por estudantes e professores do Curso de Licenciatura em Física local, com apoio de órgãos de fomentos internos e externos à Unesp, iniciou a construção de telescópios refletores e refratores de forma totalmente artesanal. A parceria com o Instituto de Pesquisas Meteorológicas da Unesp (IPMet), sediado no mesmo câmpus, com a cessão de um prédio ocioso, anteriormente usado para lançamentos de balões meteorológicos, foi fundamental para abrigar o Observatório. Os membros da equipe hoje incluem essencialmente alunos provenientes do curso de Licenciatura em Física e outras graduações, dos cursos de pós-graduação em Ciência e Tecnologia de Materiais e Educação para a Ciência, além de professores atuantes nos Ensinos Fundamental e Médio, alguns dos quais tiveram sua formação inicial nesta mesma Universidade. Langhi e Barros destacam "que este espaço serve de rica fonte de aprendizado e contínua formação para a própria equipe, na medida em que ele vem se tornando cada vez mais referência no âmbito da pesquisa em Educação em Astronomia no país".

Com esta apresentação, reafirmamos a mensagem que endereçamos quando da edição do primeiro volume, agradecendo, mais uma vez, a oportunidade de, ao prestarmos contas do projeto, divulgar resultados dos estudos dos pesquisadores que participaram das diferentes etapas do projeto. Agradecemos especialmente à Prof.ª Dr.ª Daisi Chapani, que coordenou a primeira etapa do projeto na UESB.

Agradecemos particularmente as Pró-reitorias de Pós-graduação e Pesquisa das três IES envolvidas neste projeto PROCAD, além da Capes, pelo auxílio financeiro, que possibilitou também a edição dos dois livros, os quais pretendemos que sejam amplamente divulgados aos programas de graduação e pós-graduação e a pesquisadores da área do país e do exterior.

Os organizadores
Roberto Nardi (UNESP)
Bruno Ferreira dos Santos (UESB)
Veleida Anahi da Silva (UFS)

Unesp, Bauru, São Paulo; UESB, Jequié, Bahia; UFS, Aracaju, Sergipe, julho de 2023.

CAPÍTULO 1

ARGUMENTAÇÃO COMO UMA PRÁTICA EPISTÊMICA[1]

Fernanda dos Santos[2]
Adjane da Costa Tourinho e Silva[3]
Roberto Nardi[4]

Nos últimos anos, estratégias de ensino com foco na promoção de situações argumentativas em salas de aula de ciências têm adquirido destaque. Tais estratégias vêm sendo apontadas como vantajosas por pesquisadores, por promoverem o desenvolvimento de competências comunicativas, auxiliando na aprendizagem conceitual dos estudantes, além de propiciarem um conhecimento sobre a dimensão discursiva da ciência, sobretudo quando associadas a atividades investigativas.

Mais recentemente, no Brasil, a argumentação passou a ser considerada uma das dez competências gerais indicadas na Base Nacional Comum Curricular (BNCC) para a Educação Básica (BRASIL, 2017). Isso expressa o investimento da comunidade de pesquisa sobre o tema, ao mesmo tempo em que nos instiga a fortalecer tal discussão considerando aspectos teóricos e metodológicos relacionados à compreensão da manifestação de tal prática em sala de aula e sua percepção por parte dos professores.

Van Eemeren e Grootendorst (2004) consideram a argumentação uma atividade verbal e social de raciocínio, desenvolvida por um locutor

---

[1] Esta pesquisa recebeu apoio do Programa PROCAD/UNESP/UESB/UFS – Convênio 162.227.
[2] Mestra em Ensino de Ciências e Matemática pela Universidade Federal de Sergipe (UFS)
[3] Professora Titular, Núcleo de Pós-graduação em Ensino de Ciência e Matemática, Universidade Federal de Sergipe (UFS). E-mail: adtourinho@terra.com.br
[4] Professor Associado, Departamento de Educação e Programa de Pós-graduação em Educação para a Ciência. Faculdade de Ciências. Universidade Estadual Paulista. Unesp. Bauru. Apoio: CNPq – Conselho Nacional de Desenvolvimento Científico e Tecnológico. E-mail: r.nardi@unesp.br

(falante ou escritor) cujo interesse é aumentar ou diminuir a aceitabilidade de um ponto de vista controverso por meio de uma série de proposições que visam justificar ou refutar um ponto de vista ante um julgamento racional. A argumentação é compreendida, assim, como uma atividade social, voltada a produzir justificativas para um conhecimento ou ponto de vista, favorecendo sua aceitação por uma audiência crítica.

Jiménez-Aleixandre e Erduran (2008), em consonância com os estudos de Van Eemeren e Grotendorst (2004), consideram que dos vários significados da argumentação na ciência e no contexto do ensino de ciências, dois deles são relevantes: a argumentação como justificação do conhecimento e a argumentação como persuasão, os quais se encontram interligados. Enquanto um conhecimento é produzido, elementos tais como dados e teorias são articulados entre si de modo a ancorar e justificar tal conhecimento, garantindo-lhe consistência. Na perspectiva persuasiva, busca-se tornar tal conhecimento ou ponto de vista legítimo perante uma audiência, tendo-se em vista suas potencialidades e limitações diante de outras possibilidades. Evidencia-se aí, ainda, o caráter retórico da argumentação.

Contudo, em qualquer sentido, tanto como persuasão, quanto como justificação do conhecimento (baseada em evidências empíricas ou teóricas), a argumentação é parte integrante da ciência e deve ser considerada no ensino. O discurso desempenha papel importante na construção do conhecimento científico, trazendo consequências para a educação (JIMÉNEZ-ALEIXANDRE; ERDURAN, 2008).

Van Eemeren *et al.* (1996) ressaltam que a argumentação pode ser pensada em três diferentes formas: analítica, dialética e retórica. Argumentos analíticos se baseiam na teoria da lógica, partindo indutivamente ou dedutivamente de um conjunto de premissas até chegar a uma conclusão. Os argumentos dialéticos, por sua vez, ocorrem durante discussões ou debates, em que diferentes pontos de vista são confrontados, envolvendo raciocínios com premissas não evidentemente verdadeiras, sendo esses pertencentes ao domínio da lógica informal. Já os argumentos retóricos são de natureza oratória, representados por técnicas discursivas empregadas para persuadir uma audiência.

Segundo Driver, Newton e Osborne (2000), no momento em que ocorreu a distinção entre o estudo da lógica, como regras elaboradas para produzir inferências a partir de premissas dadas, e o estudo de como as pessoas, em determinadas situações, raciocinam das premissas para as conclusões, houve um avanço nas pesquisas sobre argumentação. Enquanto a lógica passou a ser vista como disciplina acadêmica, argumentar passou a ser entendido como uma prática humana, posicionada em contextos sociais específicos. Nessa perspectiva, um novo viés analítico se instaurou com a finalidade de obter entendimento sobre a argumentação em diferentes ambientes, dentre eles as comunidades científicas.

Trazendo essa discussão para o ensino, Driver, Newton e Osborne (2000) destacam a necessidade de dar oportunidades aos estudantes para que eles aprendam sobre conceitos, epistemologia, práticas e métodos científicos. A ciência envolve um processo de construção social do conhecimento, em que princípios, modelos e teorias são entendidos como representações de mundo acordadas por uma comunidade disciplinar, por meio de um movimento argumentativo. Possibilitar aos alunos o contato com essas "formas de ver" dos cientistas é muito mais que dar acesso aos significados construídos em torno dos fenômenos de interesse da ciência, é socializá-los de modo que sejam adotadas as ferramentas conceituais de cultura científica pelos indivíduos.

Nesse contexto, a argumentação permite o envolvimento dos estudantes na avaliação crítica de reinvindicações ao conhecimento (OSBORNE; PATTERSON, 2011). É importante que haja uma compreensão de que o argumento é um mecanismo de controle de qualidade nas comunidades científicas; portanto, compreendê-lo como usado na ciência, deve ser o foco da educação científica (DRIVER; NEWTON; OSBORNE, 2000).

Enquanto estratégia de raciocínio, a elaboração de argumentos envolve a articulação entre dados, crenças, evidências e saberes anteriores, os quais servem de base na construção dos novos conhecimentos. Assim, proporciona meios para que os estudantes participem ativamente na construção de conhecimento e, aliada ao ensino por investigação, a argumentação pode permitir um entendimento do que vem a ser e como se desenvolve a ciência, proporcionando aos alunos a compreensão da natureza discursiva dessa esfera do conhecimento e dos fatores que interferem diretamente em sua prática, pois é inegável a presença das práticas argumentativas na produção científica.

Os trabalhos de investigação realizados em sala de aula, em que os alunos expõem suas ideias, suas hipóteses para resolver um dado problema e chegam a determinadas conclusões para explicar os resultados, abrem espaço para a argumentação. Todas essas ações desenvolvidas pelos alunos podem ser compreendidas como práticas epistêmicas envolvidas na produção e legitimação do conhecimento.

A argumentação na perspectiva científica tem-se aliado na escola também à perspectiva sociocientífica. Nesta última, o discurso dos alunos implica a construção de argumentos para defender um ponto de vista de maneira crítico-reflexiva por meio de conhecimentos científicos que se voltam à análise de aspectos sociais e ambientais.

Neste capítulo, vamos tecer algumas considerações acerca da argumentação enquanto prática epistêmica, sua importância para o ensino de ciências, além dos processos metodológicos que contribuem para a análise dessa prática em sala de aula.

A seguir, passamos a discutir sobre práticas epistêmicas, antes de nos voltarmos à discussão sobre a argumentação como uma prática epistêmica na ciência e no ensino de ciências.

Práticas epistêmicas

Kelly e Licona (2018) consideram práticas epistêmicas os modos socialmente organizados e interacionalmente realizados, pelos quais membros de um grupo propõem, comunicam, avaliam e legitimam asserções do conhecimento. Tal conceito foi elaborado considerando estudos no campo da Filosofia, Sociologia, Antropologia e Retórica da Ciência e Ciências Cognitivas aplicadas ao raciocínio científico. Tais estudos passam a evidenciar as práticas cotidianas de comunidades científicas específicas, as quais expressam os movimentos desenvolvidos para que conhecimentos sejam produzidos e se tornem legítimos em tais comunidades.

O conceito de práticas epistêmicas se associa a uma mudança de sujeito epistêmico, que passa de um conhecedor individual à uma comunidade de práticas (KELLY, 2008, 2016; KELLY; DUSCHL, 2002; KELLY; LICONA, 2018). Kelly (2008) enfatiza a atenção às formas com as quais o conhecimento é construído e justificado dentro de uma particular comunidade:

Uma comunidade justifica o conhecimento por meio de práticas sociais. Uma prática social é construída por um conjunto de ações padronizadas, tipicamente performadas por membros de um grupo baseadas em intenções e expectativas comuns, com valores culturais, ferramentas e significados compartilhados. Quando esses padrões em ação se relacionam ao conhecimento, são chamados de práticas epistêmicas. (KELLY, 2008, p. 2, trad. nossa).

A mudança epistemológica que tem tomado lugar na análise de comunidades científicas, sobretudo de uma perspectiva sociológica, tem contribuído para a valorização da argumentação e outras práticas discursivas nas salas de aula de ciências. Assim, o foco das atenções passa a ser um grupo social, antes que um conhecedor individual, tanto em uma comunidade científica, quanto em uma comunidade escolar como, por exemplo, um grupo de alunos desenvolvendo um projeto de iniciação científica ou uma sala de aula em que os alunos se engajam em atividades investigativas.

É relevante ressaltar que o conceito de práticas epistêmicas se insere em uma perspectiva sociocultural de ciências e educação em ciências. Para Lemke (2001), assumir tal perspectiva implica conceber tanto a educação em ciências, quanto a pesquisa em educação em ciências e a ciência em si, como atividades sociais humanas, as quais se configuram e são conduzidas dentro de esquemas e estruturas culturais e institucionais. Isso envolve dar peso teórico à interação, por meio da qual são constituídas as teias de relações que caracterizam uma comunidade, bem como são construídos e partilhados os recursos semióticos e as formas significativas de utilizá-los, os valores, as normas e expectativas que ancoram as ações nesse coletivo. Tais ações, tornando-se rotineiras e padronizadas ao longo do tempo, configuram-se como práticas epistêmicas (KELLY, 2016).

A mudança de sujeito epistêmico na Ciência e na Educação em Ciências sugere examinar o processo social de determinar o que conta como conhecimento em dado grupo, avaliar ideias definidas em um contexto histórico e público e considerar o processo comum de compartilhamento de significados (KELLY; LICONA, 2018).

Kelly (2016) discute que as práticas epistêmicas são interacionais, ou seja, construídas por pessoas em torno de atividades combinadas;

contextuais, já que são situadas no tempo e no espaço e se desenvolvem de acordo com as normas de uma determinada comunidade; intertextuais, já que são comunicadas por meio de uma história de discurso coerente; e trazem consequências, uma vez que produzem conhecimento legitimado.

Práticas epistêmicas são formadas em comunidades endógenas, sendo reconhecíveis por seus membros, podendo ser estendidas a outras comunidades, modificadas e alteradas. Na educação, há várias formas de práticas epistêmicas que variam com objetivos pedagógicos relevantes. Uma vez que as práticas epistêmicas são dependentes do campo e do tempo (mudando devido aos desafios da produção de conhecimento), percebe-se que não há um conjunto limitado delas. Todavia, alguns estudos na Educação em Ciências (SANDOVAL *et al.*, 2000; SANDOVAL; REISIER, 2004, por exemplo) propuseram algumas listas as quais se relacionam à natureza da atividade desenvolvida pelos estudantes.

Mais recentemente, Kelly e Licona (2018) propuseram um rol de exemplos de práticas epistêmicas considerando a educação em ciências e engenharia. Os autores levaram em conta as abordagens de investigação científica, engenharia e questões sociocientíficas. A partir daí, apresentaram as práticas de proposição, comunicação, avaliação e legitimação do conhecimento.

Convém considerar que a proposição das práticas no estudo do contexto escolar "requer a seleção de uma gama de práticas da ciência do mundo real" (KELLY; LICONA, 2018, p. 15, trad. nossa). Ao investigar as práticas epistêmicas desenvolvidas por estudantes da *elementary school* em aulas de engenharia[5], por exemplo, Kelly (2016) primeiramente revisou estudos empíricos de engenharia e capturou um conjunto de 16 práticas epistêmicas recorrentes, de modo a elaborar o olhar para o contexto escolar com uma abordagem da etnografia interacional. Tal abordagem examina como se dá a construção do conhecimento por meio de práticas culturais e processos de discurso considerando o cotidiano do ambiente.

As práticas epistêmicas incluem raciocínio público e julgamento de reinvindicações do conhecimento concorrentes, presumindo-se, então, um

---

5 Nas aulas de engenharia em escolas públicas dos EUA, os estudantes se engajam em atividades nas quais têm que elaborar um produto ou processo. No caso da pesquisa descrita em Kelly (2016), os estudantes se envolveram na confecção de pequenos paraquedas.

processo argumentativo. Este pode se instaurar em diferentes momentos do processo de produção e legitimação do conhecimento.

A argumentação como uma prática epistêmica no contexto escolar

Apesar de contarmos com uma considerável produção de pesquisas que apontam formas de promover o discurso argumentativo no ensino de ciências (FATARELLI; FERREIRA; QUEIROZ, 2014; NASCIMENTO; PLANTIN, 2009), faz-se necessário investigar como ocorre a inserção da argumentação em sala aula. Concordamos com Sá e Queiroz (2010), no tocante à importância de inserir a argumentação no ensino de ciências, especificamente no Brasil. As autoras discutem sobre o quanto é necessário ensinar aos alunos a arte de argumentar, buscando desenvolver estratégias de ensino que favoreçam a produção de bons argumentos por parte deles.

O interesse em estimular o discurso argumentativo em sala de aula está no fato de reconhecer que argumentar é uma atividade social e a interação de ideias conflitantes favorece a construção de conhecimento. As contribuições da argumentação no ensino de ciências vão além da aprendizagem de conceitos, constituindo-se em uma aprendizagem epistêmica (TEIXEIRA, 2009).

Assim, Teixeira (2002), ao apontar as diferentes sugestões que buscam a inserção do discurso argumentativo em aulas de ciências, seja por meio de atividades experimentais, debates de questões controvérsias, dentre outras coisas, destaca o seguinte fato:

> [...] em todas as sugestões há o cuidado em criar um contexto em que há controvérsia gerando a necessidade de se defender uma ideia acompanhada de proposições que justifiquem ou refutem a ideia defendida. Este contexto tanto pode ser gerado pela introdução de uma situação experimental na qual os alunos são induzidos a explicitar o porquê de resultados, portanto, indo além da mera descrição do que observaram, quanto pela criação de um contexto de debate sobre um tema polêmico, um assunto que possibilite questionamentos e que comumente tem forte impacto social implicando em tomada de decisões e possibilidade de concretização destas decisões

em forma de ação, os chamados temas sociocientíficos. (TEIXEIRA, 2002, p. 7).

Tendo em vista a argumentação como uma prática epistêmica, inserida em um processo de produção de conhecimento, voltamo-nos para as atividades investigativas, em que os alunos atuam com certa autonomia diante de objetivos claros. Ao longo de uma investigação, eles desenvolvem práticas em prol da resolução de uma questão, as quais são negociadas coletivamente e se instauram se retroalimentando entre si. Desde o início de uma atividade investigativa, com a elaboração de uma questão e *design* de experimento, passando à produção e interpretação de dados, até que se alcance a negociação e legitimação de conclusões diante de uma audiência, têm-se práticas epistêmicas que são necessariamente requeridas e se desenvolvem desencadeando outras subsequentes.

Entendemos que a argumentação pode ser percebida em vários momentos do processo investigativo. Todavia, tendo em vista o conhecimento produzido em resposta à questão central que norteia tal processo, a argumentação se torna evidente quando se busca abordar tal conhecimento por meio de um movimento analítico e/ou persuasivo. Tal movimento tem como foco a percepção da coerência entre as conclusões alcançadas e os dados obtidos ou evidências experimentais, mediante um arcabouço teórico (JIMÉNEZ-ALEIXANDRE; RODRIGUEZ, A. B.; DUSCHL, 2000). Nesse sentido, a argumentação pode ser percebida como uma prática epistêmica sofisticada que se alimenta daquelas que, naturalmente, lhes antecedem no processo de investigação.

A consistência da argumentação em prol da construção e legitimação de um conhecimento, na perspectiva da ciência, presume bons procedimentos de coleta, tratamento e interpretação de dados, sem os quais as conclusões elaboradas careceriam de elementos justificatórios que lhes dessem sustento. Tendo como base o Padrão de Argumento de Toulmin (2006), as práticas epistêmicas que colaboram para uma boa argumentação devem fornecer elementos que funcionem como dados, garantias de inferência e conhecimentos de base, dentre outros, os quais, articulados entre si, proporcionam uma boa estrutura argumentativa.

A discussão que apresentamos nos sugere o investimento em estudos voltados:

1. Para geração e análise de ambientes de aprendizagem que abram espaço para que os alunos interajam e atuem com autonomia realizando uma variedade de práticas epistêmicas. Estudos com tal escopo, envolvem elaboração ou adaptação de sequências didáticas, sobretudo de caráter investigativo, e sua aplicação em salas de aula regulares ou por meio de oficinas e minicursos. Isso possibilita verificar vários aspectos relativos ao ambiente de aprendizagem (estrutura da sequência didática, interação entre professor e alunos, interação entre alunos etc.) que podem contribuir para o surgimento de possíveis práticas epistêmicas;

2. Para o cotidiano de salas de aula reais, em que seja possível compreender como ações voltadas à produção e legitimação do conhecimento se tornam rotineiras, padronizadas e reconhecidas pelos membros de tais comunidades (alunos, professores, especialistas convidados, por exemplo), de modo a se configurarem realmente como práticas epistêmicas. Trata-se de estudos longitudinais, de natureza etnográfica, os quais se encontram em menor quantidade na literatura da área e, portanto, necessitam ser mais explorados;

3. Para a formação inicial e continuada de professores, considerando como eles podem compreender e passar a incorporar estratégias que fomentem o desenvolvimento de práticas epistêmicas pelos alunos.

Na seção que segue, discutiremos alguns aspectos teórico-metodológicos tomados para coleta, tratamento e análise de dados considerando o que temos feito junto a colegas de pesquisa e alunos para o estudo da argumentação e outras práticas epistêmicas no contexto do ensino de ciências.

Aspectos teórico-metodológicos adotados em nossas pesquisas

O padrão de Argumento de Toulmin

Temos utilizado o Modelo de Argumento de Toulmin, tanto para argumentação científica quanto sociocientífica.

O Modelo de Argumento elaborado por Toulmin, também conhecido como TAP (*Toulmin's Argument Pattern*) é descrito em sua obra *Os usos do argumento* (TOULMIN, 2006). Tal modelo permite a análise por meio de poucos componentes, da estrutura de argumentos que sustentam determinada proposição. A estrutura elaborada por Toulmin, conforme Nascimento e Vieira (2009, p. 20), constitui-se em "um padrão de argumentos de forma monologal, a partir de elementos básicos", com: dados, conclusão e garantia de inferência.

Os dados (D) são os fatos que servem como suporte para uma dada alegação. A conclusão (C) corresponde à alegação cujo mérito precisa ser provado e, à garantia de inferência (G), vista como padrões práticos e cânones, é o elemento responsável por fazer a ligação entre dado e conclusão. Além dos elementos já citados, outros componentes são acrescidos à estrutura do argumento para que ele seja considerado completo. Sendo estes componentes denominados como: qualificadores (Q), refutadores (R) e elemento de apoio à garantia (B), denominado pelo autor de *backing*.

Os qualificadores modais expressam o grau de certeza do locutor (falante ou escritor) acerca da alegação declarada. Nesse sentido, palavras como "possivelmente", "certamente" ou "talvez" funcionam como qualificadores, antecedendo à conclusão. Os refutadores se referem às restrições ou exceções à conclusão. Podem ser entendidos, ainda, como críticas às evidências ou às justificações do oponente quando, em um debate, se contrapõem posições opostas (JIMÈNEZ-ALEIXANDRE; BROCOS, 2015). O apoio ou conhecimento básico sustenta a garantia de inferência, constituindo-se de leis, teorias ou princípios mais abrangentes.

Abaixo, encontra-se o leiaute do TAP, com todos os seus elementos.

Figura 1: Padrão de Argumento de Toulmin

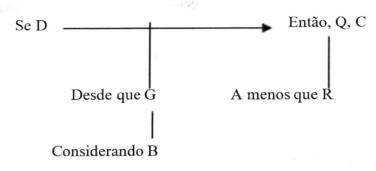

Fonte: Toulmin (2006)

O TAP tem sido recorrentemente utilizado em pesquisas sobre argumentação no ensino de ciências, mas não livre de críticas. Uma delas se refere ao fato de tal modelo desconsiderar a natureza dialógica do argumento. Ainda assim, várias pesquisas têm focado nas interações discursivas utilizando proveitosamente o TAP para caracterizar e qualificar o argumento gerado em tais interações (COLOMBO JUNIOR *et al.*, 2012; OLIVEIRA; CRUZ; SILVA, 2020; ROSA; PEREIRA, 2019; SASSERON; CARVALHO, 2011).

Um aspecto relevante da ferramenta é que ela permite ao analista uma reflexão e desconstrução crítica dos argumentos analisados, possibilitando evidenciar e avaliar cada componente (SEGUNDO, 2016). Nessa direção, Nascimento e Vieira (2009) consideram que o padrão promove certa facilidade ao processo de análise de situações argumentativas, principalmente pelo seu caráter normativo, permitindo identificar o que é e o que não é um argumento. De fato, o modelo favorece a percepção de um texto como argumentativo ou não, sendo tal análise mais viável quando se trata de textos mais concisos e breves, como aqueles que resultam de conclusões de trabalhos investigativos, produzidos por alunos em aula de ciências.

Considerando a argumentação como uma prática epistêmica que, ao longo de uma investigação, decorre de outras práticas, é possível perceber como a elaboração de hipóteses, a produção de dados, a articulação entre dados e teorias, por exemplo, vão se constituir ou resultar em elementos que comporão o argumento, o qual pode ser visualizado pelo modelo proposto por Toulmin.

Produção, tratamento e análise de dados

Para investigação acerca da argumentação e outras práticas epistêmicas, temos feito uso de gravações em vídeo, anotação de campo, entrevistas e textos produzidos pelos alunos. Todavia, as gravações em vídeo são o principal recurso para capturar os aspectos interacionais e discursivos.

Para a coleta dos dados em vídeo, utilizamos duas câmeras: uma praticamente fixa no fundo do laboratório ou sala de aula, capturando de forma panorâmica e, em alguns momentos, com mais proximidade, a imagem do professor; e outra voltada para um grupo de alunos tomado para análise, a qual se mantém conectada a um microfone colocado adequadamente no centro da mesa do grupo. Esse recurso torna possível o acesso aos diálogos do professor com os alunos do grupo, como também aos diálogos que eles mantêm entre si, na ausência do professor. Nos demais grupos, a captura se dá por meio, prioritariamente, de gravadores, sendo também por vídeo, quando o professor interage com tais grupos.

O registro em vídeo das aulas pode ser submetido à análise por meio do *software* Videograph®, para obtenção de percentuais de tempo das categorias que emergem da análise. As aulas são, ainda, mapeadas, sendo segmentadas em episódios e sequências discursivas. O mapa de episódios nos possibilita perceber como as práticas epistêmicas se conectam entre si e como elas contribuem para a argumentação que se instaura acerca dos conhecimentos gerados para as questões de investigação. Ele favorece, ainda, uma percepção mais nítida das relações entre as intervenções do professor no trabalho do grupo de alunos investigado e as discussões, decisões e opções tomadas pelo grupo na ausência do professor.

Vale ressaltar que os mapas são elaborados considerando os registros correspondentes às capturas feitas pela câmera voltada para os alunos. Os registros da câmera do professor são consultados sempre que necessário para complementar as informações necessárias.

Todas as aulas de uma sequência didática investigativa são submetidas ao mapeamento, o que é um artifício importado da etnografia interacional (GREEN; DIXON; ZAHARLICK, 2001). No mapeamento, toda aula é considerada composta de três momentos distintos: 1) os alunos do grupo analisado ouvem o professor enquanto ele fala para toda a turma; 2) os alunos desse grupo interagem com o professor em particular e 3) os alunos interagem entre si na ausência do professor (o que normalmente coincide com aqueles momentos em que o professor interage com os demais grupos de alunos ou executa outras atividades relacionadas à aula). Partindo dessa divisão, consideramos também, para o recorte da aula em episódios, a categorização do tipo de discurso do professor e dos alunos.

Para o discurso do professor, temos: discurso de conteúdo científico, de agenda, de gestão e manejo de classe, de conteúdo escrito, de experimento, procedimental e outros (MORTIMER et al., 2007). Essas categorias são consideradas, portanto, para os momentos em que o professor interage com toda a turma ou com o grupo de alunos em particular. Considerando-se os momentos em que os alunos interagem entre si, na ausência do professor, distinguimos o discurso voltado à atividade desenvolvida daqueles em que outros temas são considerados, os quais caracterizaram momentos de dispersão. Nos momentos em que os alunos abordaram conteúdos científicos, identificamos suas práticas epistêmicas. Ao todo, para o discurso dos alunos, consideramos: discurso de conteúdo científico, discurso de gestão, silêncio/escrita, silêncio/leitura, discurso de experimento e momentos de dispersão.

Tendo em vista os momentos em que o professor e/ou alunos desenvolvem conteúdo científico, levamos em conta ainda os temas e subtemas abordados para a segmentação dos episódios em sequências discursivas. Os episódios mais representativos das práticas epistêmicas e diferentes movimentos de argumentação são submetidos a uma análise mais aprofundada, considerando os referenciais teóricos adotados.

Os procedimentos descritos nesta sessão nos permitem tomar os dados de sala de aula, entendendo-a como uma comunidade de prática que desenvolve por meio das interações discursivas distintas práticas epistêmicas, dentre elas, a argumentação.

Considerações finais

Consideramos que a argumentação no ensino de ciências corrobora com a aquisição da linguagem científica, contribuindo para a compreensão de conceitos, bem como da natureza discursiva da ciência. Entretanto, é notório que, apesar do avanço nas pesquisas que defendem a importância de promover práticas argumentativas durante as aulas, há ainda um vasto caminho a percorrer para que isso se instaure de fato nas salas de aula reais.

Por outro lado, documentos oficiais no Brasil têm apontado a argumentação como uma das competências requeridas na educação básica. Nesse sentido, investir na compreensão da argumentação como uma prática epistêmica relacionada a uma variedade de práticas que se instauram ao longo da produção do conhecimento no ambiente escolar acaba por solicitar ainda mais atenção ao tema.

Reconhecer que a argumentação não se instaura em qualquer ambiente de aprendizagem presume que se invista em estratégias didáticas que potencialmente gerem espaço para tal prática, bem como na formação de professores. Pesquisas que investem na produção e aplicação de sequências didáticas investigativas, sobretudo envolvendo a participação de professores da educação básica, contribuem para isso.

O professor é responsável por propor elementos que poderão gerar discussões durante as aulas, é ele quem irá questionar, propor desafios e engajar os alunos em práticas argumentativas. No entanto, é interessante, enquanto professores, questionarmos até que ponto a formação docente atual contribui ou não com tal finalidade.

O professor, em sala de aula, precisa assumir uma postura provocativa e ao mesmo tempo reflexiva, de modo a estimular os estudantes a expressarem seus pontos de vista embasados. É importante pontuarmos, porém, que nem todo discurso que ocorre em sala de aula poderá ser considerado argumentativo. O docente se torna o fator chave na escolha do tema a ser debatido, ao mesmo tempo em que o conhecimento científico sobre tal conteúdo será fundamental na elaboração da argumentação científica, como afirma Teixeira (2002) e, consequentemente, no envolvimento dos alunos em práticas da ciência. O autor enfatiza, ainda, a necessidade de preparar os estudantes para distinguirem argumentos baseados em evidências científicas dos fundamentados em crenças e valores.

Todavia, sabemos que este é um longo caminho a ser percorrido, especificamente quando nos referirmos ao ensino de ciências no cenário atual da sociedade, que perpassa não somente a formação inicial do professor das disciplinas científicas, mas também no investimento nas condições de ensino. As pesquisas têm evidenciado a dificuldade que os estudantes têm em se posicionar diante de uma situação que exija tomada de decisão, como também a dificuldade enfrentada pelos docentes na elaboração de materiais condizentes que favoreçam o desenvolvimento de práticas argumentativas, e até mesmo no rompimento de atitudes que não favorecem o posicionamento crítico dos alunos durante as aulas.

Além de estudos transversais que envolvem intervenções em salas de aula para aplicação de sequências didáticas investigativas planejadas, torna-se importante, conforme discutimos, o desenvolvimento de estudos longitudinais, que permitam compreender potencialidades e limitações para que sejam gerados discursos argumentativos nas salas de aula reais. O investimento em procedimentos metodológicos se torna fundamental para que sejam produzidos dados que possibilitem tal análise.

Referências

BRASIL. Ministério da Educação. *Base Nacional Comum Curricular.* Brasília: MEC, 2017. Disponível em: http://basenacionalcomum.mec.gov.br/images/BNCC_EI_EF_110518_versaofinal_site.pdf. Acesso em: 06 nov. 2020.

COLOMBO JUNIOR, P. D. et al. Ensino de física nos anos iniciais: análise da argumentação na resolução de uma "atividade de conhecimento físico". *Investigações em Ensino de Ciências*, v. 17, n. 2, p. 489-507, 2012.

DRIVER, R.; NEWTON, P.; OSBORNE, J. Establishing the norms of scientific argumentation in classrooms. *Science Education*, v. 84, n. 3, p. 287-312, 2000.

FATARELI, E. F; FERREIRA, L. N. A; QUEIROZ, S. L. Argumentação no ensino de Química: textos de divulgação científica desencadeando debates. *Revista Acta Scientiae*, v. 16, n. 3, p. 614-630, 2014.

GREEN, J; DIXON, C; ZAHARLICK, A. Ethnography as a Logic of Inquire. *In*: FLOOD, J; LAPP, D; JENSEN, J; SQUIRES, J. (Ed.). *Handbook for Research on Teaching the English Language Arts*. 2. ed. Nova Jersey: LEA, 2001.

JIMÉNEZ-ALEIXANDRE, M. P.; BROCOS, P. Desafios metodológicos na pesquisa da argumentação em ensino de ciências. *Ensaio Pesquisa em Educação em Ciências*, v. 17, p. 139-159, 2015.

JIMÉNEZ-ALEIXANDRE, M. P.; ERDURAN, S. Designing argumentation learning environments. *In*: ERDURAN, S.; JIMÉNEZ-ALEIXANDRE, M. P. (Eds.). *Argumentation in Science Education*: Perspectives on classroom-based research. New York: Springer, 2008. p. 91-116.

JIMÉNEZ-ALEIXANDRE, M. P.; RODRIGUEZ, A. B.; DUSCHL, R. "Doing the lesson" or "doing science": Argument in high school genetics. *Science Education*, v. 84, n. 6, 757-792, 2000.

KELLY, G. J. Inquiry, activity and epistemic practice. *In*: DUSCHL, R.; GRANDY, R. (Eds.). *Teaching Scientific Inquiry*: Recommendations for research and implementation. Rotterdam: Sense Publishers, 2008, p. 99-117.

KELLY, G. J. Methodological considerations for the study of epistemic cognition in practice. *Handbook of Epistemic Cognition*, 2016, p. 393-408.

KELLY, G; DUSCHL, R. A. Toward a research agenda for epistemological studies in science education. *In*: ANNUAL MEETING OF THE NATIONAL ASSOCIATION FOR RESEARCH IN SCIENCE TEACHING, New Orleans, Louisiana: NARST, 2002.

KELLY, G. J; LICONA, P. Epistemic practices and science education. *In*: MATTHEWS, M. R. (ed.). *History, Philosophy and Science Teaching, Science*:

new perspectives. Dordrecht: Springer International Publishing AG, 2018. DOI 10.1007/978-3-319-62616-1_5.

LEMKE, J. L. Articulating communities: sociocultural perspectives on science education. *Journal of Research in Science Teaching*, v. 38, n. 3, p. 296-316, 2001.

MORTIMER, E. F.; MASSICAME, T.; BUTY, C.; TIBERGHIEN, A. Uma metodologia para caracterizar os gêneros de discurso como tipos de estratégias enunciativas nas aulas de ciências. *In*: NARDI, R. (Org.). *A Pesquisa em Ensino de Ciências no Brasil*: alguns recortes. São Paulo: Escrituras, 2007.

NASCIMENTO, S. S; PLANTIN, C. (Org.). *Argumentação e Ensino de Ciências*. 1. ed. Curitiba: Editora CRV, 2009.

NASCIMENTO, S. S.; VIEIRA, R. D. A argumentação em sala de aula de física: limites e possibilidades de aplicação do padrão de Toulmin. *In*: NASCIMENTO, S. S; PLANTIN, C. (Org.). *Argumentação e Ensino de Ciências*. 1. ed. Curitiba: Editora CRV, 2009.

OLIVEIRA, F. S., CRUZ, M. C. P.; SILVA, A. C. T. Desenvolvimento da argumentação em uma sequência de ensino investigativa sobre termoelétrica. *Química Nova na Escola*, São Paulo, v. 42, n. 2, p. 186-201, 2020.

OSBORNE, J; PATTERSON, A. Scientific Argument and Explanation: A Necessary Distinction? *Science Education*, v. 95, p. 627-638, 2011.

ROSA, L. F. M.; PEREIRA, A. P. Argumentação no ensino de ciências: uma análise baseada em uma adaptação do padrão de Toulmin. *In*: ENCONTRO NACIONAL DE PESQUISA EM EDUCAÇÃO EM CIÊNCIAS, 12., Natal, 2019. *Atas [...]*. Natal: ABRAPEC, 2019.

SÁ, L. P; QUEIROZ, S. L. *Estudos de Casos no Ensino de Química*. Campinas: Editora Átomo, 2010.

SANDOVAL, W. A.; BELL, P.; COLEMAN, E. B.; ENYEDY, N.; SUTHERS, D. D. *Designing Knowledge Representations for Learning Epistemic Practices of Science*. In: ANNUAL MEETING OF THE AMERICAN EDUCATIONAL RESEARCH ASSOCIATION, New Orleans, LA: AERA, 2000.

SANDOVAL, W. A.; REISER, B. J. Explanation-driven inquiry: integrating conceptual and epistemic scaffolds for scientific inquiry. *Science Education*, v. 88, p. 345-372, 2004.

SASSERON, L.H; CARVALHO, A. M. P. Construindo argumentação na sala de aula: a presença do ciclo argumentativo, os indicadores de alfabetização científica e o padrão de Toulmin. *Ciência e Educação*, v. 17, n. 1, p. 97-114, 2011.

SEGUNDO, P. R. G. Argumentação e falácias em entrevistas televisivas: por um diálogo entre o Modelo Toulmin e a Perspectiva Textual-Interativa. *Linha D'Água (Online)*, São Paulo, v. 29, n. 2, p. 69-96, 2016.

TEIXEIRA, F. M. Argumentação nas Aulas de Ciências para as Séries Iniciais. In: NASCIMENTO, S. S; PLANTIN, C. (Orgs.). *Argumentação e Ensino de Ciências*. 1. ed. Curitiba: Editora CRV, 2009.

TEIXEIRA, F. M. Fazeres pedagógicos e pesquisa sobre argumentação no ensino de ciências. In: ENCONTRO NACIONAL DE PESQUISA EM EDUCAÇÃO EM CIÊNCIAS, 6., Florianópolis, 2002. Atas [...]. Florianópolis: ABRAPEC, 2002.

TOULMIN, S. E. *Os Usos do Argumento*. São Paulo: Martins Fontes, 2006, 375p.

VAN EEMEREN, F. H; GROOTENDORST, R; HENKEMANS, F. S; BLAIR, J. A; JOHNSON, R.H; KRABBE, E. C. W; PLANTIN, C; WALTON, D. N; WILLARD, C. A; WOODS, J; ZAREFSKY, D. *Fundamentals of argumentation theory*: A handbook of historical backgrounds and contemporary developments. Mahwah, New Jersey: Lawrence Erlbaum, 1996.

VAN EEMEREN, F.; GROOTENDORST, R. *A systematic theory of argumentation*: The pragma-dialectical approach. Cambridge University Press, 2004.

CAPÍTULO 2

SITUAÇÕES E LUGARES DE SABER NA APRENDIZAGEM SOBRE O CORPO HUMANO[1]

Eanes dos Santos Correia[2]
Veleida Anahi da Silva[3]
Renato Eugênio da Silva Diniz[4]

Aprendemos várias coisas de diferentes formas, lugares e situações, tanto dentro quanto fora do ambiente escolar. Este capítulo procura analisar, a partir das noções da Relação com o Saber, situações e lugares nos quais 21 estudantes do oitavo ano do Ensino Fundamental de duas escolas no Estado de Sergipe, estadual e municipal, conversam, estudam e aprendem saberes sobre o corpo humano, por meio de relatos produzidos em entrevistas de grupo.

Pesquisas desenvolvidas pelo filósofo e pesquisador Bernard Charlot, no Brasil e nos bairros periféricos da França e Tunísia, verificaram que estudantes de classes populares desses países aprendem mais saberes fora da escola do que dentro desse ambiente formal de educação. Os saberes que aprendem são conhecimentos que levam para a vida, além dos muros da

---

1 Esta pesquisa recebeu apoio do Programa Procad/Capes convênio 162.227.

2 Licenciado em Educação Física, Mestre em Ensino de Ciências e Matemática e Doutorando em Educação pela Universidade Federal de Sergipe, membro do Grupo de Estudo e Pesquisa Educação e Contemporaneidade (EDUCON/UFS/CNPq). E-mail: eanescorreia1@gmail.com. Orcid: https://orcid.org/0000-0002-9188-4336.

3 Licenciada em Ensino de Ciências e Matemática, Doutora em Ciências da Educação pela Universidade de Paris 8, docente do Programa de Pós-graduação em Ensino de Ciências e Matemática e em Educação da Universidade Federal de Sergipe. Líder do Grupo de Pesquisa Educação e Contemporaneidade (EDUCON/UFS/CNPq). E-mail: vcharlot@terra.com.br. Orcid: https://orcid.org/0000-0002-0920-5884.

4 Licenciado em Ciências Biológicas, Livre-Docente em Didática das Ciências pela Universidade Estadual Paulista "Júlio de Mesquita Filho" (Unesp), docente do Programa de Pós-graduação em Educação para a Ciência, da Faculdade de Ciências de Bauru (Unesp). Líder do Grupo e pesquisa "Formação e Ação de Professores de Ciências e Educadores Ambientais". E-mail: renato.es.diniz@unesp.br. Orcid: https://orcid.org/0000-0002-0192-3988.

instituição. Socializam e vivenciam saberes em suas casas, com a família, no seu bairro, na rua, na vida. A escola, segundo Charlot, serve como um lugar de encontro com os amigos, de socialização e, por último, como um lugar de aprendizagem e saberes. A escola é uma instituição cujo sentido dos estudantes é "passar de ano", ganhar um diploma após o término do Ensino Médio e ter um emprego melhor que o dos pais, no futuro próximo. Diante de suas posições subjetivas, os estudantes não veem a escola como um único lugar de saberes, mas como um lugar que vai garantir um futuro melhor, com diploma e a promoção de um emprego ou profissão futura (CHARLOT, 2009).

A escola tem uma lógica simbólica e também tem saberes institucionalizados que não podem ser negados aos estudantes. Assim, podemos confirmar também que há estudantes que veem a escola como um lugar de aprendizagem, pois ela foi, ainda é e será, um lugar de saberes, da Educação. A Relação com o Saber pauta sobre as situações educacionais e escolares com um olhar em positivo, não denunciando o fenômeno analisado com juízo de valor, mas o que pode ser refletido para a tomada de ações posteriores diante das condições da educação e suas contradições.

Vale salientar que não há uma forma pronta para resolver as problemáticas da escola e do estudante em situação de fracasso escolar, mas há chance de criar possibilidades diante do desejo de aprender desse estudante na sala de aula, na tentativa de não tornar a escola uma instituição fracassada. Um primeiro aspecto que deve ser considerado é a escola ser democrática e outro é valorizar aquilo que os estudantes já sabem, seus saberes, suas experiências empíricas, suas dimensões epistêmica, social e identitária – de um sujeito de experiências, que está inserido em um determinado lugar na sociedade, que pensa, age e reflete sobre as coisas e o mundo, como também tem desejos sobre determinado objeto ou conteúdo – não menosprezando os saberes institucionalizados, mas os articulando aos saberes desses sujeitos que são idiossincráticos, sociais e históricos (CHARLOT, 2000; 2005; 2009).

O corpo humano, os estudantes e a Relação com o Saber

A Relação com o Saber considera os estudantes, antes de qualquer teoria, sujeitos de direito à Educação, além de sujeitos sociais e singulares direcionados à condição humana universal. São sujeitos sociais em processo de singularização e sujeitos singulares em processo de socialização, são únicos, subjetivos e estabelecem relações sociais (CHARLOT, 2000). São sujeitos pensantes, cognitivos, que têm desejos e prazeres. Considerando que essas variáveis os tornam 100% sociais e 100% singulares, não são aditivas, mas multiplicativas, que os tornam 100% pessoas humanas, seres universais, sujeitos de desejos que se mobilizam e entram em uma atividade intelectual para aprender (CHARLOT, 2000; 2005; 2013).

Sair do desejo de saber para o desejo de aprender exige uma mobilização do estudante sendo necessário um motivo, um "móbilis" que o leve a aprender, pois "o desejo de saber não tem nenhuma relação com o saber" (CHARLOT, 2005, p. 37), mas, para ter a mobilização, ele tem que ter desejo pelo conteúdo ou objeto de saber que lhe é apresentado. O que torna conveniente é que o estudante pode ter interesse em saber sobre coisas, informações sobre o corpo humano nas aulas de ciências, mas não querer aprender sobre este. Ele pode até achar interessante, importante, mas pode não ser útil para a vida dele, para seu cotidiano, para a própria realidade. Ele pode também querer entender sobre o assunto em sala de aula e criar táticas, bricolagens (CERTEAU, 1998) para se sobressair e também aprender sobre o corpo humano, por meio da mobilização – força interna –, que é excitada pelo desejo de aprender sobre o assunto corpo humano.

Mas o que torna a aula desejada, o que mobiliza o estudante a querer aprender sobre o corpo humano? Seria a didática do professor? Fazendo menção à pesquisa de Silva (2009), apresentada no livro *Por que e para que aprender a matemática?*, resultado de uma pesquisa feita na região metropolitana de Aracaju (SE), a obra mostra que, "para aprender, o aluno deve manter uma atividade intelectual; quem não pensa, não aprende. Para mobilizar-se intelectualmente, é preciso achar um sentido nesta atividade intelectual" (SILVA, 2009, p. 9).

Percebe-se, então, que não basta somente ser um bom professor ao ensinar sobre o corpo humano nas aulas de ciências. Embora seja de extrema importância ter domínio e uma dinâmica do conteúdo que alcance a heterogeneidade da sala, da diversidade de estudantes, com classes sociais diferentes, experiências diversas, culturas e costumes distintos, há uma contradependência entre o estudante e o professor. O ensino e a aprendizagem não são lineares (CORREIA et al., 2020), são contradependentes, ou seja, o estudante precisa do professor para aprender e o professor precisa do estudante para ensinar. E, se o docente ensina, não é determinante que o estudante aprenda e vice-versa. O que interessa na Relação com o Saber é que o discente tenha uma mobilização, uma atividade intelectual, sem a qual ele não aprende (CHARLOT, 2012).

Sabe-se que a Relação com o Saber tem visão positiva sobre o que se analisa, pois tenta entender o fenômeno pesquisado e não a ausência de algum fator determinante que deveria ser encontrado no objeto, pois, já que tal coisa que é ausente não existe, logo, não há como analisá-la, por isso esse olhar em positivo. Acredita-se, aqui, que o professor precisa considerar o estudante autônomo e dotado de um saber no processo de ensino e aprendizagem. Deve ser destacado nesse momento que o estudante só aprende por meio de uma "atividade intelectual". Aulas que alcançam as expectativas dos estudantes e as necessidades do seu cotidiano que dão sentido para eles, pois "a tese oficial é a de que o aluno só se interessa no que é relacionado com sua vida cotidiana" (SILVA, 2009, p. 10).

Pesquisar a relação dos estudantes desta pesquisa com o saber e o corpo humano torna um assunto que alcança uma relevância social, pois o oitavo ano é uma fase de mudanças corporais dos estudantes adolescentes. Transformações e características secundárias começam a aparecer em seus corpos devido aos hormônios liberados durante essa fase da vida e também às curiosidades dos discentes adolescentes quanto a essas transformações, além de terem certa timidez para conversar sobre assuntos ligados ao corpo (CORREIA, 2017; TALAMONI, 2007).

Os assuntos ou conteúdos do oitavo ano são totalmente voltados ao debate e ao conhecimento do corpo humano, fase em que os corpos dos adolescentes estão em totais transformações fisiológicas, físicas e psicológicas (BEE, 1997; USBERCO et al., 2012).

Com todos os eventos que os acompanharão durante a adolescência, a ação do estudante se mobilizar com o objetivo de querer saber e querer aprender tal assunto vem do desejo e do interesse sobre ele. Então, com essas transformações e curiosidades do corpo existentes na adolescência, o discente adolescente se interessa mais sobre tudo que envolve o corpo humano, sexualidade e seus espectros (CORREIA, 2017; TALAMONI, 2007).

Esses estudantes têm curiosidade sobre si, sobre o corpo do outro, além do que se refere aos assuntos que os norteiam, do mundo. Dessa forma, é o desejo dos estudantes que lhes causam interesse em saber, assim como o que os mobilizam a aprender sobre o corpo humano e suas representações a partir das aulas de ciências.

A partir daqui iremos destacar, com brevidade, os procedimentos que fizemos para chegar à produção e à análise dos dados que serão expostos a seguir.

A organização das entrevistas de grupo e análise

Foram feitas entrevistas com 21 estudantes de três turmas, de duas escolas 1 e 2. Os estudantes tinham idades entre 12 a 16 anos, pois alguns deles não se encontravam na idade correspondente ao seu ano letivo. As Entrevistas de Grupo tiveram média de sete estudantes, média padrão para esse tipo de entrevista (FLICK, 2009). Foi feito apenas um encontro com cada grupo/turma, suficiente para serem discutidos temas pertinentes à questão de pesquisa, havendo uma duração média de uma hora e vinte minutos de discussão para cada grupo entrevistado. Foram utilizados dois gravadores de áudio para gravar as vozes dos sujeitos participantes e, cada um se inscrevia para falar individualmente nas discussões. Os estudantes participantes se sentiram à vontade com os gravadores de áudio e o ambiente de discussão se transformou em um lugar de atmosfera adequada para as discussões e os *insights* se tornavam espontâneos durante a sessão (FLICK, 2009).

Sendo assim, para uma melhor compreensão dos resultados e da análise dos dados desta pesquisa, fizemos um quadro sobre a identificação dos sujeitos, sendo uma abreviação com a letra "B" (*Entrevista de Grupo*) e um número em seguida referente ao estudante. Esse número corresponde ao estudante entrevistado, do primeiro ao vigésimo primeiro (número total de sujeitos que participaram das sessões nas Entrevistas de Grupo das duas escolas), sendo que os estudantes B01 a B07 correspondem ao grupo da turma 1, da escola 1; B08 a B15 correspondem aos estudantes da turma 2, da escola 2; e B16 a B21 correspondem aos sujeitos da turma 3, da escola 2. Ao todo, participaram das Entrevistas de Grupo sete estudantes da escola 1 (turma 1) e 14 estudantes da escola 2 (turmas 2 e 3).

Quadro 1 – Identificação dos sujeitos

GRUPOS ENTREVISTADOS		
TURMA 1 – ESCOLA 1	TURMA 2 – ESCOLA 2	TURMA 3 – ESCOLA 2
B01 B02 B03 B04 B05 B06 B07	B08 B09 B10 B11 B12 B13 B14 B15	B16 B17 B18 B19 B20 B21

Fonte: Elaborado pelos autores (2020).

Nesta análise, há um bloco temático do assunto destacado no grupo, envolvendo o objetivo deste capítulo. Vale ainda destacar que as análises dos dados estão embasadas nas dimensões que envolvem a noção da *Relação com o Saber*: epistêmica, identitária e social. a seguir, temos o bloco temático com as respectivas categorias para análise a partir de Bardin (2011):

Quadro 2 – Lugar e situações que conversam, estudam e aprendem saberes sobre o corpo humano

Categoria	Comentário Destacado	Dimensão do Saber[5]
Aulas de Ciências	"Através das aulas de ciências na escola. Porque com a explicação do professor comecei a entender que o nosso corpo não é só o que vemos por fora" (B13).	Epistêmica e social
Escola	"Na escola. Pois acredito que a explicação do nosso corpo é bem mais explicado (*sic*) pela ciência, porque ela fala de cada parte do nosso corpo, o que a gente deve realmente saber. Não acho que aprende em nossa casa ou rua não é necessário" (B04).	Epistêmica e social

---

5 Na coluna da dimensão com o saber, as dimensões são organizadas de forma estratégica. A primeira dimensão tem maior inferência do que a segunda na categoria correspondente a elas.

Sozinho	"Não, não tenho vontade de falar sobre isso com alguém" (B15).	Identitária e Social
Familiares/ Casa	"Com minha mãe, pois acho a pessoa mais ideal para falar sobre esses assuntos" (B06).	Social e Identitária
Amigos(as)	"Sim! Converso com meu colega sobre o conteúdo e relembro algo da minha vida" (B12).	Social e Identitária

Fonte: Elaborado pelos autores (2020).

A partir desse bloco temático, desenvolvemos as cinco categorias a seguir, nas quais analisamos os dados produzidos a partir das noções da Relação com o Saber e de teóricos sobre a temática do corpo humano em Ensino de Ciências.

Aulas de ciências

Nesta categoria, os estudantes relatam especificamente que aprendem sobre o corpo humano nas aulas de ciências e não de forma mais geral, na escola.

Algumas conversações dos estudantes: "Nas aulas de ciências. Porque nas aulas de ciências eu tinha a curiosidade de estudar o meu corpo" (B05); "Através das aulas de ciências, pois explica cada parte existente com seu corpo" (B07); "Nas aulas de ciências na escola. Na escola nós temos o professor para tirar dúvidas e falar sobre informações que não sabia" (B12); "Aulas de ciências na escola. Porque aprendi várias coisas que não sabia" (B10); "Através das aulas de ciências, porque na rua ninguém comenta sobre o assunto" (B19); "Nas aulas de ciências, pois, devido às transformações ocorridas, eu fui sempre esclarecendo com as explicações dos professores" (B17).

Os estudantes mencionam que aprenderam a conhecer coisas sobre o corpo humano especificamente nas aulas de ciências, de forma geral. Desde órgãos, sistemas, até alguns assuntos que não são falados em casa, como gravidez, sexualidade, os órgãos genitais masculinos e femininos, as transformações que ocorrem no corpo, principalmente na adolescência[6]. O ambiente da sala de aula, com o professor de ciências, torna mais fácil

---

6 Alguns relatos foram retirados de um caderno de relatos escrito pelo primeiro pesquisador após as sessões de entrevistas com os estudantes, em uma conversa informal.

essa conversação entre discente e docente, e proporciona conhecimentos novos ou curiosidades mais esclarecidas sobre o corpo humano nessa fase de transformações do corpo.

Para Megid Neto e Fracalanza (2003), se o professor de ciências não tivesse somente o livro de ciências como um guia para suas aulas, seria preciso, também, que ele tivesse habilidades de lidar com temas que transcendem o corpo humano biológico, biomédico e usar outros assuntos ligados ao corpo, por meio de temas transversais nas aulas de ciências. Eles concluem que esse seria um aspecto importante para uma aprendizagem sobre o corpo humano mais significativa e menos biologizante para com os estudantes.

Verificou-se que, em pesquisas de temas correlatos a este, nas aulas de ciências, os estudantes aprendem sobre um corpo biomedicalizado, com funções e estruturas específicas. Um corpo orgânico, que adoece e sofre transformações ao longo do tempo, envelhece e morre. Um corpo biomédico, estigmatizado pela medicina (TALAMONI, 2007; TRIVELATO, 2005).

Outro pesquisador e estudioso sobre corpo, Medina (2000), sugere que o corpo humano poderia ser visto de outro ângulo, além da perspectiva biológica, nas aulas. "O corpo humano [...] deve ser entendido como um sistema bioenergético-dialético-transcendental. Neste sentido, o corpo é o próprio homem e como tal, não pode ser somente um objeto, mas sim o sujeito, o produtor e o criador da história" (MEDINA, 2000, p. 24) da vida dos estudantes.

Segundo relatos de Medina (2000), o estudante poderia aprender em sala de aula sobre um corpo que tem uma história, um sujeito que tem um predicativo, que age, é ativo, autônomo, criativo, têm sentimentos, emoções, faz história e tem um presente, um passado e um futuro. E não somente um corpo que, "dentro dessas circunstâncias, nascemos, crescemos, vivemos, sobrevivemos, adoecemos e morremos" (MEDINA, 2000, p. 23).

Foi possível verificar, nas discussões dos estudantes, que eles falam sobre seu corpo ou coisas do corpo humano com o professor da turma. Percebe-se que há intimidade para falar sobre tal tema, que às vezes se torna um tabu tanto na escola como em casa: "Com minha professora" (B01);

"[...] ou até mesmo com a professora quando eu tenho alguma dúvida ou curiosidade" (B02); "Depende, nas aulas de ciências os alunos costumam discutir sobre corpo humano com o professor tirando todas as dúvidas" (B07).

Os estudantes demonstram se sentir à vontade em falar sobre seu corpo com o professor de ciências, tirando dúvidas e curiosidades. Em investigações analisadas anteriormente para o desenvolvimento desta pesquisa, foi possível perceber que professores se sentiam intimidados em falar sobre tal assunto na sala de aula, principalmente quando o professor era do sexo masculino (TALAMONI, 2007).

Dessa forma, os estudantes da nossa pesquisa mostram que suas dúvidas, de alguma forma, são sanadas e o assunto corpo é comentado na sala de aula, sem restrições de pudor ou algum tipo de timidez, com resultado diferente da pesquisa de Talamoni (2007). Não obstante, ainda se percebeu que, diante do que explicitaram os estudantes participantes, as discussões são dentro de uma perspectiva de um corpo biológico apenas e não àquele que transcende, como nos indicou Medina (2000).

Com base nas discussões dos estudantes, é possível verificar uma relação epistêmica com o saber, pois eles aprendem assuntos do corpo humano especificamente nas aulas de ciências e, com o professor, assuntos científicos explicitados pelo livro e por aquele na sala de aula, o que não deixa de ser também uma relação social com o saber, pois está em contato direto com o professor e seus colegas, ou seja, há um saber sobre o corpo institucionalizado e a socialização deste em sala de aula entre colegas e professor.

Escola

Nesta categoria, os estudantes mencionam que aprenderam sobre o corpo humano na escola, onde há uma relação epistêmica deles com um saber escolar institucionalizado. Não especifica em que matéria ou disciplina aprenderam, mas subentende que aprenderam nas aulas de ciências e com os professores dessa disciplina. O corpo humano é um assunto afim dos estudantes, tendo o interesse de conhecer cientificamente as partes internas que o constitui.

Na escola, o discente adolescente aprende sobre o corpo humano em uma linguagem científica, na qual pode aprender coisas novas, tirar dúvidas sobre determinado assunto/tema, curiosidades, principalmente os que não são muito falados em casa, como sexualidade e reprodução[7]: "Na escola. Porque aprendi que o meu corpo não é só o que posso ver externamente, estudei órgãos que, se não fossem ensinados na escola, eu nem os conheceria, as partes de uma célula, que eu nem sabia que existiam antes" (B02). Nesse relato, nota-se que o estudante conhece o corpo humano fenotipicamente, por fora, e não conheceria, por exemplo, a unidade básica fundamental morfofisiológica, as células, se não as estudassem nas aulas. Há uma relação epistêmica entre o discente e o assunto que teve acesso.

O estudante participante também reconhece que, na escola, o corpo é conceituado cientificamente: "Na escola. Pois acredito que a explicação do nosso corpo é bem mais explicada pela ciência, porque ela fala de cada parte do nosso corpo, o que a gente deve realmente saber." (B04). Ter uma relação epistêmica com o saber é ter acesso à dimensão científica institucionalizada que se faz necessária, porém, o estudante reconhece e tem consciência também de que os saberes do seu cotidiano merecem reconhecimento: "Não acho que aprender em nossa casa ou rua não é necessário" (B04).

Há também um ponto em que o estudante reconhece o corpo empiricamente, em casa, não obstante, salienta a relevância de aprender o corpo humano na escola de forma científica: "Através da escola e de casa, mas na escola foi muito melhor, eu descobri muitas coisas que não sabia que tinha e aprendi mais, e foi muito bom" (B9). O participante faz relato de um saber sobre o corpo que pode ser aprendido tanto na escola quanto em casa. Na escola, segundo o estudante, pode ter acesso a um conhecimento científico, porém, é um corpo em uma abordagem biológica, apenas uma das facetas do conhecimento que constitui o corpo humano (MEDINA 2000; TALAMONI, 2007; TRIVELATO, 2005).

Percebe-se, também, a importância que os estudantes dão ao professor e ao livro didático sobre as explicações científicas referentes ao corpo humano: "Na escola. Porque o professor explicou tudo sobre o nosso corpo.

---

[7] *Relatos de caderno de anotações após entrevistas com estudantes em conversa informal, fora da sala de aula.*

Foi aí que passei a conhecer meu corpo verdadeiramente melhor" (B14); "[...] na escola. Na escola eu tiro dúvidas com o professor, porque meus pais não concluíram os estudos. Assim eu tenho que ler um livro sem falar com o professor" (B16). Na escola, o professor, com o livro didático, faz a mediação entre estudante e o saber corpo. Verificou-se, diante dos dados da pesquisa e da conversa com os estudantes, que há uma supervalorização e uma unilateralidade biológica quando se refere ao corpo humano.

Pode ser percebido, na explicitação do estudante B16, que o livro didático também é um importante objeto de saber nesse processo de (re) conhecimento do corpo humano, tornando-se uma ferramenta pedagógica importante no processo de ensino e aprendizagem, pois compreende que o discente pode levar dúvidas para a sala de aula e, ao ler o livro e tendo o professor como mediador, possivelmente irá saná-las com conceitos e/ou explicações científicas (MEGID NETO; FRACALANZA, 2003).

Aprender conhecimentos sobre o corpo humano na escola e com o livro didático é ter uma relação epistêmica com o saber. É considerar que se pode aprender em diferentes situações e com diferentes objetos de saber, como também pela mediação do professor de ciências.

Sozinho

Por ser um assunto considerado íntimo, torna-se difícil falar sobre o corpo com amigos, família, professor, médico, namorado(a) ou qualquer outra pessoa. Essa categoria se refere às discussões nas quais os estudantes relataram que não conversam sobre seus corpos com ninguém: "Não. Que meu corpo não tem nada a ser falado com pessoa que não faz meu tipo" (B5); "Não. Porque tenho vergonha do que a pessoa vai falar ou achar de mim" (B3); "Não! Só comigo mesmo" (B14); "Não, não tenho vontade de falar sobre isso com alguém" (B15). Esses estudantes se mostraram um pouco retraídos, tímidos, e, por isso, preferiram não falar sobre seu corpo com outras pessoas, família ou colegas[8].

Os estudantes dessa categoria disseram preferir não compartilhar suas experiências corporais e explorar suas curiosidades sobre o corpo sozinhos. Subtende-se que eles não têm uma boa imagem corporal, têm vergonha

---

8 Relatos de caderno de anotações após entrevistas com estudantes em conversa informal.

dele, e preferem não falar com ninguém sobre o assunto, tornando-se este um assunto particular (MALDONADO, 2006). Vale salientar que esse tipo de atitude/comportamento não é relatado por todos os estudantes entrevistados, mas uma pequena parte deles.

De outro lado, um estudante afirma que não fala sobre seu corpo com ninguém, só se for uma questão de emergência e, somente se for necessário, falar com os pais para o levarem ao hospital. Assim, subentende-se que ele só fala do seu corpo com os pais quando está doente ou quando algo de errado ocorre. Isso deixa um impasse na sua fala de qual seria o acidente, caso acontecesse: "Não. Pois acho que não devo falar sobre minhas privacidades. Só acho necessário eu mesmo saber, caso eu tenha alguma doença, ou aconteça um acidente com meu corpo, só acho necessário falar aos meus pais para eles me levar (sic) a uma clínica de saúde" (A4). O estudante se mostra retraído e deixa a desejar o que realmente queria relatar ao falar se acontecesse algum acidente com seu corpo e qual acidente seria. É um assunto íntimo, privado, não relatado e ele só fala o que é necessário sobre si mesmo somente para socializar.

Percebe, nesta categoria, que se destaca uma dimensão identitária desses estudantes com o corpo, pois há uma representação produzida por ele de uma imagem que tem de si, do seu corpo, suas projeções. Provavelmente, esses tipos de representações estão listados ao modo como se relacionavam com o corpo, suas experiências, a história de vida de um sujeito que existe a partir de um corpo que pensa no e sobre o mundo, que se relaciona consigo mesmo.

Família ou em casa

Pode se verificar que alguns estudantes falam sobre o corpo com alguém da família, principalmente com uma figura feminina, a mãe: "Com a minha mãe, quando eu sinto alguma dor" (B2); "Com minha mãe, pois acho a pessoa mais ideal para falar sobre esses assuntos" (B6); "Sim. Com minha mãe, que ela tira algumas dúvidas minhas" (B8); "Sim. Com minha mãe às vezes" (B19).

Verifica-se, ainda, timidez de falar sobre o corpo com a mãe e isso pode ser percebido na fala do estudante B19, pois os pais ainda não estão acostumados com as transformações que ocorrem nessa fase da vida de seus filhos. Outrora, eram crianças e, agora, são adolescentes, e se instalam dúvidas se o jovem adolescente tem responsabilidades de adulto ou de criança. Verifica-se, em pesquisa feita por Talamoni (2007), que, embora seja raro falar sobre corpo na família, quando ocorre, a conversa acontece com a mãe.

Os estudantes adolescentes sofrem nessa fase, por muitas vezes nem reconhecerem seus corpos, causando uma distorção entre a sua imagem corporal e seu esquema corporal, principalmente no estirão do crescimento, que ocorre tanto nos meninos quanto nas meninas: "o adolescente se sente, e é desajeitado, ainda não domina bem seu corpo, porque não se adaptou a ele" (TALAMONI, 2007, p. 38). O estudante adolescente tem um corpo, mas que lhe é estranho por tais modificações ocorridas tão rapidamente na adolescência.

Sobre a imagem de corpo dos estudantes, na visão de Talamoni (2007, p. 31): "[...] observa-se que, tanto o esquema corporal como a imagem do corpo ou 'imagem corporal' são vivências e visões fundamentais sobre as quais se baseiam a personalidade e identidade desses indivíduos". Ou seja, a personalidade do estudante se desenvolve juntamente com o esquema corporal, concomitantemente, e sua identidade a partir das percepções, das impressões subjetivas que ele tem do seu corpo, a imagem corporal. Vale salientar que o esquema corporal é sua estrutura ortopédica, biológica, que ocupa um lugar no espaço. Já a imagem corporal está ligada à percepção do estudante, do seu imaginário sobre o corpo, é subjetiva e, muitas vezes volátil, efêmera, inconstante.

A família, com seu caráter conservador sobre o corpo e o pudor que tem sobre ele, torna-se, nesta categoria de discussão sobre o corpo humano, um lugar específico para falar do próprio corpo do estudante: "Sim. Com [...] minha família" (B1). O estudante afirma que conversa sobre seu corpo com sua família, não especificando com quem ou quais membros dela. E outro, referindo a algumas pessoas da família: "Sim! Com meus pais e avós" (B12). Geralmente, conversam com os parentes com quem têm mais afinidade e intimidade.

Há uma relação identitária no que se refere conhecimento do corpo, que se alude à imagem corporal, sua impressão a partir de suas experiências enquanto corporeidade do estudante, ao mesmo tempo em que também há uma relação de socialização de experiência com outrem, ou seja, com algum parente próximo, os pais, avós, mais especificamente a mãe. Verifica-se, dessa forma, que há uma relação de dimensão identitária e social com o saber corporal dos estudantes, na qual eles tentam socializar conhecimento ou experiências deles com familiares, mesmo esporadicamente.

Os estudantes também revelam, nas sessões de entrevistas, que começaram a conhecer sobre o corpo humano em casa. Declarando de forma superficial, cientificamente falando, explicitando a vontade de conhecê-lo melhor e de forma científica na escola: "[...] em casa eu pesquiso um pouco, mas não como na escola" (B19); "Em casa, eu procuro conhecer cada parte do meu corpo. Assim, eu descubro como eu sou e as dificuldades tanto física como mental (sic)" (B16). Verifica-se que os estudantes conhecem coisas sobre o corpo em casa, mas entendem que, na escola, irão conhecê-lo de forma científica, com detalhes acerca dele. Assim, os estudantes se referem ao corpo humano em um viés científico, que, mesmo que o conheça em casa, tem o desejo de aprender na escola.

Percebe-se o desejo que o estudante tem em conhecer o corpo humano, de frequentar a escola para aprender mais coisas, mesmo que já tenham noções sobre ele em casa. O estudante adolescente é uma subjetividade, uma singularidade que tem desejos sobre isso ou aquilo, desejos de conhecer coisas sobre o corpo e assuntos que o referem, um desejo de aprender. Não há aprendizagem se não houver desejo e um esforço intelectual do estudante sobre um objeto de saber (CHARLOT, 2000; 2013).

Amigos(as)

Companheiros de segredos na adolescência e trocas de experiências vivenciadas, os amigos são as principais pessoas com quem os estudantes adolescentes conversam sobre suas experiências de corpo: "Com [...] minhas amigas" (B01); "Só às vezes quando começamos a falar sobre o corpo humano, eu também falo e comento com eles" (B09); "Com meu amigo e mais ninguém" (B11); "Converso com meu colega sobre o conteúdo e relembro algo da minha vida" (B12). Pode se verificar que os estudantes comentam sobre os assuntos abordados ou discutidos nas aulas de ciências com os colegas também como forma de socialização do que aprenderam.

Por passarem pelas mesmas modificações e até mesmo desconhecimento dos próprios corpos, dadas pelas transformações rápidas e do aparecimento das características sexuais secundárias, eles trocam experiências sobre ocorrências do seu cotidiano, como a menarca, nas meninas, ou até mesmo a polução noturna, nos meninos[9]. Vale salientar que esses segredos ou confissões são compartilhados por colegas do mesmo sexo. Essa informação pode ser verificada no caderno de relatos com os estudantes adolescentes. Esse tipo de prática de falar sobre experiências de corpo é um fenômeno comum ao público adolescente (BEE, 1997; CORREIA, 2017).

Considerações

Para desfecho desta pesquisa, verificamos, durante a análise e a discussão dos dados, as dimensões epistêmicas, sociais e identitárias da Relação com o Saber dos estudantes com o corpo humano. Há uma relação da dimensão social com o saber sobre o corpo humano a partir das explicitações dos estudantes adolescentes, tanto nas entrevistas quanto em caderno de relatos de campo, como também uma relação epistêmica, pois são assuntos voltados ao corpo humano, discutidos na escola e também nas aulas de ciências, mediados pelo professor e pelo livro didático. Eles falam, estudam e aprendem em diversos lugares e situações. Há também uma relação subjetiva do estudante adolescente diante do saber relacionado ao corpo que se configura na dimensão identitária, sobre as formas como aprendem, agem, conversam e refletem sobre o corpo humano.

Para visualização das dimensões do saber corpo nesta pesquisa sobre as explicitações dos estudantes, fez-se um gráfico para compreensão analítica dessa investigação e do espectro que essas dimensões do saber alcançam dentro desse objeto de investigação.

---

9   *Informações coletados em caderno de relatos com os estudantes após a sessão de entrevista.*

Gráfico 1: As dimensões da Relação com o Saber da pesquisa.

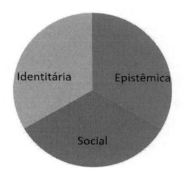

Fonte: Elaborado pelos autores (2020).

Pode-se verificar uma visão geral sobre as dimensões que a relação com o saber abrange nas categorias analisadas. Observa-se, sem ordem de prioridade, que as dimensões da relação com o saber são indissociáveis e funcionam de forma associativa e não hierárquica. A dimensão social é transversalizante, pois não há saber que não seja social ou não envolva relação social do sujeito humano; já na dimensão identitária, percebe-se que não há aprendizagem se não houver subjetividade, um sujeito que se esforçou intelectualmente para aprender tal saber ou conhecimento sobre o corpo humano; e, na dimensão epistêmica, verificou-se que não há aprendizagem se não houver uma relação do estudante com o saber. Não há um grau de maior importância de uma dimensão sobre a outra. Elas nos ajudam a entender como se estabelece a Relação com o Saber do objeto pesquisado.

Por último, há diversos lugares e situações em que os estudantes adolescentes conversam e aprendem sobre o corpo humano: nas aulas de ciências, na escola, sozinho, com familiares ou no ambiente de casa e com amigos. Além do lugar formal de saber institucionalizado, a escola, também há outros locais e situações não formais de relação com o saber corpo, nos quais os estudantes aprendem coisas sobre o corpo humano e envolvem uma relação consigo mesmo, o outro e o mundo.

Referências

BARDIN, L. *Análise de conteúdo*. São Paulo: Edições 70, 2011.

BEE, H. *O ciclo vital*. Porto Alegre: Artes Médicas, 1997.

CERTEAU, M. *A invenção do cotidiano*: artes de fazer. Trad. Ephraim Ferreira Alves. 3. ed. Petrópolis/RJ: Vozes, 1998.

CHARLOT, B. A mobilização no exercício da profissão docente. *Revista Contemporânea de Educação*, v. 7, n. 13, janeiro/julho, 2012.

CHARLOT, B. *A Relação com Saber nos meios populares*: uma investigação nos Liceus profissionais de subúrbio. Trad. Catarina Matos. Porto: Legis Editora, 2009.

CHARLOT, B. *Da relação com o saber às práticas educativas*. São Paulo: Cortez, 2013.

CHARLOT, B. *Da relação com o saber*: elementos para uma teoria. Trad. de MAGNE, B. Porto Alegre: Artmed, 2000.

CHARLOT, B. *Relação com o Saber, Formação dos Professores e Globalização*: questões para a educação de hoje. Porto Alegre: Artmed, 2005.

CHARLOT, B. (Org.). *Os jovens e o saber*: perspectivas mundiais. Trad. Fátima Murad. Porto Alegre: Artmed, 2001.

CORREIA, E. S.; SILVA, V. A.; NASCMENTO, W. R. S.; CHARLOT, Y. C. A Unidade Dialética Ensino e Aprendizagem: um processo não linear. *Revista Internacional Educon*. v. 1, n. 1, 2020. Disponível em: https://revista.coloquioeducon.com/index.php/revista/article/view/1223/1048. Acesso em: 5 de out. 2020.

CORREIA, E. S. *Corpo humano e ensino de ciências*: o que faz sentido aos alunos do oitavo ano do ensino fundamental. 2017. 158 f. Dissertação (Mestrado em Ensino de Ciências e Matemática) – Universidade Federal de Sergipe, Sergipe. 2017.

FLICK, W. *Introdução à pesquisa qualitativa*. 3. ed. Porto Alegre: Artmed, 2009.

MALDONADO, G. R. A Educação Física e o adolescente: a imagem corporal e a estética da transformação na mídia impressa. *Revista Mackenzie de Educação Física e Esporte*, v. 5, n. 1, 2006.

MEDINA, J. P. S. *O brasileiro e seu corpo*: educação e política do corpo. 7. ed. Campinas, SP: Papirus, 2000.

MEGID NETO, J; FRACALANZA, H. O livro didático de ciências: problemas e soluções. *Ciência & Educação*, v. 9, n. 2, p. 147-157, 2003. Disponível em: https://www.scielo.br/pdf/ciedu/v9n2/01.pdf. Acesso em: 22 abr. 2016.

SILVA, V. A. *Por que e para que aprender matemática?* A relação com a matemática dos alunos de séries iniciais. São Paulo: Cortez, 2009.

TALAMONI, A. C. B. *Corpo, Ciência e Educação*: representações do corpo junto a jovens estudantes e seus professores. Dissertação (Mestrado em Educação para a Ciência) – Faculdade de Ciências, Universidade Estadual Paulista, Bauru, 2007.

TRIVELATO, S. L. F. Que corpo/ser humano habita nossas escolas? *In*: AMORIM, A. C.; *et al.* (Orgs.). *Ensino de Biologia*: conhecimentos e valores em disputa. Niterói: Eduff, 2005, p. 121- 130.

USBERCO, J. *et al. Companhia das Ciências*: 8º ano. 2. ed. São Paulo: Saraiva, 2012.

CAPÍTULO 3

A FORMAÇÃO DE PROFESSORES DE CIÊNCIAS E BIOLOGIA EM DUAS UNIVERSIDADES ESTADUAIS BRASILEIRAS: VERSANDO SOBRE IDENTIDADE DOCENTE E ESPAÇOS FORMATIVOS[1]

Lucas da Conceição Santos[2]
Moisés Nascimento Soares[3]
Renato Eugênio da Silva Diniz[4]

A formação docente envolve múltiplas facetas concernentes ao processo de ensino-aprendizagem, saberes e experiências, contudo, sua compreensão holística está condicionada pelo significado que a docência tem para cada sujeito (MARCELO, 2009; MENDONÇA, 2015; SANTOS, 2020).

Assim, a formação inicial compreende parte dos labirintos da identidade docente. Esses labirintos são constituídos/representados pelos percursos trilhados pelo indivíduo ao longo da sua trajetória formativa (SANTOS, 2020).

Nesse sentido, a identidade é fruto de um processo de socialização, ela representa metamorfose, inconsistência, diferentes movimentos na trajetória formativa, na qual o sujeito (professor), a partir dos múltiplos percursos

---

1 *Esta pesquisa recebeu apoio do Programa Procad/Capes convênio 162.227.*
2 *Mestre em Ensino de Ciências e Matemática, pelo Programa de Pós-graduação em Educação Científica e Formação de Professores, da Universidade Estadual do Sudoeste da Bahia (UESB, câmpus de Jequié/BA). E-mail: lucas.conceicao@unesp.br*
3 *Professor titular, Departamento de Ciências Naturais (DCN), Universidade Estadual do Sudoeste da Bahia (UESB, câmpus de Vitória da Conquista/BA). E-mail: moiseshs@yahoo.com.br*
4 *Professor Adjunto, Instituto de Biociências, Universidade Estadual Paulista (Unesp, câmpus de Botucatu/SP). E-mail: renato.es.diniz@unesp.br*

nos labirintos da identidade, vai constantemente se construindo, desconstruindo e reconstruindo rumos como pessoa e profissional (CIAMPA, 1988; HALL, 2006; MARCELO, 2009; SANTOS, 2020).

Entre partes desses labirintos, Santos (2020) menciona a importância dos espaços formativos e, em acordo com esses espaços postulados pelo autor, vislumbramos a universidade como um grande polo formativo, que envolve e nutre em seu corpo diversos espaços de formação, e estes, em suas características (incompletudes e complementariedades), contribuem significativamente nas diferentes dimensões da identidade do indivíduo.

Encontramos na literatura diversos trabalhos que destacam a relevância de alguns espaços, como o Centro Acadêmico (CA), o Programa Institucional de Bolsa de Iniciação à Docência (Pibid), os Grupos de Pesquisas, o Estágio Supervisionado, entre outros, que, nas licenciaturas, vêm contribuindo na formação e qualificação dos novos professores (SOARES, 2009; SOUZA, 2015; SANTOS, 2020).

Assim sendo, focalizando a temática da identidade e profissionalização docente, a partir das vivências do primeiro autor em um desses cenários de formação, a saber, o Pibid-UESB, e o câmpus de Botucatu da Unesp, por intermédio do Programa Nacional de Cooperação Acadêmica (Procad), contribuíram para a formulação da seguinte pergunta orientadora desta pesquisa: "Considerando alguns cenários da licenciatura, como o Pibid, o Centro Acadêmico, o estágio e os grupos de pesquisas, quais as contribuições particulares de tais espaços formativos para a constituição da identidade docente dos licenciandos da Universidade Estadual do Sudoeste da Bahia (UESB) (câmpus Jequié) e da Unesp (câmpus Botucatu)?"

Dessa maneira, o objetivo deste capítulo foi analisar as contribuições de alguns espaços formativos, como Pibid, Centro Acadêmico (CA), Estágio Supervisionado e Grupos de Pesquisas ofertados pela UESB (câmpus Jequié) e pela Unesp (câmpus Botucatu), indicando a importância desses cenários para a formação da identidade docente de licenciandos de Biologia.

Nota-se também uma lacuna teórica no campo da formação de professores que discutam as contribuições de alguns desses espaços à formação inicial dos discentes de Biologia, como o Centro Acadêmico e os Grupos de

Pesquisas. Nessa perspectiva, a relevância desta pesquisa é fazer notória a valorização desses espaços como instrumentos significativos na formação qualificada do educador, pois eles desvelam partes dos labirintos da identidade docente, visto que contribuem para a formação pessoal, profissional e social do futuro professor.

Desenvolvimento

A pesquisa aqui retratada é de cunho qualitativo, descrita conforme Bogdan e Biklen (1994), sendo desenvolvida no ano de 2017, na Universidade Estadual do Sudoeste da Bahia (UESB), no câmpus localizado no município de Jequié-BA, e na Universidade Estadual Paulista "Júlio de Mesquita Filho", no câmpus localizado no município de Botucatu-SP, com o intuito de analisar as contribuições de alguns cenários de formação (CA, Pibid, estágio e grupos de pesquisas) oferecidos pelas duas instituições no tocante à formação da identidade docente dos discentes de Biologia.

A pesquisa foi possibilitada pelo Programa Nacional de Cooperação Acadêmica (Procad), a partir das relações de intercâmbios e colaborações entre a UESB (câmpus de Jequié) e a Unesp (câmpus de Botucatu).

Na UESB, os dados foram coletados em consecução dos objetivos propostos no trabalho monográfico do primeiro autor e, na busca de ampliar a investigação, foi realizada a coleta de dados também na Unesp (câmpus de Botucatu).

No contexto do Procad, foi possibilitada a vivência, por parte do primeiro autor, ainda no ano de 2017, de aulas de algumas disciplinas do Programa de Pós-graduação em Educação para Ciência (Unesp, câmpus de Bauru), da participação das atividades de estudo e pesquisa promovidas pelo grupo de pesquisa intitulado "Formação de Ação de professores de ciências e educadores ambientais", no câmpus de Botucatu da Unesp, tendo como um de seus coordenadores o terceiro autor deste capítulo. Todas essas ações contribuíram para ampliar o número de participantes da pesquisa.

Nesse sentido, os entrevistados foram discentes do curso de Ciências Biológicas das duas universidades (UESB e Unesp), tendo como pré-requisito a participação dos sujeitos em pelo menos um dos cenários de formação dentre os quatro destacados no começo deste tópico, com a finalidade de compreender a importância e as contribuições de tais espaços à formação da identidade docente.

As falas expostas no corpo do texto serão representadas pelas siglas de cada participante, sendo os números acompanhadas do prefixo (B) para os licenciandos da UESB e o número acompanhado do prefixo (S) para os licenciandos da Unesp.

Quanto ao grau acadêmico de cada um, no ano de 2017, os participantes do câmpus da UESB: B3, B8 B9 e B10 estavam nos semestres finais do curso; o participante B2 se encontrava no sexto semestre, e os participantes B1, B4, B5 B6 e B7 no último semestre da graduação. Os participes da Unesp S1, S2 e S3 estavam no último semestre da graduação, os participantes S4 e S5 estavam no 5.º semestre e os participantes S6, S7, S8, S9 e S10 no 4.º semestre.

Os dados produzidos a partir do processo investigativo foram analisados conforme a técnica de análise de conteúdo descrita por Bardin (2011), que possibilitou elaborar o núcleo de significação das falas dos entrevistados para fomentar a análise das singularidades e pluralidades dos espaços formativos, como evidencia a síntese do Quadro 1.

Quadro 1 – Síntese das especificidades de cada cenário

Cenário	Marcas distintivas	Atividades pedagógicas de relevância nas falas dos entrevistados
Pibid	• Prepara o licenciando para o período de estágio. • Possibilita o contato com o âmbito escolar desde o início do curso. • Possibilita o contato com a comunidade escolar.	• Leituras de textos e artigos sobre a profissão. • Leitura de documentos relacionado a licenciatura, como o Plano Nacional de Educação (PNE) e o Projeto Político Pedagógico (PPP). • Rodas de conversas. • Contato com a cultura escolar. • Reflexão da prática docente.
Estágio	• Possibilita a atuação com a regência antes da conclusão do curso. • Criticidade em formas avaliativas. • Vivência do papel de professor.	• Desenvolvimento de metodologias para o ensino (vídeos, músicas, jogos, etc.) • Conhecimento "tecnicista" para a docência; plano de aula, métodos avaliativos, etc. • Reflexão da prática docente. • Contato com a cultura escolar

CA	• Órgão de representação discente. • Diálogo de posicionamento político a respeito do papel social do professor.	• Reuniões e debates em torno de melhorias curriculares para o curso. • Leitura de documentos sobre os direitos estudantis.
Grupos de Pesquisa na Biologia Específica	• Contribui para a formação da identidade anfíbia. • Relações sociais entre constituintes da pirâmide acadêmica (licenciatura, bacharelado, mestrado e doutorado).	• Descobrir diferentes referenciais por meio da leitura de artigos e documentos. • Leituras de artigos em Inglês. • Pesquisa de campo (coletas). • Pesquisa de laboratório. • Participação em congressos.
Grupo de pesquisa de formação de professores	• Relações com professores mais experientes (líderes dos grupos). • Contato com a pesquisa em licenciatura. • Pensar o interdisciplinar que envolve a profissão docente.	• Descobrir diferentes referenciais por meio da leitura de artigos e documentos. • Rodas de conversas. • Discussões sobre o ensino, sobre o professor em sala de aula.

Fonte: os autores.

Começaremos a ponderar sobre os resultados da investigação a partir das implicações do Centro Acadêmico (CA), retratado a partir das falas dos entrevistados expostas abaixo.

> *B1 – [...] "o CA, é o espaço político da universidade, a gente trabalha mais sobre espaço democrático, como processo de formação crítico e reflexivo, nele há várias **conversas, reuniões, debates**...[...] em uma das reuniões teve uma **discussão política** de **documentos** em relação à **grade curricular** do curso de biologia, a partir disso, nós começamos a pensar em que tipo de profissional nós seríamos a partir do nossos currículos, então eu acho que é essencial a participação do estudante dentro desses debates políticos na universidade, principalmente no centro acadêmico, pois neste **buscamos melhorias a nosso favor**."*

> *S1 – No CA, através dos encontros, reuniões e discussões, eu fui **compreendendo politicamente o que envolve a nossa profissão e a nossa universidade**[...] foi importante para **refletir a educação** como um direito e não uma mercadoria; **pensar politicamente** sobre o que acontece à nossa volta e em um quadro mais geral com relação à educação que recebemos dentro do nosso instituto.*

A partir dessas falas, notou-se que as participações dos entrevistados nas reuniões e debates possibilitados no Centro Acadêmico os estimularam a se questionar politicamente como indivíduos crítico-reflexivos, que têm direito e deveres como membros do movimento estudantil, posicionando-se sobre o assunto e sendo a voz de outros licenciandos em busca de melhorias em prol do curso.

Dessa forma, observou-se que os participantes desse cenário são marcados por uma identidade sociopolítica, pensando que, de forma mais ampla, os licenciandos, além de suas responsabilidades com o movimento, refletem também sobre a hierarquia de formação, ou seja, também como discentes, pensam a respeito dos seus direitos e deveres na trajetória formativa dentro do instituto, como afirma S1, mas também pensam a respeito dos seus deveres sociais enquanto futuros educadores.

Ainda para a respondente S1, fazer parte desse espaço envolve um comprometimento direto do licenciando com o movimento, sendo uma relação complexa:

> S1 – [...] *é difícil fazer parte do centro acadêmico, no sentido de* **despertar nos outros estudantes o interesse em participar deste espaço** *(um espaço que representa todos eles) e outros também;* **Ver como a comunicação com os outros colegiados é burocrática** *e entender o quanto é* **difícil discutir permanência estudantil** *com toda a comunidade acadêmica.*

O CA, enquanto espaço democrático, conduzido pelos próprios estudantes, dentro de um processo político-pedagógico, coloca-os como principais agentes transformadores desse lugar. Os estudantes, sendo voz ativa do CA, percebem que a luta não para; que há vários problemas de políticas públicas e, sem luta, universidades/representantes não progridem e, nessa perspectiva, nessa luta política, há a formação de sujeitos críticos que fomentam debates democráticos em prol de mudanças acadêmicas e transformações sociais possíveis (SOARES, 2009; SANTOS; 2020).

Os estudantes ligados aos movimentos sociais presentes na universidade pública se constituem em uma referência do próprio movimento, trazendo suas questões históricas e lutas cotidianas. Acreditamos que destacar os olhares e as percepções desses estudantes é reconhecer esse possível espaço de transformação social produzido a partir das inter-relações desses estudantes com a universidade.

Nessa relação do estudante com a universidade, a primeira parte do pensamento de S1, ao se referir à participação em outros espaços, liga-nos a um posicionamento crítico de outra entrevistada:

> S2 – *A partir das experiências no CA, eu fui notando o quanto as experiências em* **outros espaços são importantes, devemos sair dessa mesmice de apenas consumir, consumir e consumir assuntos dentro da sala de aula.** *Lógico que o aprendizado em sala de aula é extremamente importante, mas é necessário buscar outras vias que nos complementam profissionalmente.* **Acho que até mesmo os professores, a universidade deveria fazer mais essa incitação, e até o centro acadêmico, além dessa formalidade de recepção de apresentação do instituto aos novos alunos ingressantes, deveríamos problematizar mais sobre os espaços visitados, é** *algo a se pensar!*

Na fala de S2, notam-se indícios de uma identidade social sensível à participação política, visto que a licencianda tomou um posicionamento crítico ao pontuar o método tradicional da formação acadêmica, que reflete a educação formal limitada apenas à sala de aula. Diante disso, concordamos com a fala dela: "*Lógico que o aprendizado em sala de aula é extremamente importante, mas é necessário buscar outras vias que nos complementam profissionalmente.*"

Entendemos que a formação e a qualificação profissional envolvem uma grande demanda formativa, sendo necessário, mas insuficiente, o que é trabalhado nas matrizes curriculares dos cursos de licenciatura. Acreditamos ser frutífero fomentar a vivência em outros espaços que a universidade oferece. No entanto, é necessária uma maior flexibilidade curricular para que os licenciandos aproveitem esses espaços, sendo necessário semear o estímulo à participação dos discentes nesses cenários.

Ainda na fala de B1:

> B1 – [...] *Eu vejo por outro lado que o CA acaba **influenciando a nos tornar professores mais reflexivo**, porque a gente além de pensar no aluno e de como eu vou me portar em sala de aula, a gente também se imagina **fora dessa sala de aula**, a gente começa a imaginar além dessa postura que eu vou ter na sala de aula, qual a postura que eu vou ter referente a uma discussão em escolhas como do livro da escola, do livro didático que a gente vai trabalhar durante o ano, da escolha de um diretor e um vice [...] Então a gente começa a pensar **criticamente de uma forma mais política** dentro desse espaço educacional.*

O posicionamento de B1 é acordado com algumas análises realizadas por Soares (2009), que destaca o quanto a participação no CA leva o licenciando a se questionar socialmente dentro e fora da universidade. Por conseguinte, na fala da entrevistada, fica explícita a preocupação pessoal, social e profissional dela como futura professora de Ciências e Biologia, notando que, como uma docente, tem seus direitos e deveres sociais, e é justamente pensando nesse papel social que a entrevistada destaca que, participando desse espaço, o futuro professor passa a pensar de forma mais contextualizada.

Desse modo, tais constatações sobre esse espaço nos mostram suas contribuições em razão da formação da identidade social do professor e na sua experiência, enquanto indivíduo. Os estudantes, na qualidade de futuros professores, refletem, a partir desse cenário, que não estão apenas se formando para o mercado, mas também estão se formando como seres humanos e compreendendo novos valores que remetem à docência para a continuação, o desenvolvimento e a transformação da sociedade.

A seguir, são apresentadas as características dos grupos de pesquisa e seu potencial formativo. Tal como Souza (2015), acreditamos que eles são importantíssimos à formação docente, com várias possibilidades e são necessárias pesquisas mais detalhadas a respeito de suas contribuições na formação da identidade. Esse pensamento pode ser evidenciado a partir das falas a seguir. A fala do pesquisador é representada por (P):

> B1 – Desses espaços que a gente vai falar, o primeiro que eu participei foi o grupo de pesquisa de formação de professores. Ele trouxe pra mim um grande foco na vida acadêmica [...] permitiu **me encaixar**

na licenciatura, e ao mesmo tempo **trouxe referenciais** e a importância de ter esses referenciais que antes eu não tinha [...]. E depois eu entrei em outro, esse era mais pra área de pesquisa mesmo [...]. Acho que fui aprendendo o **contexto mais específico da área.**

P – E o que você considerou como importante à sua formação nesse outro grupo de pesquisa? Você poderia detalhar mais um pouco?

B1 – A **discussão de textos, artigos,** relacionados com a Biologia da Conservação [..]. Para a minha formação como educadora, por se tratar de um tema muito específico era mais complicado, porém a **minha postura** diante dos novos assuntos, da maneira que eram direcionados as reuniões, como eram conduzidas as atividades, isso eu posso levar para a sala de aula (**imitar/adequar de acordo com o perfil dos meus alunos e da escola em que eu trabalhe**), além de eu estar em constante atualização, das **leituras dos artigos em inglês,** das **participações em Congressos,** acredito que minha participação contribuiu mais para a minha **formação acadêmica e como bióloga.** Que também é fundamental para minha como formação como **professora de Biologia.** Acho que foi bem rico enquanto uma futura professora de Ciências e Biologia, conhecer essa interdisciplinaridade.

Consideramos, na fala da respondente B1, dois fragmentos em relação aos grupos de pesquisas: um com ênfase na de formação de professores e outro no grupo com teor científico nas ciências naturais, dentro da área de ecologia, no qual estes contribuíam na formação da licencianda de formas distintas. O primeiro permitiu que a entrevistada se encontrasse dentro da área da licenciatura, quando ela diz *"permitiu eu me encaixar na licenciatura"* e que adquirisse aportes teóricos e discursivos ao mundo docente; e o segundo para que ela modelasse a identidade dela como profissional, quando cita que foi *"aprendendo o contexto mais específico da área",* atribuindo a identidade docente dela um perfil com maior respaldo da biologia específica.

Para nos aprofundarmos mais acerca dessas especificidades dos grupos de pesquisas, trazemos a seguinte fala:

B10 – No grupo de pesquisa eu aprendi a **pesquisar** de fato, a ter mais **responsabilidade** com meu trabalho, levar o curso mais a sério porque eu entrei no curso muito novo. **Já no grupo de pesquisa de formação de professores** a gente discutia textos, artigos, documentos, temas sempre voltados para a formação de professores, discutindo sobre o ensino, sobre o professor em sala de aula, e hoje no último semestre eu pude notar o quanto isso foi importante pra estar mais preparado para os desafios da minha profissão.

Para Souza (2015), o contato com a pesquisa oferta uma gama de conhecimentos específicos da área e ainda contribui para a formação de um profissional mais crítico e responsável. Percebemos isso no destaque da fala do respondente E8: *"pesquisar de fato, a ter mais responsabilidade com meu trabalho"*. O grupo de formação de professores contribuiu no viés de conhecimento sobre a cultura docente a partir das leituras dos documentos, textos e artigos voltados à área de educação.

Ainda, conforme o pensamento dos respondentes, fica evidente que os grupos de pesquisa, e seu potencial interdisciplinar, ajudaram tanto na formação acadêmica quanto na formação deles enquanto profissionais. Complementamos dizendo que os grupos de pesquisas acabam ajudando na formação da identidade docente em diferentes perspectivas, já que também trabalham com linhas temáticas diferentes: formação de professores e pesquisa na biologia específica, de forma que essa completude de ambos proporciona uma ampliação de diálogos possíveis entre conhecimentos científicos e educacionais, contribuindo na formação do que poderíamos chamar de *identidade anfíbia* (professor-biólogo).

Para exemplificar essa identidade, notamos o pensamento da entrevistada B1, ao relatar a postura dela diante dos assuntos específicos tratados dentro do Grupo de Pesquisa de Biologia da Conservação, e a forma como eram conduzidas as atividades tornavam mais simples a compreensão dos assuntos, e isso a pensar na possibilidade de *"imitar/adequar de acordo com o perfil dos meus alunos e da escola em que eu trabalhe"*, ou seja, é importante pensarmos como biólogo, compreendendo o teor científico das áreas específicas da Biologia, e também é de suma importância pensarmos como professores de Ciências e Biologia, refletindo sobre as possíveis estratégias para a abordagem de tais conteúdos específicos da disciplina em sala de aula, remetendo à subjetividade dessa "dupla identidade" professor-biólogo.

Tendo em vista os dados analisados anteriormente, conseguimos notar a complementaridade dos Grupos de Pesquisa no tocante à constituição da identidade profissional dos futuros professores, e ainda, com base nos dados levantados no decorrer da pesquisa, podemos discutir outros fatores como: as especificidades no sentido das diferentes linhas de pesquisa e as relações pessoais profissionais possibilitadas/desenvolvidas nos grupos.

Apoiando-nos nos discursos de S1 e B9, podemos notar especificidades nas diferentes linhas de ação dos Grupos de Pesquisas:

> *S1 – **O Grupo de Pesquisa: Coletivos (feminista e LGBT)** foi importante para a minha formação porque nele sempre **discutimos problemas acerca das minorias**. Além disso, também **refletimos sobre o nosso processo educacional** tendo em mente as duas particularidades tratadas pelos grupos (**ser mulher na nossa sociedade e ser um LGBT nesta mesma sociedade**).*

> *B9 – No **Grupo de Estudo e Pesquisa em Educação Ambiental e Formação de Professores** a gente sempre discutia assuntos relacionados a **educação e formação de professores** e também **formação de educadores ambientais** no viés crítico e transformador.*

> *Grifos nossos*

De acordo essas falas, podemos notar características distintas e específicas nos grupos de pesquisa das duas Universidades: uma linha de pesquisa se debruça sobre os temas de sexualidade, diversidade e gênero e a outra sobre assuntos tocantes à formação de professores e educadores ambientais.

Notamos a extrema relevância desses Grupos de Estudo, visto que ambas as linhas citadas discutem temas transversais junto ao currículo do curso de Ciências e Biologia. Muitas vezes, tais temas são abordados superficialmente em algumas disciplinas ou apenas em disciplinas optativas, como aponta o trabalho de Souza (2015). Apesar disso, notamos como esses temas são recorrentes na presente sociedade e vislumbramos historicamente a necessidade da formação de profissionais que estejam aptos a discutir tais temáticas.

Analisando um pouco mais a entrevista dos licenciandos, pontuamos um pouco mais a respeito da importância das linhas de pesquisa e das discussões presentes nelas:

> S1 – O espaço foi importante para que a gente se entendesse pertencente a um grupo que também pode possuir uma **representatividade para a universidade e os outros alunos [...]**. Pensar **a escola como um espaço que abriga (com preconceitos ou não) essas "minorias"** foi importante para a minha formação para que eu **pensasse nas condições como meu trabalho como professora poderia se dar em sala de aula com relação a esses grupos que são marginalizados.**

Conforme a respondente, entendemos a complexidade e a sensibilidade de assuntos relacionados a sexualidade e gênero. Para isso, torna-se imprescindível a formação de professores mais preparados à discussão de tais temáticas. O educador tem um importante papel nesse aspecto de desenvolvimento social, pois ele deve ser mediador de conflitos e na quebra de estereótipos machistas de uma sociedade ainda predominantemente patriarcal, a qual tem forte influência no desenvolvimento de preconceitos relacionados a gênero e sexualidade, pois a educação abre a mente para diferentes opiniões e pontos de vista, e é também no ambiente escolar que os jovens devem aprender a conviver com diferentes gêneros e classes (SOUZA, 2015).

Dessa maneira, as vivências em outros espaços que possibilitem ampliar experiências das discussões sobre gênero e diversidade sexual se tornam relevantes à qualificação profissional, visto que abrem um leque de conhecimentos sobre temas que são muitas vezes superficialmente debatidos na formação inicial de professores de Ciências e Biologia.

No tocante à participação de uma das entrevistadas no grupo de educação ambiental, trazemos outro aspecto da entrevista de B9:

> *B9 – Sempre quando discutimos a educação ambiental na escola observamos que os alunos possuem aquela **visão que a natureza serve o homem** e que nunca este faz parte do ambiente e que tudo se resume a **arvores e alimentos que serão utilizadas pelo homem**.*

Entendemos a necessidade da formação de sujeitos críticos que compreendam a real singularidade da troca e interação do homem e a natureza, que, por sua vez, proporcione a ruptura da visão antropocêntrica em relação ao ambiente e descontrua definitivamente a visão utilitarista do meio.

Para isso, sabendo que um dos principais objetivos da Educação Ambiental (EA) é o desenvolvimento de uma sociedade sustentável, o referido grupo vem trabalhando na formação de professores capacitados com domínio teórico e experiências no campo do conhecimento da EA, preparados para fomentar a formação crítica das próximas gerações.

Na Unesp, câmpus de Botucatu, outro grupo pontuado foi o Programa de Educação Tutorial (PET) e trazemos a fala de uma participante sobre ele:

> *S1 – O PET foi importante para mim porque também me colocou em **contato com alunos da escola pública**. Dentro deste grupo, além do **trabalho em grupo**, também aprendi a me organizar com outros alunos do IB em prol de **projetos que fazíamos dentro e fora da universidade**. Eram projetos que envolviam teatro ou feiras de ciências aplicadas aos alunos do ensino fundamental I e II. Além deles, também **realizamos saraus, discussão de livros e artigos**. Fazíamos uma sessão cinema **aberta para a comunidade acadêmica** com posterior discussão dos temas apresentados pelos filmes.*

De acordo S1, percebemos que uma das suas principais características do PET é a coletividade entre diferentes esferas, tais como os alunos da escola básica, os membros do grupo, e até mesmo alunos da universidade. Trata-se de um espaço de rica interação social, pessoal e profissional, com discussões de livros e artigos, entre outras atividades que entendemos de extrema importância à formação docente.

Como pontuado anteriormente, outra característica importante dos grupos de pesquisa são as inter-relações. Para fortalecer tal pressuposto, trazemos a fala de B6 para discutir outra perspectiva de interação dentro dos grupos.

> B6 – Eu acho que o grupo de pesquisa é um **organismo vivo** academicamente falando, é uma mistura [...] gente de semestres **diferentes, gente de bacharelado, licenciatura** e acho que isso possibilita uma **troca de saberes** bem ampla [...]. Com isso eu fui tomando um **foco na vida acadêmica** porque eu entrei no curso muito novo [...] acho que a partir das vivencias no **laboratório, das coletas** [...] vendo meus colegas se esforçando tanto, se empenhando tanto, sabe?! Eu fui aprendendo a ter mais responsabilidade com meu trabalho, levar meu curso mais a sério.

Ao considerar o grupo de pesquisa um "organismo vivo", englobando os licenciandos como seres sociais, compreendemos que a identidade se dá não apenas de si-para-si, mas também do si-para-com-o-outro, envolvendo-os tanto quanto pessoas como contexto; as identidades deles serão influenciadas por tudo o que os abarcam enquanto indivíduos (história, crenças e valores). Compreendendo os licenciandos como parte do contexto e, considerando o grupo de pesquisa um ambiente heterogêneo, ou seja, que comporta discentes de licenciatura e bacharelado, professores lideres, etc., será um encontro de identidades profissionais e pessoais benéfico a ambos em sua formação como indivíduos e profissionais, e suas identidades irão se diferenciar/modelar conforme a importância e a resposta de suas relações no contexto (pessoas, profissionais, ambiente) em que estão inseridos (MARCELO, 2009; SOUZA, 2015).

Interpretamos tal processo como um "efeito borboleta nas identidades", as quais se metamorfoseiam diante da participação desses licenciandos nos diferentes cenários formativos, que se reestruturam como humanos, seres sociais, docentes e biólogos.

A seguir, indicamos as contribuições do Pibid, discutido a partir dos exemplos subsequentes:

> B1 – No Pibid a gente discute muito as questões da profissão, lê bastante artigos voltados pra o ensino [...]a gente também tem um **contato**

*maior com a **realidade da profissão** [...] foi onde eu tive minha maior parte de **experiência com a sala de aula**, é [...] graças ao Pibid e estágio [...] eles começaram a me ajudar a moldar esse perfil profissional que eu tenho hoje.*

P – E qual seria esse "perfil" que você tem hoje?

*B1 – Bom, eu acho que esses espaços me levaram a ser uma profissional totalmente diferente. Acho que uma professora mais [...] **reflexiva, mais comprometida com minha profissão** e também **mais preparada porque eu sei que ser educadora hoje em dia não é fácil**. [...]*

Tomando por base o referencial de Pimenta e Lima (2009), nota-se, na fala da entrevistada, que a participação no Pibid contribui para desenvolver aspectos positivos na formação e estruturação da identidade docente, tanto no campo teórico do conhecimento educacional quanto no âmbito da prática social viabilizados pela participação no Programa.

De acordo com Mendonça (2015), esse contato com a cultura profissional que o Pibid possibilita apresenta aos licenciandos as complexidades que envolvem a carreira docente, permitindo ao discente se descobrir ou não parte do mundo docente desde os semestres iniciais da graduação. Essa inserção precoce do licenciando no âmbito escolar permite ajudá-lo a chegar mais preparado para o período de estágio e, sucessivamente, ajuda-o a melhor enfrentar os desafios da profissão nos primeiros anos da carreira.

Ainda, diante das seguintes falas, acrescentamos mais a acerca do Pibid:

*B4 – Nós estudamos e discutimos algumas **temáticas que às vezes não vemos**, ou são abordadas superfluamente no curso, além de **entender como ensinar** determinados assuntos específicos da biologia [...] **aplicamos, analisamos** e depois **refletimos nossa própria prática***

S4 – Discutimos sempre artigos, documentos como o PNE, PPP a Base Nacional Curricular, assuntos sempre voltados para a área do ensino.

> S7 – As leituras e discussão de assuntos da área da educação como alguns **documentos como o PNE, PPP** [...]

> B9 – A primeira atividade que fizemos foi o estudo etnográfico do colégio, observando a estrutura, organização, funcionamento da escola [...] e depois começamos a trabalhar bastante com a **comunidade escolar**, e isso me levou a **refletir** sobre o **ensino de forma contextualizada** e entender que a escola vai muito além da sala de aula.

O Programa, por meio de suas linhas de pesquisa, atinge uma grande interdisciplinaridade que envolve a docência, além do contato com a realidade escolar, contribuindo, muitas vezes, com a abordagem de assuntos que às vezes não são supridos pela matriz curricular do curso.

Diante das carências curriculares básicas apontadas por Gatti e Barreto (2009, p. 146), constata-se o seguinte:

> [...] A análise dos dados das grades curriculares dos cursos de Ciências Biológicas pesquisados mostra que a maioria das disciplinas obrigatórias oferecidas pelas IES refere-se aos "Conhecimentos específicos da área", correspondendo a 64,3% do total [...]. Os "Conhecimentos específicos para a docência" representam apenas 10,4% do conjunto das disciplinas.

A partir desses dados, acreditamos que o programa colabora com um processo que se pode chamar de "ensinar a ensinar", pois, tendo em vista essa demanda de assuntos específicos do curso, como vertebrados, invertebrados, genética, e todos os outros que englobam a área específica da biologia, possivelmente, o Programa elucida aos licenciandos uma forma de trabalhar esses assuntos da área biológica em sala de aula, como cita S4.

A entrevistada ainda cita a análise da própria prática, que, por sua vez, a encaminhou a um momento de reflexão. O entrevistado B9 indicou o quanto essa reflexão sobre o contexto da escola é relevante, para além da sala de aula. Tal reflexão, possibilitada pela participação no Pibid, parece desencadear uma criticidade maior sobre a prática, tal como sinalizada na fala de B9, proporcionando a construção de novos saberes, novas estratégias pelo ato de refletir criticamente o que foi observado/aplicado/

ensinado. Isso, por conseguinte, propicia a formação de um professor crítico-reflexivo, não um mero reprodutor de saberes em sala de aula, mas uma atuação docente responsável, com compromisso social no processo de ensino-aprendizagem e com suas implicações para além da sala de aula.

Nesse contexto, o professor pode aprender com/por meio de sua própria prática, mediante a orientação do seu "ser" docente diante da ação--reflexão-ação, que, por sua vez, estabelece um processo de trocas a partir da (re)elaboração de suas experiências.

Para B7, um dos fatos mais marcantes à formação dele como futuro professor de Ciências e Biologia no Pibid foi a discussão de assuntos relacionados ao mundo docente, como documentos do Projeto Político Pedagógico (PPP) e do Plano Nacional de Educação (PNE). Sendo ações "políticas", portanto, estando ligadas aos compromissos sócio-políticos que circundam os interesses escolares, é importante que esses licenciandos, enquanto ainda em fase de estágio formativo e como futuros educadores, tenham conhecimento/embasamento das políticas e temáticas que cercam a acarreia docente.

Por fim, acrescentamos as contribuições e especificidades do Estágio a partir das seguintes falas:

> B7 – *O estágio tanto nos **momentos práticos** como nos **teóricos** nos ofereces aportes para a docência. Primeiramente em termos de **conteúdos, metodologias;** saber como usar **vídeos, músicas, jogos** entre outras coisas que tornem as **aulas mais didáticas** [...] aprender como elaborar avaliações, aprender a ess*ência *do "técnico", **nunca ir para a sala sem o plano de aula estabelecido** (risos) e depois as questões mais práticas: **o contato** mesmo **com a sala de aula**, com os **alunos**, com o **ambiente escolar** em si [...]*

> S10 – *Nós **vivemos diferentes momentos no estágio**, e todos são muito importantes para a formação de um bom professor. Primeiro aprendemos sobre as **teorias e metodologias** e isso vai nos **preparando para o momento da regência** [...].*

Diante das falas dos entrevistados, podemos discutir diversos aspectos do estágio no tocante à natureza da formação e da identidade docente. Primeiro, a compreensão do licenciando ao considerar o estágio um momento teórico-prático; notamos que ele funciona como um cenário duplo que não apenas insere o aluno no ambiente prático da profissão, mas também o prepara para tal, pois, precedendo ao período de regência, os licenciandos adquirem aportes teóricos para estarem preparados aos desafios e ao enfrentamento da sala de aula.

Outro fator interessante pontuado por alguns entrevistados da pesquisa está associado a uma possível relação entre o Pibid e o estágio, mostrando uma complementariedade entre os cenários, sendo que o PIBID vem assessorando esses futuros professores com o rompimento de seus medos e pré-conceitos acerca da docência. Tais constatações se evidenciam a partir das falas seguintes:

> S5 – O **Pibid me ajudou muito com a timidez** [...] com o passar do tempo, no **programa eu fui perdendo minha insegurança com a sala de aula e me aperfeiçoando como professora,** e hoje eu consigo perceber o quanto isso foi bom para estar muito **mais preparada para o período de estágio.**

> S6 – O Pibid foi muito **importante o meu amadurecimento,** entrei muito novo no curso, acho que as **vivências no programa** foram **imprescindíveis para que tivesse um bom desempenho no estágio** [...].

> B7 – [...]eu tive esse contato **também no Pibid,** e vejo o quanto isso foi importante, porque **quando eu cheguei no período de estágio eu já me sentia preparada para enfrentar a sala de aula,** pois eu sei que não é fácil, pois **já tive colegas que desistiram no estágio de regência, porque não se identificaram com a realidade da sala de aula.**

O caminho trilhado no Programa, como citam S5 e S6, auxilia os licenciandos no desenvolvimento pessoal e profissional. Assim, acreditamos que esse percurso vai constituindo de forma gradativa as dimensões das identidades de seus participantes, rompendo medos e inseguranças pessoais e os preparando para o "enfrentamento" da sala.

Percebemos, diante das falas de alguns entrevistados, que o contato sala de aula para alguns licenciandos soa como uma barreira pessoal, sendo até motivo de desistência do curso, como relata B7. Dessa maneira, as dificuldades de alguns alunos da área da licenciatura, no enfrentamento dos estágios, têm sido melhor equacionadas por essa relação de complementaridade desses dois cenários (Pibid-Estágio).

Considerações finais

Os espaços formativos a partir de suas singularidades, pluralidades, incompletudes e complementariedades trazem implicações diretas ao constante processo de se tornar professor, visto que, por suas especificidades, levam o licenciando a construir, descontruir e reconstruir sua identidade, enquanto ser social e profissional.

Dessa maneira, destacamos ser frutífero incitar a vivência dos futuros professores em diferentes espaços formativos, viabilizando novas condições de produzir a docência, contribuindo significativamente com a melhoria do processo de ensino-aprendizagem e na formação da identidade de profissionais críticos, reflexivos, transformadores e comprometidos com o seu papel social.

Referências

BARDIN, L. *Análise de Conteúdo*. Lisboa: Edições 70, 2011.

BOGDAN, R.; BIKLEN, S. Características da investigação qualitativa. *In*: BOGDAN, R.; BIKLEN, S. (Aut.). *Investigação qualitativa em educação*: uma introdução à teoria e aos métodos. Porto, Porto Editora, 1994. p. 47- 51.

CIAMPA, A. C. Identidade humana como metamorfose: A questão da família e do trabalho e a crise de sentido do mundo moderno. *Interações*, v. 3, n. 6, p. 87-101, 1998.

GATTI, B. A.; BARRETO, E. S. S. *Professores:* aspectos de sua profissionalização, formação e valorização social. Brasília, DF: UNESCO, 2009. (Relatório de pesquisa).

HALL, S. *A identidade cultural na pós-modernidade.* Trad. Tomaz Tadeu da Silva e Guacira Lopes Louro. 7. ed. Rio de Janeiro: DP&A, 2003.

MARCELO, C. A Identidade docente: constantes e desafios. *Revista Brasileira de Pesquisa Sobre Formação Docente.* Belo Horizonte, Autêntica, v. 1, p. 109-131, ago./dez. 2009.

MENDONÇA, L. B. As influências do Pibid na formação identitária dos licenciandos de ciências biológicas da UESB. *In*: ENCONTRO REGIONAL DE ENSINO DE BIOLOGIA, REGIÃO NORDESTE, 6, 2015, Vitória da Conquista. *Atas [...].* Vitória da Conquista: UESB, 2015.

PIMENTA, S. G. LIMA, M. S. L. *Estágio e Docência.* 3. ed. São Paulo: Cortez, 2009.

SANTOS, L. C. *Identidade ou identidades? Interfaces entre a psicologia social e a sociologia na análise da formação identitária de professores.* 2020.142 f. Dissertação (Mestrado em Educação Científica e Formação de Professores) – Universidade Estadual do Sudoeste da Bahia, Jequié, 2020.

SOARES, M. N. *Sentidos sobre o Ensino de Biologia e sobre a Trajetória Formativa:* as Vozes dos Licenciandos sob a Égide da Perspectiva Crítica. 2009. 201 f. Dissertação (Mestrado em Educação para a Ciência) – Faculdade de Ciências, Universidade Estadual Paulista, Bauru, 2009.

SOUZA, S. S. *Limites e contribuições dos grupos de pesquisas para a formação acadêmica e profissional dos licenciandos em ciências biológicas no campus de Jequié.* 69 f. Monografia (Graduação em Ciências Biológicas) – Universidade Estadual do Sudoeste da Bahia, Jequié, 2015.

CAPÍTULO 4

A BOTÂNICA NA FORMAÇÃO DOCENTE: DO CURRÍCULO ÀS PERCEPÇÕES DISCENTES[1]

Wagner de Jesus Silva[2]
Márcia Martins Ornelas[3]
Guadalupe Edilma Licona de Macedo[4]

As Ciências Biológicas contemplam conhecimentos à formação social e cultural dos estudantes. Os ensinamentos nesta área do conhecimento devem garantir a indissociabilidade entre as questões sociais, político-econômicas e culturais, proporcionando, além de uma expansão dos conteúdos relativos a essa área, também, uma formação crítico-reflexiva e contextualizada (ARAÚJO, 2007; ULIANA, 2012; URSI et al., 2018).

Em diversas Instituições de Ensino Superior no Brasil, as propostas curriculares para os cursos para formação de professores se apresentam de maneira fragmentada. Dessa forma, não há relação entre os diferentes conhecimentos. Inter-relacionar conhecimentos, no currículo e no ensino, advém da necessidade de superar o antigo modelo do currículo tradicional de ensino. Para tanto, é necessário que sejam contemplados conhecimentos de conteúdo, conhecimentos pedagógicos e conhecimentos de contexto, classificados como conhecimentos pedagógicos do conteúdo, ou então, baseando-nos nos pressupostos de Lee Shulman, que classifica como

---

1   Esta pesquisa recebeu apoio do Programa Procad/Capes convênio 162.227.
2   Mestre em Educação Científica e Formação de professores. Doutorando no Programa de Pós-graduação em Educação Científica e Formação de Professores – Universidade Estadual do Sudoeste da Bahia. E-mail: wagner.silva@uesb.edu.br
3   Mestra em Educação Científica e Formação de professores. Doutoranda no Programa de Pós-graduação. Doutoranda no Programa de Pós-graduação em Botânica na Universidade Estadual de Feira de Santana. E-mail: marcinha.ambientl@gmail.com
4   Mestra em Educação: História, Política, Sociedade. Doutora em Botânica. Professora Plena do Departamento de Ciências Biológicas e do Programa de Pós-graduação em Educação Científica e Formação de Professores – Universidade Estadual do Sudoeste da Bahia. E-mail: gmacedo_3@yahoo.com.br

Pedagogical Content Knowledge (PCK) os elementos que são a base dos conhecimentos para a docência (FERNANDEZ, 2011; URSI *et al.*, 2018).

Diferente do que propõe Shulman e suas seguidoras Fernandez (2011) e Ursi *et al.* (2018), o modelo tradicional de ensino pode contribuir para uma formação docente superficial e defasada. Assim, a tendência é que ocorra, por meio do ensino, a disseminação de mitos e crenças, fato que inviabiliza o processo ensino-aprendizagem, visto que uma formação deficitária reflete diretamente nas práticas pedagógicas do professor (AUGUSTO; AMARAL, 2015).

Outrossim, não basta apenas que o professor tenha domínio do conteúdo, é preciso o reconhecimento de que há a necessidade de refletir sobre a própria atuação. E é durante a formação docente que surgem as oportunidades de propor mudanças com vistas a superar as dificuldades e especificidades a serem vivenciadas no espaço escolar (ARAÚJO, 2007).

Apesar de muitas Instituições de Ensino Superior seguirem a legislação exigida para a autorização de funcionamento e o reconhecimento de cursos, a maioria mantém os cursos apenas no currículo básico para cumprir as exigências, sem inovações, permanecendo no modelo tradicional de ensino. Nesse aspecto, compreendemos que o modelo da racionalidade técnica é o mais difundido nos cursos de formação de professores (CASTRO; MOREIRA, 2005 *apud* ULIANA, 2012; DINIZ-PEREIRA, 2014).

Este capítulo objetiva analisar, a partir da análise de conteúdo dos dados obtidos, como se dá o ensino de Botânica no processo de formação docente em Ciências Biológicas em quatro Universidades Estaduais da Bahia (UEBAs). O recorte para a área da Botânica é justificado diante do surgimento de disciplinas que relacionam a ciência Botânica e o ensino de Ciências e Biologia. A título de exemplo, a "Prática de Botânica aplicada à Educação básica" e a "Biologia e Sistemática de algas", disciplinas que integram dois dos cursos analisados, em atendimento às Diretrizes Curriculares Nacionais para a Formação de Professores da Educação Básica.

O currículo como território contestado

Desde o surgimento dos cursos de licenciatura no Brasil, ocorrida na década de 1930, o Conselho Nacional de Educação, desde o século 21, vem elaborando diretrizes normalizadoras que estruturam os diversos cursos de ensino superior. Desde então, a formação de professores tem como contraponto os cursos de bacharelado, aos quais sempre estiveram atrelados, desde os modelos conhecidos por 3+1, que já eram fundamentados na racionalidade técnica (AYRES, 2005).

Para Ayres (2005), torna-se necessário que, além do atendimento às legislações, esses cursos possam atender as demandas do mundo contemporâneo, com vistas a uma formação docente atenta às exigências socioeducacionais. As problemáticas socioambientais, consumadas pelo modo de produção capitalista, resultam em necessárias mudanças no perfil dos cursos de Ciências Biológicas devendo abarcar questões que extrapolam os limites da Ciência, possibilitando haver interfaces com as diferentes áreas do conhecimento.

Nesse sentido, Ayres (2005) tece críticas acerca das Diretrizes Curriculares Nacionais para os Cursos de Ciências Biológicas, pois, apesar de ser um documento que orienta a estrutura curricular tanto dos cursos de bacharelado quanto da licenciatura, majoritariamente, o documento é pautado na formação do profissional bacharel, considerando ambas modalidades de um único curso.

Visando contemplar, nos cursos de licenciatura, as questões relacionadas à formação docente, esse mesmo Conselho publica resoluções que versam sobre as Diretrizes Curriculares Nacionais para a formação inicial em nível superior e para a formação continuada, estando atualmente em vigência a Resolução CNE/CP n.º 2, de 20 de dezembro de 2019.

No tocante à área da Botânica, a partir da análise dos anais de Congressos Nacionais de Botânica, no Brasil, Reinhold *et al.* (2006) constataram diferentes métodos de ensino dessa disciplina.

A partir das publicações da sessão técnica nomeada Ensino de Botânica desse congresso, os autores notaram que o currículo da disciplina ainda está pautado no modelo tradicional e arraigado no pragmatismo, constituído de um caráter tradicional e tecnicista (REINHOLD *et al.*, 2006). Ayres (2005) considera que as organizações curriculares são resultantes de brechas existentes nas Diretrizes Curriculares Nacionais para os Cursos de

Ciências Biológicas, que secundariza e subordina a formação em licenciatura e prioriza o curso de bacharelado.

Evidenciam-se, nas publicações acerca do ensino de Botânica, diversas estratégias para tornar o aprendizado mais atrativo, como podemos exemplificar a elaboração de recursos e materiais didáticos, visitas ao herbário, montagem de herbário escolar. Contudo, ao discutir estratégias didáticas, há uma carência de estudos relativos aos processos de aprendizagem, como os procedimentos curriculares e as interações existentes entre os sujeitos desse processo (REINHOLD et al., 2006).

Diante desses embates, Ayres (2005), considera que a formação do professor de Biologia vem ocorrendo em territórios contestados, sendo ambas as formações (licenciatura e bacharelado) homogeneizadas e, em documentos como as Diretrizes Curriculares Nacionais para esses cursos, consideram, genericamente, bacharéis e licenciandos educadores. Contudo, a autora ressalta que esse tratamento genérico desconsidera a singularidade da escola e a desvaloriza, tendo em vista que o espaço escolar é construído pela e na ação docente.

É por intermédio do currículo que se constitui como uma escolha criteriosa de saberes e conhecimentos, estabelece-se uma relação com as identidades profissionais. Diante do que preconizam esses documentos normativos, os projetos pedagógicos de cursos são elaborados, seguindo critérios de seleção que definem quais conhecimentos são necessários à aprendizagem em detrimento de outros (SILVA, 2010).

Cabe pontuar que, se o currículo reflete uma identidade profissional, é de suma importância que ocorram mudanças, essas pontuadas por Ayres (2005), e não se limitam apenas aos cursos de licenciatura em Ciências Biológicas, mas também ao bacharelado, haja vista os avanços tecnológicos e científicos atuais.

Tais escolhas e critérios de seleção, que farão parte da formação acadêmica, também envolvem relações de poder, relações sociais e envolvem disputas ideológicas e hegemônicas (LOPES; MACEDO, 2011).

Nessa premissa, a partir dos conceitos das Teorias do Currículo, conseguimos observar aspectos que, sem esses entendimentos, não seria possível a compreensão de que o currículo atribui sentidos e significações e projeta nossa identidade (LOPES; MACEDO, 2011; SILVA, 2010).

O currículo, é, portanto, um modelo adotado e padronizado pelas instituições de ensino para o desenvolvimento do processo educacional. Para a construção dele, devem ser considerados os contextos sociocultural e político, com base no que é defendido na teoria curricular adotada. Não há um único documento, um único modelo que determina o que é o currículo, mas um conjunto de documentos e ações relacionadas aos processos de ensino-aprendizagem.

O currículo e a racionalidade técnica

A noção de "teoria" está relacionada à representação de algo, havendo uma correspondência entre a teoria e a realidade. Nessa perspectiva, uma teoria curricular busca discutir qual conhecimento deve ser ensinado, sendo o currículo o resultado de uma seleção de conhecimentos que indica um caminho a ser seguido e expressa as intenções da unidade educacional (SILVA, 2010).

Para Lopes e Macedo (2011), a definição de currículo engloba diversas conjecturas, tornando-se complexo estabelecer um único significado. Assim, podemos dizer que o currículo pode ser entendido como matriz curricular, carga horária, conjunto de ementas, dentre outros aspectos que permeiam as experiências de ensino-aprendizagem, desde o planejamento até mesmo a consolidação do processo educativo (LOPES; MACEDO, 2011). O currículo consiste em estruturar a maneira como ocorrerá o processo educativo em determinado espaço educacional, levando em consideração as circunstâncias sociais e culturais. Para as autoras, definir o que vem a ser currículo se torna inviável, tendo em vista a amplitude em que o tema é empregado (LOPES; MACEDO, 2011). Em contraponto, Silva (2010), ao discutir a origem da palavra, recorre ao significado na língua latina, que é conceituado como *curriculum*. Para este autor, há diferentes teorias de currículo, e cada qual discute os conhecimentos a serem ensinados. Dentre as teorias do currículo mais difundidas, há as teorias tradicionais, críticas e pós-críticas (SILVA, 2010).

Nesses entendimentos, o currículo se constitui uma escolha criteriosa de saberes e conhecimentos a serem destinados ao tipo de profissional a ser formado. Para tanto, o currículo vem a ser, além de seleção de conhecimentos, uma relação com as identidades profissionais (SILVA, 2010). Desse modo, podemos compreender que a construção do currículo traz uma intenção: a de capacitar determinado profissional, conforme desejado pela instituição elaboradora daquele currículo.

Silva (2010) relaciona o significado de *curriculum*, em latim, à tradução em língua portuguesa, "pista de corrida". Nessa perspectiva, ao relacionar o currículo com identidades, o autor conclui que este é o percurso a ser transcorrido para a formação de uma personagem, sendo as diversas teorias de currículo pautadas no princípio de formar determinado profissional, detentora de determinadas concepções. Analogamente, o currículo vem a ser o caminho a ser trilhado pelo aprendiz para a consumação dos conhecimentos, pautado em critérios e procedimentos predefinidos pela instituição educadora, considerando normas e instruções socialmente aceitas e discutidas. Para composição do currículo, há critérios de seleção que definem quais conhecimentos são mais necessários à aprendizagem em detrimento de outros, durante a elaboração do documento (SILVA, 2010).

Lopes e Macedo (2011) discutem que, no Brasil, a partir de 1920, com o advento do movimento da Escola Nova, surgiram os primeiros estudos curriculares, embasados na discussão de que é necessário decidir sobre o que ensinar. Assim, seguindo os princípios do progressivismo, e por intermédio dos educadores Anísio Teixeira e Fernando de Azevedo, no ano de 1925, ocorreram as reformas educacionais no Estado da Bahia e no Distrito Federal, com características do currículo implementado nos EUA (LOPES; MACEDO, 2011). Posteriormente, em 1949, o modelo da racionalidade foi imposto no Brasil, constituindo-se em "definição de objetivos; seleção e criação de experiências de aprendizagem apropriadas; organização dessas experiências de modo a garantir maior eficiência ao processo de ensino; e avalição do currículo" (LOPES; MACEDO, 2011, p. 25).

A partir desse momento, estabeleceu-se um elo entre o currículo – que é o planejamento da Instituição de Ensino em consonância com critérios e objetivos científicos – e a avaliação – resumida ao rendimento obtido pelo estudante, sendo certificada por este, seguindo o que preconiza aquele (LOPES; MACEDO, 2011).

No contexto do currículo, os modelos mais difundidos de formação de professores, de acordo com Diniz-Pereira (2014), estão relacionados ao modelo da racionalidade técnicas. Este e outros modelos e paradigmas estruturam práticas e políticas para a formação de professores.

A racionalidade técnica está relacionada ao aprimoramento dos meios de produção e ao consumo presentes no capitalismo, visando à obtenção de lucro. Presente na maioria dos cursos para formação de professores, a racionalidade técnica distancia elementos da ação profissional e os teóricos da formação, afetando a ação do professor (SLONSKI; ROCHA; MAESTRELLI, 2017).

Diferentemente disso, por meio da corrente do Conhecimento Pedagógico do Conteúdo ou *Pedagogical Content Knowledge* (PCK), há a necessidade de atrelar conhecimentos múltiplos nos currículos dos cursos de formação de professores, pois, somente o conteúdo específico é insuficiente à formação docente. Ou seja, nas premissas do PCK, o currículo deve inter-relacionar o conhecimento pedagógico, o conhecimento do conteúdo e o conhecimento do contexto, garantindo subsídios para que o professor seja detentor de formas variadas de mediar o processo de ensino--aprendizagem, havendo um vínculo entre o planejamento e o que de fato ocorrerá na sala de aula (FERNANDEZ, 2011).

É justamente acerca dessa correção representativa entre teoria e o que realmente é desenvolvido que Silva (2010) discute acerca das teorias do currículo e suas escolhas de conhecimentos que devem ser ensinados. A essa seleção dos conhecimentos que farão parte de um currículo, Lopes e Macedo (2011) discorrem que está relacionado às relações de poder, relações sociais e envolve disputas ideológicas e hegemônicas.

Metodologia

A pesquisa se vinculou à abordagem qualitativa (BOGDAN; BIKLEN, 1994) e apontou reflexões acerca da formação docente em Ciências Biológicas, a partir da análise documental de projetos pedagógicos das Universidades Estaduais da Bahia. Também foram realizadas entrevistas semiestruturadas com 44 discentes e egressos desses cursos. Os dados obtidos foram analisados por meio da metodologia da análise de conteúdo (BOGDAN; BIKLEN, 1994; FRANCO, 2005; LÜDKE; ANDRÉ, 2001).

Fizeram parte do estudo as seguintes instituições: Universidade Estadual do Sudoeste da Bahia (UESB), Universidade Estadual de Feira de Santana (UEFS), Universidade Estadual de Santa Cruz (UESC) e a Universidade do Estado da Bahia (UNEB). Essas Instituições de Ensino Superior (IES), juntas, ofertam 11 cursos de formação docente em Ciências Biológicas, os quais contemplam 26 disciplinas pertencentes à área da Botânica.

Para a realização do estudo, adotamos as definições de Silva (2010) e Lopes e Macedo (2011) sobre currículo, que é o caminho a ser percorrido à criação de uma personagem e, para isso, consideram o conjunto de ementas como currículo.

Diante dessas definições, consideramos currículo, para efeitos de análise dos dados documentais, as ementas dessas disciplinas, apresentadas no Quadro 1, obtidas dos Projetos Pedagógicos de curso da UEFS (2019); UESC (2010); UNEB (2010; 2011A; 2011B; 2011C; 2011D; 2012); UESB (2010; 2011; 2012).

Quadro 1 – Ementas das disciplinas da área de Botânica oferecidas pelos cursos de formação de professores das Universidades Estaduais da Bahia

Instituição	Disciplina	Ementa
UESB câmpus Jequié [1]	Histoembriologia vegetal	Níveis morfológicos de organização e embriogênese das Angiospermas. Estrutura histológica das plantas inferiores. Estrutura histológica das plantas com sementes: sistema dérmico, sistema fundamental, sistema vascular. Meristemas apicais e laterais.
	Anátomo-fisiologia vegetal I	Estudo das relações anátomo-fisiológicas vegetativas e reprodutivas das algas superiores, líquens, briófitas e pteridófitas. Relação entre solo, planta, potenciais hídricos e atmosféricos. Nutrição. Absorção e translocação de solutos. Processos vitais (fotossíntese, ciclo reprodutivo, crescimento e desenvolvimento). Aspectos bioecológicos e evolutivos.
	Morfo-taxonomia vegetal I	Histórico e nomenclatura botânica. Identificação. Sistemas de classificação dos grupos vegetais. Morfologia, taxonomia, filogenia e ecologia de algas, líquens, briófitas e pteridófitas. Importância econômica das criptógamas. Herborização e classificação.
	Anátomo-fisiologia vegetal II	Estudo das relações anátomo fisiológicas das estruturas vegetativas e reprodutivas das antófitas: gimnospermas e angiospermas. Ciclo reprodutivo. Crescimento e desenvolvimento: hormônios, tropismos e nastismos. Foto morfogênese, reprodução, frutificação, dormência e germinação. Fotossíntese: Plantas C3, C4 e CAM. Aspectos bioecológicos e evolutivos.
	Morfo-taxonomia vegetal II	Morfologia, taxonomia, filogenia e ecologia das Antófitas. Importância econômica das Fanerógamas. Organização e manutenção de herbários e coleções especiais. Noções de taxonomia numérica.
UESB câmpus Itapetinga[1]	Anatomia vegetal	Estrutura histológica das plantas com sementes: sistema dérmico, sistema fundamental, sistema vascular. Meristemas apicais e laterais. Estrutura anatômica dos órgãos vegetativos e reprodutivos de representantes dos grandes grupos das plantas vasculares.
	Organografia vegetal	Morfologia dos órgãos vegetativos e reprodutivos das angiospermas e gimnospermas. Caracterização das tendências evolutivas e correlação com a evolução do meio ambiente.
	Sistemática vegetal	Sistema de classificação e nomenclatura botânica, regras internacionais. Classificação geral dos Criptógamos, Protistas, *Bacteriophyta, Algae, Fungi, Lichenes, Briophyta* e *Pteridophyta*. Evolução das *Angiospermae* e *Gimnospermae*. Estudo das principais famílias botânicas e seu valor econômico (*Gramineae* e *Leguminosae*). Herborização.

UESB câmpus Itapetinga[1]	Fisiologia vegetal	Membrana celular. Permeabilidade. Absorção iônica. Relações hídricas. Transpiração. Metabolismo de Carbono: fotossíntese, fotorespiração, respiração. Metabolismo de Nitrogênio, Nutrição mineral. Crescimento e desenvolvimento: hormônios, tropismo e nastismos. Fotomorfogênese: reprodução, frutificação, dormência e germinação.
UESB câmpus Vitória da Conquista[1]	Morfologia vegetal	Organização geral das plantas com sementes. Raiz, caule, flor, inflorescência, fruto, semente: definição, estudo das partes constituintes e classificação. Diagrama e fórmulas florais. Embriologia. Gametogênese e esporogênese. Ciclo de vida em angiospermas.
	Anatomia vegetal	Revisão sobre a célula vegetal. Técnicas em microscopia, constituição, funcionamento e operação do microscópio de luz. Organização do corpo da planta, com ênfase em gimnospermas e angiospermas: Sistemas dérmico, fundamental e vascular. Crescimento primário e secundário. Adaptações morfológicas e anatômicas para características ambientais e fisiológicas. Estruturas secretoras e estruturas do sistema reprodutivo.
	Taxonomia de criptógamas	Protistas fotossintetizantes: caracterização, morfologia geral, classificação e ciclos de vida. Fungos (incluindo fungos liquenizados): caracterização, morfologia geral, classificação e ciclos de vida. Histórico evolutivo da conquista do habitat terrestre pelas plantas. Briófitas: taxonomia, morfologia e ciclo de vida. Divisões extintas de plantas vasculares. Morfologia de pteridófitas e tendências evolutivas. Divisões atuais de plantas vasculares sem sementes: classificação, morfologia e ciclo de vida.
	Taxonomia de fanerógamas	O aparecimento das sementes: histórico evolutivo; Ancestralidade de plantas com sementes atuais e grupos extintos produtores de sementes. Biologia das gimnospermas e das angiospermas. Principais grupos taxonômicos das angiospermas.
	Fisiologia vegetal	Fotossíntese: plantas com metabolismo C3, C4 e CAM, fotorrespiração, fatores que interferem na fotossíntese. Respiração: aeróbia e anaeróbia, fatores que interferem na respiração. Relações hídricas, conceitos, translocação no xilema e transporte.

UESC[2]	Morfologia vegetal	Estudo do desenvolvimento da planta desde o embrião até a planta adulta. Estudo da célula e tecidos vegetais. Estudo da morfologia externa e interna dos órgãos vegetativos do corpo primário e secundário e dos órgãos reprodutivos das plantas superiores. Tipos de polinização e dispersão.
	Biologia e Sistemática de criptógamos	Estudo dos aspectos morfológicos e reprodutivos do conjunto de organismos referidos como algas, briófitas, pteridófitas e fungos, com base nas tendências evolutivas e na identificação taxonômica de representantes desses grupos.
	Sistemática de fanerógamos	Noções de nomenclatura botânica. Sistemas de classificação vegetal. Importância, organização e política dos herbários. Evidências taxonômicas das fanerógamas. Origem, evolução e filogenia das fanerógamas. Relações filogenéticas nas *Angiospermae*. Situação atual da classificação das fanerógamas à luz da sistemática molecular. Identificação das principais ordens e famílias.
	Fisiologia vegetal	Conceitos básicos. Transporte e translocação de água e solutos. Bioquímica e metabolismo. Crescimento e desenvolvimento.
UEFS[3]	Biologia e Sistemática de algas	Evolução e classificação das algas aplicadas ao ensino de Ciências e Biologia. Estudo da organização, reprodução, ocorrência, relações evolutivas e importância ecológica e econômica das *Cyanobacteria, Rhodophyta, Alveolata/Dinophyta, Heterokonta/Phaeophyceae* e *Bacillariophyceae, Euglenophyta, Clorophyta* e *Charophyta*.
	Morfologia de embriófitas	Embriófitos: estudo da morfologia das estruturas, sua variação e evolução.
	Sistemática vegetal – embriófitas	Sistemática e filogenia de embriófitos; Aspectos morfológicos específicos de cada grupo; Importância econômica e ecológica dos grupos.
	Fisiologia vegetal	Estágios do biociclo vegetal; estudo dos processos fisiológicos: crescimento e níveis de controle do desenvolvimento, relações hídricas, nutrição vegetal, fotossíntese, transporte de fotoassimilados; adaptações fisiológicas e interações entre plantas e fatores abióticos durante o desenvolvimento vegetal.

UNEB[4]	Biologia vegetal I	Desenvolve o estudo prático-teórico da organografia e anatomia, sistemática e reprodução das Briófitas.
	Anatomia e organografia vegetal	Desenvolve o estudo prático/teórico da organografia e anatomia dos órgãos vegetativos e reprodutivos das gimnospermas e angiospermas.
	Sistemática vegetal	Desenvolve o estudo prático/teórico sobre sistemas filogenéticos, com determinação taxonômica das Gimnospermas e Angiospermas com técnicas de campo e herborização de espécimes vegetais.
	Fisiologia vegetal	Estuda os processos fisiológicos que ocorrem nos vegetais superiores: germinação, reprodução, desenvolvimento, absorção, perda de água, translocação de solutos, nutrição mineral, fotossíntese, respiração, relação entre os diversos processos fisiológicos.

Fonte: Extraído de: [1] UNIVERSIDADE ESTADUAL DO SUDOESTE DA BAHIA, 2010; 2011; 2012; [2] UNIVERSIDADE ESTADUAL DE FEIRA DE SANTANA, 2019; [3] UNIVERSIDADE ESTADUAL DE SANTA CRUZ, 2010; [4] UNIVERSIDADE DO ESTADO DA BAHIA, 2010; 2011a; 2011b; 2011c; 2011d; 2012.

Para a realização da análise documental, as ementas apresentadas no Quadro 1 foram catalogadas, utilizando frases ou palavras que nos permitiram agrupar aquelas disciplinas com características em comum. Os dados extraídos das ementas foram catalogados, digitados em planilha Excel e agrupados os textos que tinham relação entre si, permitindo-nos verificar similaridades ou aproximações entre as diversas ementas e a inferir relações delas com a formação docente.

As percepções foram obtidas a partir de entrevistas com egressos e licenciandos que cursaram as disciplinas de Botânica. Ao mesmo tempo, as entrevistas, como instrumento de coleta de dados, foram utilizadas para verificar as metodologias adotadas, o cumprimento dos conteúdos abordados pelos professores de Botânica nos cursos e as dificuldades encontradas, discutindo essa temática dentro de universidades que se propõem a formar futuros docentes em Ciências e Biologia.

No texto, os entrevistados foram identificados pelas letras: D e E, sendo que a letra D representava o discente/licenciando e a E o egresso, seguido da sigla da instituição de origem e um número relativo à ordem da realização da entrevista.

Resultados e discussão

O currículo da Botânica na formação docente em Ciências Biológicas nas UEBA

Assim sendo, à luz dos documentos que estruturam os cursos, as ementas das 26 disciplinas de Botânica, que servem de instrumento para conduzir o ensino dos cursos ofertados, foram utilizadas nas análises dos documentais dos currículos dos cursos de formação de professores de Ciências Biológicas das universidades pesquisadas.

As disciplinas "Prática de Botânica aplicada à Educação básica" e "Biologia e Sistemática de algas" se apresentam nos cursos da UESB, câmpus de Vitória da Conquista, e UEFS, respectivamente, conforme exigências das Diretrizes Curriculares para a formação docente, no rol da prática como componente curricular.

Conforme os documentos analisados, é possível evidenciarmos que, em cinco desses cursos, algumas disciplinas são compartilhadas entre o bacharelado e a licenciatura. Esse compartilhamento ao qual nos referimos está relacionado à ementa prevista nas disciplinas, sendo possível constatar por meio da codificação de disciplinas, cargas horárias e ementas, constantes Projeto Pedagógico dos cursos de licenciatura, em comparação ao que é apresentado no Projeto Pedagógico do curso de bacharelado, dentre outros documentos que estruturam os cursos.

As disciplinas que compartilham as características citadas, entre cursos de bacharelado e de licenciatura, são apresentadas no Quadro 2:

Quadro 2 – Disciplinas em comum previstas nas matrizes curriculares dos cursos de bacharelado e nos cursos de licenciatura em Ciências Biológicas.

Instituição	Disciplina	Fonte documental (Bacharelado)	Fonte documental (Licenciatura)

UESB câmpus Jequié	Histoembriologia vegetal	Renovação de reconhecimento do curso bacharelado em Ciências Biológicas câmpus de Jequié (UNIVERSIDADE ESTADUAL DO SUDOESTE DA BAHIA, 2011).	Renovação de reconhecimento do curso de licenciatura em Ciências Biológicas câmpus de Jequié (UNIVERSIDADE ESTADUAL DO SUDOESTE DA BAHIA, 2011).
	Anátomo-fisiologia vegetal I		
	Anátomo-fisiologia vegetal II		
	Morfo-taxonomia vegetal I		
	Morfo-taxonomia vegetal II		
UESB câmpus Itapetinga	Anatomia vegetal	Projeto Pedagógico de formação profissional do bacharelado Em Biologia (UNIVERSIDADE ESTADUAL DO SUDOESTE DA BAHIA, 2015).	Projeto de reconhecimento do curso de licenciatura em Ciências Biológicas do câmpus de Itapetinga (UNIVERSIDADE ESTADUAL DO SUDOESTE DA BAHIA, 2010).
	Organografia vegetal		
	Fisiologia vegetal		
UESB câmpus Vitória da Conquista	Morfologia vegetal	Reconhecimento do curso de bacharelado em Ciências Biológicas (UNIVERSIDADE ESTADUAL DO SUDOESTE DA BAHIA, 2013)	Projeto de renovação de reconhecimento do curso de licenciatura em Ciências Biológicas do campus de Vitória da Conquista (UNIVERSIDADE ESTADUAL DO SUDOESTE DA BAHIA, 2012)
	Anatomia vegetal		
	Taxonomia de criptógamas		
	Taxonomia de fanerógamas		
	Fisiologia vegetal		
UEFS	Biologia e sistemática de algas	Resolução Consepe UEFS n.º 147/2019	Projeto Pedagógico de Curso (UNIVERSIDADE ESTADUAL DE FEIRA DE SANTANA, 2019).
	Fisiologia vegetal		
UESC	Morfologia vegetal	Resolução Consepe UESC n.º 04/2010 (UNIVERSIDADE ESTADUAL DE SANTA CRUZ, 2010).	Resolução Consepe UESC n.º **01/2010** (UNIVERSIDADE ESTADUAL DE SANTA CRUZ, 2010).
	Biologia e sistemática de criptógamos		
	Sistemática de fanerógamas		
	Fisiologia vegetal		

Fonte: Elaborado pelos autores.

Diante do que é evidenciado, há indícios de que, tanto bacharéis quanto licenciando cursam as disciplinas elencadas no Quadro 2. Nesse aspecto, com base na definição de currículo de Silva (2010), questionamos: Quais são as intenções dessas Universidades quando utilizam a mesma estrutura curricular para formar bacharéis e licenciados em Ciências Biológicas?

O que ocorre nessas IES vai ao encontro ao que discute Ayres (2005), ao discorrer que os cursos de licenciatura em Ciências Biológicas desde sempre tiveram como contraponto os cursos de bacharelado, estando fundamentados na racionalidade técnica. Isso pode ser observado quando o currículo para a formação de professores prevê, em sua ementa, discussões acerca da importância e valor econômico de algas e plantas, sugerindo a comercialização desses vegetais, conforme previsto nos componentes curriculares botânicos apresentados no Quadro 3.

Quadro 3 – Disciplinas que abordam questões econômicas no ensino de Botânica.

Instituição	Disciplina	Componente curricular
UESB câmpus Jequié	Morfo-taxonomia vegetal I	Importância econômica das criptógamas.
	Morfo-taxonomia vegetal II	Importância econômica das fanerógamas.
UESB câmpus Itapetinga	Sistemática vegetal	[...] principais famílias botânicas e seu valor econômico (*Gramineae* e *Leguminosae*).
UEFS	Biologia e sistemática de algas	[...] importância ecológica e econômica das *Cyanobacteria*, *Rhodophyta*, *Alveolata/Dinophyta*, *Heterokonta/Phaeophyceae* e *Bacillariophyceae*, *Euglenophyta*, *Clorophyta* e *Charophyta*.
	Sistemática vegetal – embriófitas	Importância econômica e ecológica dos grupos.

Fonte: Elaborado pelos autores.

Essas formações, ao serem homogeneizadas nas Diretrizes Curriculares Nacionais, refletem no currículo formador, elaborado por essas IES seguindo o que tais documentos preconizam (AYRES, 2005). Desse modo, fica evidenciado que, de fato, há uma generalização desses cursos, ocorrendo a priorização do curso de bacharelado, que implica a secundariedade da formação em licenciatura.

Além disso, ao indicar, no currículo, a previsibilidade do ensino da importância e do valor econômico de algas e plantas, sugerindo a comercialização delas, o ensino se baseia em uma visão utilitarista dos vegetais, que, para Guimarães (2000) *apud* Pinheiro (2015), reforça o pensamento de exploração do meio ambiente e contribui para a ascensão da degradação ambiental e a desnaturalização da humanidade, favorecendo a concepção equívoca de que a espécie humana é superior às demais espécies.

Considerando a abordagem de Silva (2010), que discorre que o currículo é determinador do perfil profissional, nesse *E-mail: marcinha.ambiental@gmail.com* a premissa, não somente o docente formado por meio de um currículo utilitarista terá esta visão privilegiada no seu cognitivo, mas também o estudante, haja vista a relação existente entre o currículo dos cursos para a formação de professores com os currículos da educação básica.

Esse modelo de currículo, que relaciona o ensino a aspectos econômicos, de acordo com Silva (2010), é o mesmo modelo proposto por John Franklin Bobbitt, em 1918, sendo necessário que o sistema educacional especifique os resultados que se pretende obter com determinado ensinamento, com vistas ao exercício com eficiência das "ocupações profissionais da vida adulta" (SILVA, 2010, p. 23). Nesses termos, um currículo que prevê conhecer o potencial econômico das plantas e das algas se aproxima do modelo Bobbitt, cujo sistema educacional funcione como uma indústria, almejando a produção de mão de obra e matéria-prima.

Acerca disso, Silva (2010) teceu considerações em relação ao modelo defendido por Bobbitt, discorrendo que, nesses moldes, o currículo é caracterizado como tecnocrático e mecânico, tendo em vista que as finalidades da educação são estabelecidas a partir das demandas profissionais. A perpetuação da relação entre a educação e a economia nos remete aos estudos de Louis Althusser que, de acordo com Silva (2010), para Althusser, o conteúdo curricular tem papel de transmissão da ideologia capitalista. Silva (2010), ao discorrer sobre as críticas aos modelos de currículos tradicionais, tecidas por Michael Apple, nas quais a educação e o currículo deduzem o funcionamento da economia, abordam que esta consiste em uma prática hegemônica, tendo em vista que "[...] o currículo é o resultado de um processo que reflete em interesses particulares das classes e grupos dominantes" (SILVA, 2010, p. 46).

Nessas condições, pode ocorrer que ambas as formações estejam em proximidade com o modelo tecnocrático de currículo, abordado por Silva (2010), pois as intenções dessas instituições, ao elaborar a proposta curricular de tais cursos, aproximam-se da formação técnica em detrimento da formação pedagógica.

Silva (2010) ainda discorreu que, com o subsídio da teoria de currículo adotada, é possível, além de selecionar os conhecimentos necessários à aprendizagem, justificar a exclusão daqueles conhecimentos que não serão contemplados no currículo. Dessa forma, por meio dos projetos pedagógicos de cursos, e com relação a essas disciplinas que formam bacharéis e licenciados, não são pontuadas especificidades para esses diferentes cursos.

Essas distinções, necessárias quando se tratam cursos diferentes, que almejam formações profissionais distintas, estão também vinculadas às relações de poder, pois, conforme discute Silva (2010), selecionar os conhecimentos que farão parte do currículo é uma operação de poder. É também uma questão de poder a manutenção dessas formações, de bacharéis e licenciados, a partir um mesmo currículo.

Diante disso, podemos relacionar as discussões de Diniz-Pereira (2014) ao abordar modelos e paradigmas da racionalidade técnica, que se baseiam em considerar o conteúdo disciplinar suficiente para o ensino, enquanto os conhecimentos pedagógicos podem ser aprendidos durante a prática docente, sendo o conteúdo científico priorizado na formação docente, enquanto a prática de ensino é ignorada.

Isso, notadamente, é contrário ao que Ursi *et al.* (2018) e Fernandez (2011) defendem, o Conhecimento Pedagógico do Conteúdo (PCK, da sigla em inglês *Pedagogical Content Knowledge*) é considerado o conhecimento profissional específico de professores. No que concerne à formação docente, é a implementação de uma proposta curricular que possa inter--relacionar o conhecimento pedagógico, o conhecimento do conteúdo e o conhecimento do contexto.

Os achados da pesquisa documental indicam, que nesses cursos, pode haver uma formação tecnicista, considerando excertos apresentados na matriz curricular das disciplinas de Botânica e foram reproduzidos no Quadro 3. Tais dados foram subsidiados com as percepções que os educandos desses cursos têm em relação à própria trajetória acadêmica, e as apresentamos a seguir.

A Botânica para o Professor de Biologia ou para o biólogo?

Uma problemática levantada nas entrevistas é a oferta da formação inicial. Qual profissional se deseja formar em um curso de licenciatura em Ciências Biológicas?

No Brasil, os cursos de formação inicial ainda não preparam os professores para sua atuação profissional (DINIZ-PEREIRA, 2011). Nos cursos de licenciatura no país, há uma dicotomia entre teoria e prática, havendo uma separação entre ensino e pesquisa (ANTIQUEIRA, 2018; MACIEL; ANIC, 2019).

Dentre os 44 discentes e egressos entrevistados, houve declarações que sua formação foi centralizada na formação do Biólogo. Tal dado corrobora com as pesquisas dos autores anteriormente citados. Contudo, dentre esse público entrevistado, um discente considera que as disciplinas de Botânica contribuíram para a formação dele enquanto professor da educação básica.

Infelizmente, esse cenário é preocupante, partindo da premissa de que uma formação tecnicista não considera questões sociais, político-econômicas e culturais, necessárias à formação de um profissional docente.

Um fator para essa centralização na formação pode estar direcionado ao método de ensino adotado pelos professores dos cursos de licenciatura em Ciências Biológicas. Isso é pontuado na pesquisa realizada por Reinhold *et al.* (2006), ao constatarem que o currículo da Botânica é estruturado no modelo tradicional e tecnicista, havendo carências na produção acadêmica de pesquisas acerca dos processos de ensino-aprendizagem, currículo e sobre as interações entre professor e educando, no tocante ao ensino da Botânica.

Em contraste, EUNEB04, egresso da UNEB câmpus Caetité, afirma que a formação tende mais para a formação do professor de Biologia direcionado à prática no ensino básico, como podemos observar na fala dele:

"Formação do professor, para ministrar aula no ensino básico. A grade curricular segue essa tendência, formar o profissional para dar aulas" (EUNEB04).

A análise que EUNEB04 faz acerca da sua formação profissional para ministrar aulas, além de poder estar relacionada à práxis pedagógica de um professor universitário que reflete sobre sua própria atuação, também pode estar relacionada à estrutura curricular dos cursos da UNEB, que ocorre por meio de eixos estruturantes e possibilita uma interdisciplinaridade entre as diferentes áreas do conhecimento das Ciências Biológicas, conforme observamos nos projetos pedagógicos desses cursos (UNIVERSIDADE DO ESTADO DA BAHIA, 2010; 2011a; 2011b; 2011c; 2011d; 2012). Nesses moldes, a formação acadêmica ocorre de maneira contextualizada, havendo interação e cooperação entre os docentes das diversas disciplinas do curso.

A dimensão pedagógica dos conteúdos ainda é um desafio a ser estudado, analisado e enfrentado pelos docentes de nível superior das disciplinas de Botânica. Vejamos a fala de um dos entrevistados:

"[...] Formação do pesquisador, uma reflexão que sempre fiz no curso, nós não somos formados para uma sala de aula, a não ser as disciplinas da educação que tem esse foco, mas as disciplinas específicas da Biologia não se preocupam que estão formando professores fica só por conta dos professores da área da educação e os professores das disciplinas específicas são muito conteudistas, só dão o conteúdo e não têm a preocupação que estão formando professores e colaboradores da área porque se alguém vai se encantar pela Botânica e/ou outra área, vai passar por professores, como a gente, que estão na escola, se a gente não leva isso daqui do curso, leva uma rejeição, vai apresentar uma rejeição na escola também" (DUESB10).

Podemos inferir que a fala do entrevistado DUESB10 é uma percepção que se aproxima do modelo 3+1, cujos conhecimentos pedagógicos e a prática de ensino eram lecionados, durante um ano, após a conclusão do curso de bacharelado, que compreendia três anos (AYRES, 2005).

Assim como o entrevistado DUESB10, o EUESB19, em sua percepção, afirma que a formação acadêmica do curso os distancia da prática pedagógica:

> "[...] não houve, eram conteúdos mais técnicos mesmo! Para dar o conteúdo em sala de aula na educação básica precisamos fazer esse esforço dessa transposição didática que não teve nas aulas nem em Anatomofisiologia, nem em Morfotaxonomia, em nenhuma das disciplinas houve uma preocupação pedagógica da área. É um exercício que o próprio aluno tem que fazer para ensinar e é nesse momento que a gente recorre aos livros didáticos que têm uma sequência bonitinha dos conteúdos, por mais que a gente busque em outras fontes para poder complementar, acabamos seguindo realmente o livro didático. E aí sim ao ver os conteúdos, angiospermas, evolução, lembramos de algumas coisas das aulas do curso, acabamos seguindo o livro didático, e foi o que eu fiz. Por isso, vejo o conteúdo que temos no curso é mais para Biólogo, a formação é ótima, mas para professor acho que deveria ter uma disciplina da botânica que pudesse fazer essa transposição didática, mas tranquilamente ou então os professores trabalharem nessa perspectiva na sala de aula" (EUESB19).

O que é defendido por EUESB19 tem uma relação com o que é abordado nos estudos de Fernandez (2011) e Ursi *et al.* (2018), no que diz respeito à necessidade de inter-relacionar, no currículo e, em consequência, no ensino, os diferentes conhecimentos, sendo isso classificado como conhecimento pedagógico do conteúdo.

Compactuando com EUESB19 e DUESB10, estudantes dos cursos de licenciatura em Ciências Biológicas da UESB, o egresso EUNEB06, de um dos cursos da UNEB, tem uma percepção idêntica àqueles da primeira instituição citada, como podemos observar:

> "As disciplinas específicas de Botânica são voltadas para a formação do pesquisador e não de professor. O curso de Biologia confunde muito, apesar de ser licenciatura, permite atuar em outras áreas, tendo foco maior a pesquisa, não a formação do professor. Durante o curso nunca fiz uma pesquisa voltada para a educação, meu TCC

(Trabalho de Conclusão de Curso) foi na área da zoologia não tinha foco da licenciatura, só pesquisa mesmo. É raro encontrar um trabalho voltado a escola, o ensino, as pesquisas são de campo mesmo nas áreas específicas da Biologia, é quase um Bacharelado, a licenciatura é muito deixada de lado. Atualmente, está ocorrendo uma reformulação do currículo para se pensar melhor nas disciplinas da educação. Aqui aceita que o TCC não seja voltado à área da educação, é contado de dedo quem faz trabalho com esse foco, a maioria faz na área específica mesmo, inclusive minha pesquisa não foi na educação, não escrevi nada sobre a educação, só tive contato em disciplinas de práticas pedagógicas e no estágio, porque no mais foi tudo voltado a pesquisa" (EUNEB06).

Além desses entrevistados, DUESC03, estudante da UESC, também tem o mesmo pensamento em relação à sua formação docente:

"Infelizmente não tem equilíbrio. As disciplinas são direcionadas a pesquisa da Botânica e não para os licenciandos" (DUESC03).

Essas percepções que os estudantes têm reforçam que a formação docente ocorre de maneira fragmentada, havendo, conforme salienta Ursi et al. (2018), a necessidade de superar o modelo tradicional de ensino.

Outro estudante, de um dos cursos da UNEB, acredita que essa formação técnica que é percebida tem relação com a formação do docente acadêmico, direcionando o ensino para a sua área de pesquisa, conforme a fala seguinte:

"Formação de pesquisadores, não era voltada para o professor. A formação do professor também pode ter contribuído para isso, tínhamos muitos professores pesquisadores da área e queriam que seguíssemos com eles e abandonavam a parte pedagógica" (EUNEB08).

Podemos, a partir dessa percepção do EUNEB08, enfatizar que, nessa perspectiva, o currículo formador resultará na identidade profissional, bem como na atuação desse docente (SILVA, 2010).

O estudante EUESC07 pensa do mesmo modo em relação aos reflexos da formação do professor universitário na sua atuação em um curso para formação de professores:

> "Tendem mais para a formação do pesquisador, o conteúdo é o foco, poucos professores tinham preocupação com a parte pedagógica, e, se esses professores fossem licenciados poderiam ter maior preocupação direcionada a formação do professor não exclusivamente a pesquisa. Os professores que ministram as disciplinas deveriam ter esse cuidado, mas, não têm, deveriam pensar com calma, refletir a prática, porque é o conteúdo pelo conteúdo, ao invés de solicitar uma estratégia didática, solicitam escrita de artigo. Por exemplo, as disciplinas de Sistemática e Fisiologia não tinham preocupação com a parte pedagógica, eram totalmente direcionadas a pesquisa, acho que vai muito do professor que ministra a disciplina" (EUESC07).

Esse estudante cita a necessidade de o docente universitário refletir sobre a prática dele. Essa é uma necessidade também pontuada pelo filósofo e teórico da educação norte-americano Donald Schön, o qual discute que isso é de grande importância ao desenvolvimento pessoal e profissional dos professores, permitindo uma maior consolidação deles (SCHÖN, 1990 *apud* NÓVOA, 1992).

Por meio das falas, observamos que a formação inicial oferecida nos cursos de licenciatura não estimula os futuros professores, ao não articularem os saberes específicos com aqueles que incumbem a profissão docente. A formação pedagógica proporcionada se restringe às disciplinas exclusivas da educação e não têm relação com as disciplinas de conteúdo específicos da Biologia. Esse cenário conduz à formação de profissionais que não articulam esses conhecimentos com a área pedagógica. Por isso, são essenciais as discussões sobre estratégias que permitam melhorar a qualidade do Ensino de Botânica no Ensino Superior (CAVASSAN, 2007; SALOMÃO, 2005), ou seja, estratégias que possibilitem melhorias na qualidade do ensino e na formação inicial dos futuros professores.

O cenário prático e a dimensão pedagógica dos conteúdos ficam em segundo plano ou, ainda, de maneira subtendida na própria prática do professor do Ensino Superior. Nesse sentido, em geral, é privilegiada, por parte do professor, uma formação conceitual, uma exigência no domínio dos conhecimentos específicos da área. Como consequência, esquece o conhecimento pedagógico para a atuação docente na educação básica (CUNHA, 2009). De acordo Silva (2013), esse cenário se agrava quando a formação dos docentes universitários é biólogo (bacharel) e não licenciados em Biologia.

Para Saviani (2009), apenas o conteúdo específico não é necessário para ensinar, por isso, nos cursos de licenciatura, a formação pedagógico-didática apresenta destaque na abordagem dos conteúdos. A carência na articulação entre as disciplinas pedagógicas e específicas na estrutura curricular dos cursos de licenciatura permite lacunas na formação do licenciando que não recebe orientação voltada à prática.

Entretanto, cabe destacar que as percepções aqui discutidas, apesar de representar a maioria dentre os entrevistados, alguns discentes consideram haver um equilíbrio entre a formação do pesquisador e a formação do professor de Ciências e Biologia, mas havia direcionamentos específicos que dependiam muito da didática do professor o direcionamento da formação, como podemos perceber na fala:

> "Algumas disciplinas de botânica focam mais na formação do pesquisador, acho que as disciplinas de Fisiologia, por serem mais densas e mais ligadas para a questão da pesquisa. Uma disciplina que ainda teve a preocupação com a formação do professor de Biologia foi a de sistemática de espermatófitos que deu para aproximar mais com essa preocupação com a preparação didática da turma, para a futura atuação profissional. Então, acho que tem um equilíbrio, pois existe a preocupação didática e umas disciplinas e outras é mais voltada para a questão da pesquisa" (DUESB05).

Apesar de essas perspectivas não serem apresentadas nas ementas do Quadro 1, a fala do entrevistado pode indicar uma formação em licenciatura do docente universitário e a relação disso com sua identidade docente, até mesmo a ascensão de discussões e pesquisas acadêmicas que favorecem as mudanças citadas por Ayres (2005), no tocante ao ensino de Botânica.

Contudo, é necessário cautela ao se pensar nesse equilíbrio, tendo em vista que essa formação, do estudante DUESB09, também ocorre de forma conjunta com o curso de bacharelado, conforme ele mesmo discorre:

> "Acho que se enquadra no equilíbrio, mesmo porque a gente vê que nas disciplinas têm alunos da licenciatura e do bacharelado, então vejo que o professor tenta procurar uma forma que satisfaça o licenciando e o bacharel" (DUESB09).

Diante disso, é necessário salientarmos que o currículo é como um caminho a ser percorrido para a criação de uma personagem e isso envolve relações de poder, sociais e também está repleto de disputas ideológicas e hegemônicas (LOPES; MACEDO, 2011; SILVA; 2010).

O estudante EUESB16 destaca que essa prática não é exclusiva dos professores de Botânica e estende a falta de direcionamento pedagógico às outras disciplinas do curso, destacando sua percepção quanto à maior preocupação pedagógica, precisamente na Botânica.

> "Formação do pesquisador, mas o bom estudante, graduando, sabe discernir as coisas. Não são só a área de Botânica, pelo contrário, nessa área, percebi maior preocupação pedagógica do que as demais áreas da Biologia" (EUESB16).

Com essas percepções, observamos que os participantes conseguiram identificar em partes uma preocupação pedagógica dos conteúdos, com uma tendência ao equilíbrio. Para o egresso EUESB16, durante a formação, deve-se saber discernir a dimensão pedagógica dos conteúdos e fazer daquela experiência uma formação que preencha o ser docente, considerando, no final de sua fala, que, nas subáreas da Biologia, há uma maior preocupação com a formação do biólogo.

Outra observação importante que pode impactar na formação ou não do licenciado é como os cursos conduzem as disciplinas do Bacharelado e Licenciatura; as turmas das disciplinas de Botânica são heterogêneas, ou seja, as turmas são constituídas de discentes do bacharelado e da licenciatura, exigindo planejamento pedagógico, com metodologias que se enquadrem na formação do biólogo e do professor de Biologia. Como pontua o egresso EUESC01:

> "Primeiro, que nas turmas das disciplinas de Botânica não são diferenciadas para o Bacharelando e Licenciando, então já tem uma limitação, não tem essa diferenciação. Mas é possível usar modelos didáticos para os alunos do bacharelado, então penso que mesmo que não haja essa diferenciação, há uma preocupação para ambos os profissionais, tanto para a formação acadêmica do professor de Biologia, quanto para com os conteúdos específicos do pesquisador Biólogo, teve um equilíbrio, entre a área específica e pedagógica" (EUESC01).

A percepção do estudante EUESC01 nos leva citar Ayres (2005), ao abordar que a formação de professores de Biologia ocorre em territórios contestados pelo fato de, por meio de documentos normativos, tratarem também bacharéis como educadores. Evidenciamos, a partir do excerto, que isso tem ocorrido, além dos documentos, também na prática do ensino.

Além do estudante DUESB05, o entrevistado DUNEB03 concorda haver um equilíbrio, divergindo daquilo que é constatado pelo educando EUNEB04, ambos da mesma instituição:

> "Tenta ter um pouco de equilíbrio, mas tende mais para o pesquisador do que do docente" (DUNEB03).

Considerando tais embates, constatamos a necessidade de pontuar, no presente capítulo, as pesquisas acadêmicas que, ao contrário do que é percebido pela maioria dos estudantes entrevistados e com aquilo que apresentam as ementas, aproximam a Botânica e o seu ensino de modo crítico, que será apresentado no tópico seguinte.

O ensino de Botânica na superação da racionalidade técnica

Apesar da análise de Reinhold *et al.* (2006) se referir às publicações em anais dos Congressos Nacionais de Botânica, acreditamos que isso ocorre pelo fato de esse evento aceitar apenas a submissão para publicações em modalidade de resumo simples, limitado a um total de 2.500 caracteres com espaços, impossibilitando a divulgação e a socialização de trabalhos empíricos mais detalhados nesses anais.

Diante disso, a presente seção pontua alguns artigos publicados em colaboração com o Grupo de Pesquisas em Ensino-Aprendizagem de Botânica (GP-ENABOT), no qual os autores do presente capítulo são membros, evidenciando as tentativas de superação do ensino tradicional da Botânica, conforme criticado por Reinhold *et al.* (2006).

Podemos citar publicações que abordam o ensino da Botânica e as interações sociais, como o estudo de Souza, Macedo e Razera (2017), que utilizam os pressupostos da teoria vigotskiana em aulas de Botânica na educação básica. Por meio dos constructos dessa teoria, esses autores utilizaram a elaboração de histórias em quadrinhos pelos estudantes para a aprendizagem e o desenvolvimento cognitivo dos partícipes do processo investigativo. Esses autores ainda salientam que as aulas de Botânica, em uma perspectiva tradicionalista, "não ensina[m] a ousar, não ensina[m] a usar o humor, não ensina[m] a criatividade, não ensina[m] que existem outros caminhos e nem a tomar decisões sobre aquele que devemos escolher. Em síntese, não ensina[m] os alunos a querer[em] mais de si mesmo" (SOUZA; MACEDO; RAZERA, 2017, p. 11).

Santos e Macedo (2017) apresentam, na sua proposta, a ampliação da compreensão dos temas da Botânica, pelos discentes, utilizando os conhecimentos prévios dos alunos da Educação de Jovens e Adultos (EJA) acerca de conceitos botânicos, subsidiados pela teoria da Aprendizagem Significativa.

Santos e Macedo (2019) também trazem estudos que relacionam a temática da Botânica com a agricultura familiar. Utilizando a pedagogia da alternância, as autoras investigaram a relação entre as plantas e os povos campesinos e constaram que, movimentos sociais como o Movimento dos Trabalhadores Rurais Sem Terra (MST), possibilitam transformações que conduzem à melhoria das relações humanas com os vegetais, garantindo a melhoria de vida e o desenvolvimento sustentável (SANTOS; MACEDO, 2019).

Além disso, a metodologia da Aprendizagem Baseada em Problemas é utilizada por Silva e Macedo (2021), como uma possibilidade para que os conhecimentos sobre Botânica possam ser ensinados priorizando a compreensão a despeito da memorização. Dessa forma, os autores compreendem que a resolução de problemas em Botânica possibilita a criticidade e contribui para a tomada consciente de decisões.

Por meio dessas pesquisas supramencionadas, podemos evidenciar aproximações com o modelo da racionalidade crítica, no qual o ensino ocorre contemplando questões sócio-históricas, projetando a uma visão para o tipo de futuro que nós esperamos construir. Por meio desse modelo, o professor conduz o ensino a um diálogo crítico em sala de aula (DINIZ-PEREIRA, 2014).

Essas pesquisas ainda têm uma relação com o modelo freireano, que, de acordo com Diniz-Pereira (2014, p. 40), ocorrem por meio de um processo democrático e centrado no aluno. Diante disso, o currículo é construído "de baixo para cima" em vez de ser construído "de cima para baixo". Ou seja, o currículo é construído com base nas necessidades socioeducacionais.

Apesar de Paulo Freire não ter sido um teórico do currículo, esse educador contribuiu bastante com as teorias críticas por meio dos seus estudos acerca da educação problematizadora, envolvendo intercomunicação e intersubjetividade pelo conhecimento. Para Freire, o ato pedagógico deve contemplar o diálogo e os chamados conteúdos programáticos do currículo devem ser baseados nas experiências e no conhecimento prévio dos aprendizes (SILVA, 2010).

Face ao exposto, apesar dessas publicações e de outras em que o ensino da Botânica dialoga com as teorias críticas do currículo, nestas, o contexto da pesquisa ocorre na educação básica, e, geralmente, por meio de pesquisas de natureza interventiva. Além disso, não visualizamos, por intermédio das ementas das disciplinas analisadas, subsídios que possibilitem o ensino em uma perspectiva crítica e reflexiva, que garantam aos licenciandos atuar para a transformação social.

Considerações finais

No tocante à estrutura dos projetos pedagógicos dos cursos de licenciatura em Ciências Biológicas, e por meio das ementas das disciplinas de Botânica, consideramos a necessidade de reorganização curricular, de modo a atender as demandas contemporâneas, abarcando, por meio da Botânica, a formação docente que contemple as questões político-econômicas e socioculturais.

Além disso, convém que essas instituições, por meio de suas coordenações de curso e também docentes formadores de professores, e com base em sua autonomia didático-científica, possam propor reflexões acerca do currículo e sobre a prática pedagógica. É necessário proceder aos seguintes questionamentos: A que tipo de profissional, de fato, os conhecimentos sobre Botânica atenderão? Por intermédio da Botânica, o que é necessário à aprendizagem do professor de Biologia e desnecessário para o Biólogo e vice-versa? O que a instituição objetiva ao ofertar disciplinas de Botânica com estrutura curricular idêntica para o licenciando e para o bacharelando?

A resposta para esses questionamentos nos parece ser única: A formação docente em Ciências Biológicas está ainda subordinada à formação para o bacharelado. Isso pode ser visualizado por meio da análise das ementas que apresentam uma perspectiva técnica, como também pelo fato de algumas disciplinas de bacharelado serem as mesmas do curso de licenciatura. Isso fica ainda mais evidente ao pontuarmos disciplinas botânicas na formação do professor de Biologia, abrindo precedentes para discussões sobre potenciais econômicos de madeiras, bem como a utilização de algas pela indústria de cosméticos e pela culinária, favorecendo a reprodução do modo de produção capitalista e reforçando a ideia antropocêntrica.

O ensino de Botânica nas instituições baianas demanda reflexões no currículo sobre as condições do formar-se professor, com discussões nos colegiados dos cursos para se propor um currículo mais voltado à formação inicial para a docência. Sabemos da importância do conteúdo específico para cada área da Biologia, mas precisamos repensar atitudes pontuais que apoiem o processo de ensino-aprendizagem da Botânica nos cursos de graduação em licenciatura em Ciências Biológicas, com propostas que contemplem o currículo da educação básica de maneira a contribuir ao enriquecimento da formação dos futuros professores.

Referências

ANTIQUEIRA, L. M. O. R. Biólogo ou Professor de Biologia? A Formação de Licenciados em Ciências Biológicas no Brasil. *Revista Docência Ensino Superior*, Belo Horizonte, v. 8, n. 2, 2018.

ARAÚJO, M. C. P. A formação dos formadores: Como se encontra o aprendizado de Botânica daqueles que a ensinam? *In*: BARBOSA, L. M.; SANTOS JÚNIOR, N. A. (Org.). *A Botânica no Brasil*: Pesquisas, ensino e políticas públicas ambientais. São Paulo: Sociedade Botânica do Brasil, 2007, p. 30-35.

AUGUSTO, T. G. D. S.; AMARAL, I. A. D. A formação de professoras para o ensino de ciências nas séries iniciais: análise dos efeitos de uma proposta inovadora. *Ciência & Educação (Bauru)*, v. 21, n. 2, p. 493-509, 2015.

AYRES, A. C. M. As tensões entre a licenciatura e o bacharelado: A formação dos professores de Biologia como território contestado. *In*: MARANDINO, M. et al. (Org.), *Ensino de Biologia*: conhecimento e valores em disputa. Niterói: EDUFF, 2005, p. 182-197.

BOGDAN, R.; BIKLEN, S. K. *Investigação qualitativa em educação*: Uma introdução à teoria e aos métodos. Porto: Porto Editora, 1994.

CAVASSAN, O. Biodiversidade do cerrado: uma proposta de trabalho prático de campo no ensino de botânica com professores e alunos do ensino fundamental. *In*: BARBOSA L.M.; SANTOS JUNIOR, N. A. (Org.). *A botânica no Brasil*: pesquisa, ensino e políticas públicas ambientais. São Paulo: Sociedade Botânica do Brasil, 2007, p. 506-510.

CUNHA, M. I. O lugar da Formação do Professor Universitário: o espaço da pós-graduação em educação em questão. *Revista Diálogo Educacional*, v. 9, n. 26, p. 81-90, 2009.

DINIZ-PEREIRA, J. E. A prática como componente curricular na formação de professores. *Revista Educação*, v. 36, n. 2, p. 203-218, 2011.

DINIZ-PEREIRA, J. E. Da Racionalidade Técnica à Racionalidade Crítica: Formação Docente e Transformação Social. *Perspectivas em Diálogo – Revista de Educação e Sociedade*, v. 1, n. 1, p. 34-42, 2014.

FERNANDEZ, C. PCK-Conhecimento Pedagógico do Conteúdo: perspectivas e possibilidades para a formação de professores. *In*: ENCONTRO NACIONAL DE PESQUISA EM EDUCAÇÃO EM CIÊNCIAS, 8., 2011, Campinas. *Atas [...]*. Campinas: ABRAPEC, 2011.

FRANCO, M. L. P. B. *Análise de conteúdo*. Brasília: Líber Livro, 2005.

LOPES, A. C.; MACEDO, E. *Teorias de currículo*. São Paulo: Cortez, 2011.

LÜDKE, M.; ANDRÉ, M. E. D. A. *Pesquisa em Educação:* abordagens qualitativas. São Paulo: EPU, 2001.

MACIEL, R. M. F.; ANIC, C. C. O biólogo professor e o professor de Biologia: reflexões de licenciandos acerca da profissão e da formação docente. *Revista Educitec*, v. 5, n. 12, p. 69-88, 2019.

NÓVOA, A. Formação de professores e profissão docente. *In*: NÓVOA, A. (Coord.). *Os professores e a sua formação*. Lisboa: Dom Quixote, 1992, p. 13-33.

REINHOLD, A. R. C. et al. O ensino de Botânica e suas práticas em xeque. *In*: REUNIÃO ANUAL DA SBPC, 58., 2006, Florianópolis. *Anais [...]*. Florianópolis: SBPC, 2006.

SALOMÃO, S. R. *Lições de Botânica*: um ensaio para as aulas de Ciências. 2005. Tese (Doutorado em Educação) – Universidade Federal Fluminense, Faculdade de Educação, Niterói, 2005.

SANTOS, R. E.; MACEDO, G. E. L. Aprendizagem significativa de conceitos botânicos em uma classe de jovens e adultos: Análise dos conhecimentos prévios. *Revista Contexto & Educação*, v. 32, n. 101, 2017.

SANTOS, V. P.; MACEDO, G. E. L. O Ensino de Botânica e a Pedagogia da Alternância na formação de jovens do campo no interior do estado da Bahia. *Revista Mais Educação*, v. 3, p. 1046-1055, 2019.

SAVIANI, D. Formação de professores: aspectos históricos e teóricos do problema no contexto brasileiro. *Revista Brasileira de Educação*, v. 14, n. 40, 2009.

SILVA, J. R. S. *Concepções dos professores de Botânica sobre o ensino e a formação de professores.* 2013. Tese (Doutorado em Ciências) – Universidade de São Paulo, Instituto de Biociências, São Paulo, 2013.

SILVA, T. T. *Documentos de Identidade:* Uma introdução às teorias do currículo. 3. ed. 1. reimp. Belo Horizonte: Autêntica, 2010.

SILVA, W. J.; MACEDO, G. E. L. A Aprendizagem Baseada em Problemas (ABP) para o ensino de Botânica em aulas de Ciências. *Experiências em Ensino de Ciências,* v. 16, n. 3, p. 508-519, 2021.

SLONSKI G. T.; ROCHA, A. L. F.; MAESTRELLI, S. R. P. A racionalidade técnica na ação pedagógica do professor. *In*: ENCONTRO NACIONAL DE PESQUISA EM EDUCAÇÃO EM CIÊNCIAS, 11., 2017, Florianópolis. *Atas [...].* Florianópolis: UFSC/ABRAPEC, 2017.

SOUZA, A. F.; MACEDO, G. E. L.; RAZERA, J. C. C. O uso de histórias em quadrinhos em aulas de Botânica: Uma experiência didática fundamentada na perspectiva teórica Vigotskiana. *Ciência em Tela,* v. 10, p. 1-13, 2017.

ULIANA, E. R. Histórico do curso de ciências biológicas no Brasil e em Mato Grosso. *In*: COLÓQUIO INTERNACIONAL EDUCAÇÃO E CONTEMPORANEIDADE, 6., 2012, São Cristóvão *Anais [...].* São Cristóvão, SE, 2012.

UNIVERSIDADE DO ESTADO DA BAHIA. *Projeto do curso de licenciatura em Ciências Biológicas para fins de reconhecimento.* [Senhor do Bonfim, BA, Brasil], 2010. Disponível em: http://catalogo.uesb.br/storage/documentos/biologia-lic-it/projeto.pdf. Acesso em: 19 abr. 2019.

UNIVERSIDADE DO ESTADO DA BAHIA. *Projeto de reconhecimento do curso de Ciências Biológicas – Licenciatura.* [Alagoinhas, BA, Brasil], 2011a. Disponível em: https://www.dcet2.uneb.br/wp-content/uploads/2021/07/PROJETO-PEDAGOGICO-1.pdf. Acesso em: 19 abr. 2019.

UNIVERSIDADE DO ESTADO DA BAHIA. *Projeto de reconhecimento do curso de ciências biológicas – licenciatura.* [Barreiras, BA, Brasil], 2011b. Disponível em: https://portal.uneb.br/barreiras/wp-content/uploads/sites/28/2017/02/PROJETO-PEDAG%C3%93GICO-6.pdf. Acesso em: 19 abr. 2019.

UNIVERSIDADE DO ESTADO DA BAHIA. *Projeto de reconhecimento do curso de licenciatura em ciências biológicas.* [Teixeira de Freitas BA, Brasil], 2011c. Disponível em: https://portal.uneb.br/teixeiradefreitas/wpcontent/uploads/sites/29/2017/02/PROJETO-PEDAG%C3%93GICO-3.pdf. Acesso em: 19 abr. 2019.

UNIVERSIDADE DO ESTADO DA BAHIA. *Projeto de reconhecimento do curso de licenciatura em ciências biológicas.* [Paulo Afonso, BA, Brasil], 2011d. Disponível em: https://portal.uneb.br/pauloafonso/wpcontent/uploads/sites/27/2017/02/PROJETO-PEDAG%C3%93GICO-4.pdf. Acesso em: 19 abr. 2019.

UNIVERSIDADE DO ESTADO DA BAHIA. *Projeto de reconhecimento do curso de licenciatura em ciências biológicas.* [Caetité, BA, Brasil], 2012. Disponível em: https://docplayer.com.br/7285146-Projeto-de-reconhecimento-do-curso-de-licenciatura-em-ciencias-biologicas.html. Acesso em: 19 abr. 2019.

UNIVERSIDADE ESTADUAL DE FEIRA DE SANTANA. *Projeto Pedagógico de Curso* [mensagem pessoal], 2019. Mensagem recebida por: wagner.silva@uesb.edu.br.

UNIVERSIDADE ESTADUAL DE SANTA CRUZ. *Resolução Consepe n.º 01/2010.* [Ilhéus, BA, Brasil], 2010. Disponível em: http://www.uesc.br/publicacoes/consepe/01.2010/01.2010.rtf. Acesso em: 19 abr. 2019.

UNIVERSIDADE ESTADUAL DO SUDOESTE DA BAHIA. *Projeto de reconhecimento do curso de licenciatura em Ciências Biológicas do campus de Itapetinga.* [Itapetinga, BA, Brasil], 2010. Disponível em: http://www2.uesb.br/proreitorias/prograd/wp-content/uploads/doc_cursos/biologia_lic_it_projeto_reconhecimento.pdf. Acesso em: 19 abr. 2019.

UNIVERSIDADE ESTADUAL DO SUDOESTE DA BAHIA. *Renovação de reconhecimento do curso de licenciatura em Ciências Biológicas campus de Jequié.* [Jequié, BA, Brasil], 2011. Disponível em: http://www2.uesb.br/proreitorias/prograd/wpcontent/uploads/doc_cursos/biologia_lic_jq_projeto_renovacao_reconhecimento.pdf. Acesso em: 19 abr. 2019.

UNIVERSIDADE ESTADUAL DO SUDOESTE DA BAHIA. *Projeto de renovação de reconhecimento do curso de licenciatura em Ciências Biológicas do campus de Vitória da Conquista.* [Vitória da Conquista, BA, Brasil, 2012]. Disponível em: http://www2.uesb.br/proreitorias/prograd/wpcontent/uploads/doc_cursos/biologia_lic_vc_projeto_renovacao_reconhecimento.pdf. Acesso em: 19 abr. 2019.

URSI, S. *et al.* Ensino de Botânica: conhecimento e encantamento na educação científica. *Estudos Avançados,* v. 32, n. 94, p. 7-24, 2018.

CAPÍTULO 5

O LIVRO DIDÁTICO DE BIOLOGIA E A HISTÓRIA DA CIÊNCIA: A GENÉTICA MENDELIANA EM LIVROS DIDÁTICOS[1,2]

Júlia Chiti Pinheiro[3]
Fernando Bastos[4]
Giuliano Reis[5]

Ao analisar as relações existentes entre conhecimento científico e sociedade, o reconhecimento da importância social da Ciência perante a compreensão de desenvolvimento e de resolução de problemas é indiscutível (TEÓFILO; GALLÃO, 2019), porém, a realidade brasileira vem sendo marcada pela presença de um discurso obscurantista de negação científica e que fortalece movimentos criacionistas, terraplanistas, antivacinas, anti-intelectualistas e revisionistas históricos em diferentes setores da sociedade (COSTA; PEREIRA; DE PAULA, 2019) e a escola como o provável primeiro (e potencialmente único) local de obtenção de conhecimentos de cunho científico apresenta uma função essencial de contraponto a esse cenário.

Mobilizar o ensino de ciências como uma fonte de subsídios e oportunidades para a alfabetização científica, de maneira a formar cidadãos

---

1   *Esta pesquisa recebeu apoio do Programa Procad/Capes convênio 162.227.*
2   *Este capítulo tem como base a pesquisa de mestrado, do Programa de Pós-graduação em Educação para Ciência, conduzida pela autora principal, Pinheiro (2021), sob a orientação do segundo autor e contribuições do terceiro autor.*
3   *Doutoranda do Programa de Pós-graduação em Educação para Ciência, Universidade Estadual Paulista "Júlio de Mesquita Filho" (Unesp), câmpus Bauru, Grupo de Pesquisa em Ensino de Ciências (GPEC). E-mail: julia.chiti@unesp.br*
4   *Professor, Departamento de Educação, Faculdade de Ciências, Unesp, câmpus Bauru, Grupo de Pesquisa em Ensino de Ciências (GPEC). E-mail: f.bastos@unesp.br*
5   *Professor Associado, Faculdade de Educação, Universidade de Ottawa, Canadá. E-mail: greis@uottawa.com*

capazes de analisar situações de seu meio social, interpretar e se posicionar frente a problemas globais, tomar decisões baseadas em análises de dados, informações, argumentos prós e contra e avaliar, autonomamente, a veracidade de dados, é uma maneira de garantir sua participação pública e agir em resistência ao dado sistema cientificamente destrutivo. Dessa maneira, defendemos que a Alfabetização Científica seja declarada o objetivo principal do ensino de ciências e Biologia.

A busca pela promoção da Alfabetização Científica vai ao encontro das maneiras de enfrentamento das dificuldades do ensino de ciências, e Matthews (1995) afirma que a história, a filosofia e a sociologia da ciência sejam entendidas como alternativas essenciais ao ensino e, ainda que não tenham todas as soluções para a crise atual, têm o potencial de humanizar as ciências e conectá-las aos interesses pessoais, éticos, culturais e políticos da comunidade, além de tornar as aulas de ciências mais desafiadoras e reflexivas, promovendo o desenvolvimento do pensamento crítico, e contribuir para uma compreensão mais abrangente do conteúdo científico, permitindo, assim, tornar o ensino de ciências significativo.

Trabalhando em prol da promoção da Alfabetização Científica, é essencial que o professor organize suas aulas de acordo com os referenciais teóricos da área. Isso implica promover um ambiente investigativo e possibilitar a ampliação gradual da cultura científica do aluno, incluindo a aquisição da linguagem técnica e o conhecimento dos processos e características do trabalho científico (CARVALHO, 2019). Nesse aspecto, apontamos a importância da investigação sobre conteúdos, abordagens, valores e atitudes presentes ou ausentes nos livros didáticos (LD), visto que eles, frequentemente, são tidos como principal fonte, ou recurso, utilizada pelos professores no ensino de ciências e como instrumento norteador de seu trabalho (CARNEIRO; SANTOS; MOL, 2005; KRASILCHIK, 1987).

Prado (2016) traz dados que reforçam a necessidade da promoção de materiais de qualidade para subsidiar o trabalho de professores e a necessidade de prepará-los para agirem frente aos materiais que terão à sua disposição. Em seu estudo com professores de Biologia de Ensino Médio, constatou-se que a presença e a disposição de elementos de História da Ciência (HC) nos capítulos dos LDs não são critérios determinantes à escolha do material a ser adotado.

No ensino de Biologia, diversos temas apresentam relevância histórica imprescindível para seu aprofundamento, compreensão e aprendizagem. Os conteúdos de Genética são considerados por professores de Biologia uns dos mais difíceis em se dar início ao trabalho com os alunos de Ensino Médio (BRANDÃO; FERREIRA, 2009), e algumas pesquisas também apontam ser um dos temas repletos de distorções históricas e com dificuldades de contextualização, como pela dificuldade de obter materiais de suporte adequados (LEITE; FERRARI; DELIZOICOV, 2001).

Silva e Aires (2016, p. 17), no que se refere a tais dificuldades, afirmam que

> [...] a História da Ciência tem muito a contribuir para a construção do texto do livro didático e para a formação do professor dessa área, dado o desafio de entendimento dos processos de construção da ciência e não apenas seus produtos. Sendo assim, seria muito enriquecedor para a educação em ciências/biologia que os autores de livros didáticos levassem em consideração estudos histórico--filosóficos dos conteúdos, incluíssem contribuições desses estudos no desenvolvimento destes e estivessem atentos para a fidedignidade das informações na elaboração dos textos que contemplam conteúdo da História da Ciência.

Dessa forma, procuramos responder, neste capítulo, às seguintes perguntas: como a HC é abordada nos livros de Biologia do Programa Nacional do Livro didático do Ensino Médio (PNLDEM), dentro do tema da Genética Mendeliana? Estão de acordo com as reflexões das pesquisas em Ensino?

Os objetivos específicos listados para este capítulo são: verificar, nos livros didáticos, se os aspectos históricos estão integrados e contextualizados e identificar se os livros didáticos apresentam equívocos em relação à História da Ciência na Genética Mendeliana.

A História da Ciência no ensino

A utilização da História da Ciência no ensino pode se dar diversas formas, tais como conteúdo de ensino, abordagem didática ou estratégia metodológica, com o propósito de auxiliar na compreensão dos conteúdos curriculares (BASTOS, 1998; MARTINS, 2007). Embora as pesquisas na área de ensino de ciências sejam favoráveis ao uso consciente e planejado da História da Ciência, há uma discrepância entre os esforços dedicados às pesquisas sobre a inclusão dessa abordagem, que tem o potencial de proporcionar uma compreensão mais abrangente da ciência, e sua adoção pelos professores em sala de aula (PRESTES; CALDEIRA, 2009; RIBEIRO; SILVA, 2018).

Os principais desafios à implementação da História da Ciência no ensino são: falta de materiais de apoio para os professores (MARTINS, 2007); currículo voltado para obter bons resultados em avaliações externas, e formação inadequada dos professores (BELTRAN; SAITO; TRINDADE, 2014).

De acordo com Martins (2007), é necessário estimular os professores em formação a planejar, desenvolver, construir e vivenciar aulas que utilizem a História da Ciência como estratégia, abordagem e/ou conteúdo didático, uma vez que, compreender como utilizá-la no planejamento das aulas, não é algo simples ou intuitivo (BELTRAN; SAITO; TRINDADE, 2014). Nesse sentido, os professores precisam estar aptos a selecionar e analisar a inserção de conteúdos de HC nos recursos didáticos que terão em sua prática pedagógica e os livros didáticos, que desempenham um papel fundamental no processo pedagógico, idealmente, devem estar alinhados aos conhecimentos fornecidos por pesquisas na área de ensino de ciências.

O livro didático no Brasil e o Ensino de Ciências

O Ministério da Educação (MEC) é responsável por avaliar as obras enviadas pelas editoras durante os períodos de editais abertos do Programa Nacional do Livro Didático (PNLD), tanto para o Ensino Fundamental quanto para o Ensino Médio. Essa avaliação tem como objetivo selecionar os materiais que serão incluídos no *Guia de Livro Didático*, um catálogo disponibilizado às instituições de ensino para que os professores de cada disciplina possam solicitar os materiais que desejam utilizar como recursos didáticos por um período de três anos. Após esse período, o processo se repete. A distribuição dos materiais é gratuita, com a quantidade ideal de um exemplar por aluno e um material do professor para cada responsável pela disciplina na instituição.

Em 2018, após as solicitações dos professores em todo o país, foi realizada a compra dos livros didáticos para a disciplina de Biologia. O investimento total para os livros do primeiro, segundo e terceiro anos do Ensino Médio totalizou R$ 71.390.641,49, distribuídos entre diferentes editoras e suas coleções, conforme dados coletados na plataforma de transparência do Governo brasileiro.

Os livros didáticos são apresentados aos docentes por meio de um *Guia de livros didáticos* e, observando o exemplar do PNLD 2018, encontram-se algumas notas de atenção ao professor sobre a importância da seleção adequada do material de acordo com seus objetivos pedagógicos e também a descrição dos critérios adotados pela comissão de avaliação de todos os materiais didáticos para exclusão e seleção dos materiais no geral e especificamente dos de Biologia. Um dos critérios eliminatórios específicos dos LDs de Biologia é: "orienta[m] a construção de uma compreensão dos conhecimentos das Ciências Biológicas e suas teorias a partir de modelos explicativos elaborados em contextos sócio-históricos específicos" (BRASIL, 2017, p. 15).

Pesquisas como a de Aquino (2017) levantam a preocupação de pesquisadores do campo da HC em relação à produção e disponibilização de materiais didáticos, visto que trabalhos de análises desses materiais, disponibilizados pelo PNLD, produzidos ao longo das duas últimas décadas, como o de Vidal e Porto (2012) com LDs de Química, identificam a problemática de distorções da construção do trabalho científico, ou da Natureza da Ciência, com resultados que demonstram que os livros didáticos frequentemente negligenciam a dimensão humana dos cientistas, retratando-os como indivíduos excepcionalmente inteligentes. Além disso, a informação histórica fornecida costuma ser superficial e há uma clara separação entre o conteúdo histórico e o conteúdo químico. Essa abordagem inadequada dificulta o trabalho dos professores que reconhecem a importância de incorporar a História da Ciência, especialmente no ensino médio (AQUINO, 2017, p. 29).

Conforme mencionado por Morais (2016), estudos anteriores indicam que a inclusão da História da Ciência é um fator crucial na avaliação dos materiais selecionados para o PNLEM. No entanto, é importante que os professores e pesquisadores direcionem sua atenção não apenas para a presença da História da Ciência, mas também para as concepções históricas transmitidas por esses materiais.

O ensino de genética mendeliana

A genética é frequentemente vista como um dos tópicos mais cruciais, porém desafiadores, no currículo de Biologia. A complexidade inerente à genética, em parte devido ao seu elevado nível de abstração necessária para explicar fenômenos, está entre as dificuldades enfrentadas pelos estudantes (EL-HANI; GOLDBACH, 2008; GOLDBACH; MACEDO, 2008). Além disso, a genética está intimamente ligada a conceitos de outras áreas da Biologia e a constante evolução do conhecimento nessa área a torna difícil de acompanhar (SMITH, 2014). Outras barreiras incluem a escassez de materiais didáticos apropriados (LEITE; FERRARI; DELIZOICOV, 2001) e a falta de formação adequada dos professores na área de genética.

Como resultado desses desafios, muitos estudos têm constatado que, ao término do ensino médio, os alunos muitas vezes ainda não compreendem os conceitos fundamentais da Genética. Isso inclui uma compreensão básica do que é um gene, como ele se relaciona com o modelo convencional de cromossomos, e como a genética se correlaciona com os processos de mitose e meiose (OLIVEIRA; SILVA; ZANETTI, 2011; SCHEID; FERRARI, 2008).

A genética mendeliana (referente aos conteúdos relacionados ao episódio histórico de Gregor Mendel) detém uma posição de destaque no currículo de Biologia no Ensino Médio, sendo amplamente valorizada em todo o mundo. Esse tópico de ensino aborda as leis básicas da herança genética, introduzindo aos estudantes à compreensão de como características e traços são passados de uma geração para a próxima. Sua importância é indiscutível, pois promove a compreensão crítica e profunda de aspectos fundamentais da vida, diversidade biológica, saúde humana e produção de alimentos. Entretanto, apesar de seu valor intrínseco, esse campo de estudo se revela complexo e desafiador para a efetiva aprendizagem.

Frequentemente, os estudantes enfrentam obstáculos ao tentar entender e aplicar os conceitos essenciais da genética mendeliana. A complexidade do tema, que exige uma capacidade avançada de abstração e raciocínio lógico, contribui para esse cenário. Questões como a má interpretação da terminologia científica, a confusão entre genótipo e fenótipo, bem como as dificuldades na interpretação de cruzamentos genéticos, são alguns dos problemas comuns. Além disso, os professores têm o desafio de tornar esses conceitos abstratos acessíveis e relevantes aos estudantes, o que, muitas vezes, exige superar as limitações dos materiais didáticos disponíveis.

Para vencer esses desafios, é importante que os livros didáticos adotem uma abordagem pedagógica mais abrangente, ultrapasse a simples apresentação de conceitos e leis. Um caminho, aqui defendido, consiste na inclusão da perspectiva histórica da ciência, de forma que forneça um contexto para o desenvolvimento da genética mendeliana e enfatize o papel inovador, criativo e humano de Mendel em sua área. Essa abordagem não só facilita a compreensão do conteúdo, mas também ajuda os estudantes a entender como a ciência se desenvolve por meio da investigação e do questionamento. Além disso, um enquadramento histórico pode estimular um aprendizado mais ativo e crítico, contribuindo para a formação do pensamento científico nos estudantes, por meio da intencionalidade da abordagem de elementos de Natureza da Ciência.

Procedimentos metodológicos da pesquisa

A pesquisa desenvolvida foi de natureza qualitativa, afinal apresentava como finalidade compreender em profundidade o objeto de estudo, contando com dados de caráter descritivo e, para isso, o estudo feito foi do tipo análise documental (FLICK, 2009).

Os materiais selecionados para a presente pesquisa foram as obras aprovadas pelo PNLEM, que não correspondem à totalidade de livros didáticos (LDs) disponíveis e adotados no Brasil, porém, representam uma amostra significativa dos materiais de suporte ao ensino utilizados por professores e alunos em nível de Ensino Médio, sendo esse o motivo de sua seleção.

A investigação foi desenvolvida pela busca de elementos de História e Natureza da Ciência em capítulos de LDs destinados aos conteúdos de Genética, mais especificamente os que trazem o episódio histórico das descobertas e proposições de Gregor Mendel. Com base nos fundamentos teóricos estabelecidos após décadas de pesquisa e consenso sobre a importância da História da Ciência no ensino de ciências e sua incorporação nos materiais didáticos, a abordagem adotada se refere à necessidade de uma História da Ciência integrada, explícita (BITTENCOURT, 2013) e que transmita conceitos científicos em consonância com o conhecimento atual sobre o assunto.

Essa fase da pesquisa foi dividida em três etapas, seguindo o método de análise de conteúdo proposto por Bardin (2016): a obtenção dos livros didáticos, a criação e adaptação de uma ferramenta de análise que inclui a História da Ciência, e a análise das informações históricas relacionadas ao episódio de Mendel.

Os livros didáticos do PNLD são disponibilizados aos professores de disciplinas nas escolas públicas brasileiras por meio do portal virtual do Fundo Nacional de Desenvolvimento da Educação, vinculado ao Ministério da Educação. Essa disponibilização ocorre durante o processo de seleção das obras a serem utilizadas nos próximos três anos. Algumas editoras disponibilizam a versão aprovada para uso pelos professores em seus próprios *sites*, em seções específicas relacionadas ao PNLD.

Na pesquisa em questão, seis dos dez livros incluídos no *Guia de Livros Didáticos* foram encontrados por meio da busca *online* e compuseram a amostra utilizada (Quadro 1), devido ao isolamento social adotado pelo Estado de São Paulo durante o período de desenvolvimento da pesquisa, em virtude da pandemia da COVID-19, em que as Instituições de Ensino permaneceram fechadas, impossibilitando a obtenção dos outros quatro livros dentro do prazo necessário para a análise.

Quadro 1 – *Identificação do material e de seus trechos utilizados para análise.*

ID	Livro / Editora / volume / Unidade	Páginas
LD1	Biologia Hoje, Ática, v .3, U1	10-43
LD2	Biologia, Saraiva Educação, v. 3, U2	59-78
LD3	Bio, Saraiva Educação, v. 3, U2	135-185
LD4	Biologia Moderna – Amabis&Martho, Moderna, v. 3, U1	10-62
LD5	Conexões com a Biologia, Moderna, 3, U1	136-187
LD6	Biologia, AJS, v. 3, U2	131-177

Fonte: Autores.

Para o desenvolvimento da investigação proposta, questões foram formuladas e organizadas em uma planilha de avaliação inspirada em referenciais como Leite (2002) e Vidal (2009), que criaram e validaram elementos para análise de conteúdos de HC em LDs.

Análise dos livros didáticos

Os seis LDs analisados se apresentaram como bons candidatos para o trabalho com a HC, pois foi possível perceber que todos eles contam com um material que fornece subsídios ao trabalho docente de contextualização da Genética, por exemplo, a partir dos trabalhos e pesquisas de Mendel.

Os critérios utilizados para a análise foram estabelecidos em forma de perguntas. Para cada item, foram utilizados os marcadores "+" e "-". O símbolo "+" indica que os aspectos observados em relação ao critério são positivos e o símbolo "-" indica a identificação de limitações. A avaliação dos livros com esses marcadores não objetiva classificá-los como melhores ou piores, mas identificar aspectos que necessitam de atenção do professor ao utilizar o dado material didático para o planejamento de suas aulas.

O Quadro 2 conta com os itens analisados (critérios expressos em forma de perguntas) e a descrição do significado dos símbolos utilizados para cada caso.

Quadro 2 – *Descrição dos itens e do significado de cada atributo em relação a cada um dos itens analisados.*

Critérios analisados	O símbolo "+" indica:	O símbolo "-" indica:
1. O material evita a presença de conteúdos históricos pontuais, fragmentados e/ou superficiais?	Conteúdos históricos abordados de maneira completa e contextualizada.	Presença de conteúdos pontuais, fragmentados ou superficiais.
2. Os conteúdos históricos estão isentos de erros, distorções ou preconceitos?	Dados precisos e consistentes.	Presença de divergências ou inconsistências.
3. A História da Ciência aparece como parte integrante dos textos ou ainda de forma periférica?	HC integrada ao conteúdo principal.	Abordagem periférica da HC, como por apêndices dispensáveis presentes no capítulo.
4. Existem atividades de História da Ciência?	Atividades problematizadoras e contextualizadas.	Ausência de atividades de HC.
5. O material estimula uma concepção de ciência coerente com os conhecimentos atuais em Filosofia da Ciência?	Evita a propagação de visões distorcidas acerca da atividade científica.	Adoção de concepções positivistas e/ou divergentes dos pressupostos da Filosofia da Ciência.
6. O uso que é feito da História da Ciência favorece a alfabetização científica e a formação para a cidadania?	Uso da HC com abordagem CTS e aplicação dos conceitos em problemas autênticos.	Ênfase em um ensino tradicional e falta de atividades reflexivas.

Fonte: Autores.

O Quadro 3 traz a sistematização da análise dos livros didáticos em relação aos critérios estabelecidos.

Quadro 3 – *Síntese da análise dos livros didáticos de acordo com as categorias propostas.*

ID/ITEM	1	2	3	4	5	6
LD1	-	+	-	+	+	-
LD2	+	-	+	+	+	-
LD3	+	+	+	+	+	+
LD4	-	+	+	-	-	-
LD5	+	+	+	+	+	+
LD6	-	-	-	-	-	-

Fonte: elaborado pelos autores.

O LD1 aborda a genética mendeliana em seus dois primeiros capítulos, com ênfase na contextualização histórica dos conhecimentos biológicos. O livro apresenta a pesquisa de Gregor Mendel com ervilhas, descrevendo suas ideias e conclusões em forma de lei. Embora haja preocupação em contextualizar historicamente os conhecimentos científicos, a abordagem do histórico de Mendel é pontual e fragmentada, sem explorar completamente seu contexto científico e acadêmico. O material também destaca o episódio de redescoberta dos trabalhos de Mendel, mas de forma breve e fragmentada. Embora não desenvolva toda a biografia de Mendel, o livro oferece uma abordagem satisfatória em relação à História da Ciência, contribuindo para a compreensão da ciência como atividade humana.

O LD2 é composto por três volumes, sendo que o terceiro aborda a Genética na unidade 2. O livro apresenta a HC como parte integrante do texto principal, contextualizando os conhecimentos desse tema desde as teorias prévias a Mendel até a descoberta da natureza química do material genético e a construção do conceito de gene. Destacam-se a presença dos pesquisadores envolvidos e o caráter coletivo do trabalho científico. O material não utiliza a História da Ciência como abordagem didática, mas como conteúdo de contextualização, integrando-a aos conteúdos estatísticos e biológicos. Embora não explore totalmente o potencial da História da Ciência para discussões sobre a Natureza da Ciência, o livro fornece informações relevantes sobre os contextos científicos e tecnológicos que embasaram o desenvolvimento dos conhecimentos em Genética.

O LD3 apresenta a HC como uma atividade coletiva inserida no contexto histórico-social, contribuindo para divulgar os trabalhos de diversos cientistas. Ao abordar a Genética, o livro contextualiza as teorias prévias a Mendel, destacando os cientistas envolvidos, e descreve os métodos e as conclusões de Mendel, além de discutir a natureza química do material genético. A HC está integrada ao texto principal, não havendo caixas de texto específicas, e é indispensável à compreensão dos conteúdos. No entanto, o livro não explora totalmente seu potencial para discussões sobre a Natureza da Ciência ou para aproximar os alunos dos questionamentos que originaram as pesquisas. Além disso, não foram identificados erros conceituais, mas o episódio histórico de Mendel foi narrado de maneira linear, sem explorar seu potencial à discussão de dilemas éticos e filosóficos. O livro promove a aproximação dos alunos com a linguagem científica, mas não oferece muitos recursos para a reflexão crítica dos dados da Genética.

O LD4, de acordo com o *Guia de Livros Didáticos*, apresenta a ciência como provisória e interligada aos aspectos sociais, históricos, econômicos e culturais. A coleção busca contextualizar historicamente os conhecimentos biológicos e enfatiza a importância da temática tanto do ponto de vista científico quanto de seus possíveis impactos sociais. A abordagem adotada destaca a evolução e a HC, problematizando o conhecimento científico como um saber produzido social e historicamente. O material introduz personagens históricos relevantes, como o geneticista Sérgio Danilo Pena, e enfatiza a importância da matematização dos resultados e da escolha da ervilha como material experimental no trabalho de Mendel. No entanto, não são exploradas caixas de texto específicas para a história da ciência, e a abordagem histórica de Mendel é limitada. Embora o LD4 aborde a contextualização histórica da genética e destaque a importância de Mendel, há lacunas na apresentação da HC. O material não explora completamente o contexto científico e acadêmico de Mendel, nem os cientistas envolvidos em sua redescoberta.

Sobre o LD5, o *Guia de Livros Didáticos* (BRASIL, 2017) apresenta o tema da Genética de forma contextualizada, destacando modelos explicativos elaborados em contextos sociais e históricos que influenciaram a construção dos conhecimentos biológicos. O material aborda questões atuais relacionadas à Genética, como a reconstrução da origem de diferentes povos, e estimula a reflexão dos alunos sobre a aplicação da Genética na sociedade. O capítulo sobre Genética Mendeliana apresenta Gregor Mendel como um grande estudioso que realizou experimentos com plantas de ervilha, identificando padrões de herança e estabelecendo as leis que levam o nome dele. O livro destaca a importância da matematização dos fenômenos e descreve as etapas do estudo de Mendel, além de mencionar a redescoberta de seu trabalho por botânicos, em 1900. O material também aborda as bases físicas da hereditariedade, relacionando os termos utilizados por Mendel com os termos atuais e apresentando a teoria cromossômica da herança proposta por Walter Sutton e Theodor Boveri.

O material também apresenta atividades e reflexões que estimulam a discussão em sala de aula sobre questões éticas e atuais relacionadas à Genética. Os exercícios propostos no livro vão além da simples identificação de informações no texto, exigindo dos alunos o pensamento crítico e a argumentação. O material destaca a importância de compreender a hereditariedade antes dos experimentos de Mendel, abordando as teorias prévias sobre o tema. O livro também faz menção a pesquisadores contemporâneos, como Mayana Zatz, que contribuem para aproximar a pesquisa científica da realidade dos estudantes. Além disso, o *Guia* apresenta informações complementares, sugestões de *sites*, filmes e livros para aprofundamento na temática estudada, e atividades práticas para a verificação de hipóteses dos alunos. No geral, o material contribui com a alfabetização científica dos alunos e estimula a formação para a cidadania, abordando questões éticas e atuais relacionadas à Genética.

O livro didático LD6 aborda o tema da Genética Mendeliana em três capítulos da unidade dois, dedicada inteiramente à Genética. O material propõe atividades e projetos interdisciplinares, apresenta uma perspectiva histórica e filosófica do saber científico e incentiva discussões sobre o papel da ciência na explicação de questões cotidianas. Destaca-se o caráter investigativo e dinâmico da ciência, ressaltando que os conhecimentos científicos não são absolutos nem acabados. O livro inclui seções que visam favorecer o pensamento crítico reflexivo dos estudantes, abordando conceitos, atualizações e conflitos entre o senso comum e o conhecimento científico. No entanto, os conteúdos históricos estão fragmentados, com a contextualização histórica da hereditariedade presente apenas no quadro de texto complementar "Leituras". O material não problematiza a pesquisa de Mendel nem apresenta a motivação relacionada à agricultura que levou o pesquisador a realizar seu estudo meticuloso. Além disso, a obra apresenta Mendel como o "*pai da Genética*", não incluindo outros pesquisadores para estabelecer uma visão mais ampla da construção científica.

Apesar de integrar a HC ao descrever os procedimentos metodológicos de Mendel, o livro não fornece sugestões para aprofundar ou contextualizar os conteúdos históricos. Não são propostas atividades de HC, e o material não estimula o pensamento crítico nem estabelece relações com as discussões éticas, tecnológicas e a realidade diária da Genética Mendeliana. Embora não contenha erros ou distorções graves, o LD6 não contribui para evitar visões distorcidas da Natureza da Ciência. Portanto, é necessário que o professor utilize o material de forma aprofundada, contextualizada ou investigativa para abordar os conteúdos históricos, e não há sugestões nesse sentido fornecidas pelo próprio livro.

De maneira geral, os materiais superaram as expectativas estabelecidas com base nos estudos das décadas anteriores, gerando o questionamento: A que se deve a melhora na qualidade da abordagem histórica dos livros didáticos do PNLEM 2018-2020?

Possíveis razões para os resultados surpreendentes

Identificamos potenciais elementos influentes na qualidade dos livros didáticos, como: 1) a formação e a expertise dos autores responsáveis pela elaboração dos materiais; 2) os avanços e as descobertas provenientes das pesquisas em ensino de ciências realizadas nas últimas décadas; 3) as diretrizes e os requisitos estabelecidos pelo PNLEM.

1 – A formação dos autores aparenta influenciar no bom desempenho do livro didático em relação à coerência com os conhecimentos atuais em HC apontado pelas pesquisas?

A qualificação dos autores (Quadro 4), incluindo a formação em pós-graduação e a experiência profissional, parece ser um fator relevante à qualidade da abordagem histórica nos livros didáticos. A experiência com a elaboração, revisão e reedição de obras também pode contribuir para o avanço da qualidade.

Quadro 4 – *Relações entre aspectos avaliados positivamente e formação, em nível de pós-graduação, dos autores de cada LD.*

LD	Aspectos avaliados com "+"	Formação dos autores
1	2, 4, 5	Um dos autores tem pós-graduação em Educação.
2	1, 3, 4, 5	Um dos autores tem pós-graduação em Biologia Molecular.
3	Todos os aspectos	Ambos os autores têm pós-graduação em Ciências Biológicas.
4	2, 3	Um dos autores tem pós-graduação em Genética.
5	Todos os aspectos	Ambos os autores têm pós-graduação em Oceanografia.
6	Nenhum aspecto	A autora tem pós-graduação em Zoologia.

Fonte: autores.

Mas vale ressaltar que não é possível estabelecer uma correlação direta entre a experiência adquirida em nível de pós-graduação, independentemente da área científica, e uma compreensão mais abrangente e precisa da Natureza da Ciência (NdC). Estudos realizados por Moreira, Antunes e Ferreira (2018) e por Andrade e Pelice (2018) indicaram que, nos casos em que não houve uma dedicação específica às reflexões sobre a NdC no currículo dos cursos de pós-graduação, uma parcela significativa dos estudantes participantes das pesquisas apresentou concepções distorcidas sobre o trabalho científico em diversos aspectos.

2 – Expressivos são os estudos que realizaram pesquisas com avaliação do livro didático no ensino de ciências, e ainda especificamente no ensino de genética.

Uma análise de Silva e Meghlioratti (2020) sobre pesquisas em ensino de Biologia, publicadas em revistas científicas de Qualis A1, entre 2007 e 2018, revelou um expressivo número de estudos analisando o conteúdo dos livros didáticos em várias áreas da Biologia. Os pesquisadores observaram uma forte dedicação aos temas de Genética, Ecologia e Educação Ambiental. No entanto, ressaltam que os livros didáticos são recursos em constante modificação, cuja organização está intimamente ligada aos contextos e às problemáticas sociais do momento. Essa compreensão ressalta a importância de considerar o uso do livro didático como um produto cultural.

Ao analisar os anais do ENPEC 2017, Silva e Meghlioratti (2020) correlacionaram os materiais apresentados com as áreas de pesquisa do evento, identificando um conjunto diverso de trabalhos dedicados à análise de elementos de História, Filosofia e Sociologia das Ciências nos livros didáticos. Os resultados indicaram que muitos desses estudos foram conduzidos pelos mesmos pesquisadores que publicaram em periódicos Qualis A1, investigando concepções de ciência, Natureza da Ciência e investigação científica veiculadas nos livros didáticos. Além de demonstrar a existência de uma quantidade significativa de pesquisas analisando os livros didáticos de Biologia, esses estudos oferecem sugestões para aprimorar a qualidade desses materiais, fornecendo subsídios teórico-científicos para revisões e reedições futuras.

3 – A avaliação realizada, partindo de critérios de inclusão e exclusão que contemplaram a HC, culminou com a rica avaliação apresentada no Guia de Livros Didáticos *na edição 2018-2020 do PNLEM.*

A seleção dos livros didáticos do PNLEM é realizada por uma equipe formada por professores e pesquisadores de instituições universitárias públicas brasileiras, que avaliam os materiais com base em critérios estabelecidos pelo MEC. Os estudos realizados por Silva e Meghlioratti (2020) indicam que há uma significativa quantidade de pesquisas analisando o conteúdo dos livros didáticos em diversas áreas da Biologia, com destaque para Genética, Ecologia e Educação Ambiental.

Os critérios de avaliação incluem a coerência teórico-metodológica da obra, contextualização dos conteúdos, abordagem interdisciplinar, construção de compreensão dos conhecimentos biológicos em contextos sócio-históricos e promoção do desenvolvimento de habilidades científicas. O *Guia de Livros Didáticos* de Biologia reconhece um avanço qualitativo nas obras aprovadas no PNLD, destacando a abordagem histórica da ciência na produção do conhecimento biológico. Embora a inclusão da História da Ciência nos livros didáticos não seja um critério específico, ela é considerada essencial para subsidiar a contextualização dos temas científicos e gerar discussões sobre a Natureza da Ciência.

A avaliação dos livros pelo programa PNLD, as devolutivas de edições anteriores e a experiência formativa e profissional dos autores influenciam a elaboração dos materiais didáticos, fornecendo subsídios para pesquisas em ensino de ciências. Essas pesquisas, por sua vez, direcionam a atenção dos professores, autores e órgãos avaliadores, demonstrando a interconexão entre esses fatores e a importância das pesquisas em ensino de ciências.

Apesar dos resultados positivos nas análises de livros didáticos, é necessário repensar alguns aspectos para aproximar as discussões da Natureza da Ciência (NdC) e evitar visões distorcidas do trabalho científico. A utilização do título "pai da Genética", ao descrever Gregor Mendel, reforça implicitamente a genialidade dele, o que pode afastar os alunos de uma compreensão adequada da Ciência. Essa abordagem reducionista negligencia a relevância de outros cientistas importantes e pode perpetuar estereótipos sobre a ciência, como a ideia de que apenas alguns indivíduos são responsáveis pelos avanços científicos. É fundamental evitar a visão de que a ciência é um empreendimento individual e destacar sua natureza coletiva, envolvendo divergências e a participação de diversos grupos na comunidade científica.

Para evitar estereótipos sobre cientistas, os materiais didáticos devem enfatizar pesquisadoras, grupos de pesquisadores e cientistas menos conhecidos, desmistificando a ideia de que apenas pesquisadores renomados contribuíram para a ciência.

A seleção de conteúdos para os livros didáticos é complexa, exigindo decisões sobre espaço e relevância. Incluir mais elementos e discussões sobre a história mendeliana é um desafio prático e conceitual, considerando as limitações de espaço e a necessidade de preparar os alunos para a era da genômica e as implicações atuais da genética.

Uma falha nos livros didáticos é a falta de discussão sobre questões metodológicas e estratégias da ciência. Além disso, as conclusões e sistematizações poderiam ser mais desenvolvidas, destacando que o conhecimento científico é resultado do trabalho coletivo de numerosos cientistas.

Embora o livro didático dedique ênfase ao episódio histórico mendeliano, é evidente que outros cientistas envolvidos no desenvolvimento da genética recebem menos atenção. O livro poderia explorar sugestões ao professor, fornecendo subsídios para o ensino de NdC e metodologias investigativas, seguindo o formato de atenção e ênfase dado ao monge-cientista.

Considerações finais

Este capítulo teve como objetivos analisar como a HC é abordada nos livros de Biologia do Programa Nacional do Livro Didático do Ensino Médio (PNLEM) dentro do tema da Genética Mendeliana e avaliar se estão de acordo com as reflexões das pesquisas em Ensino.

Majoritariamente nos livros analisados, a HC foi abordada de maneira integrada, contextualizada e com poucas distorções, levando-nos a concluir que os materiais estão acompanhando e se alinhando cada vez mais com as reflexões das pesquisas em Ensino. O edital de seleção e o processo de análise dos livros para a composição do rol disponível para cada edição do PNLD incorporou aspectos importantes para garantirem a presença e a expressividade da História da Ciência nos materiais e o *Guia de Livros Didáticos* foi preciso ao identificar e expressar as potencialidades de cada material em relação aos elementos contemplados de HC.

A análise também nos revelou que o *Guia de livros didáticos* do PNLD é um recurso importante e esclarecedor para o processo de escolha realizado pelos professores, visto que aquilo que apresentam sobre os materiais pareceu refletir as intencionalidades dos autores. Esse dado reforça a importância de uma formação inicial de professores de qualidade, que capacite esses profissionais para tomar decisões fundamentadas, isto é, garanta que o processo de análise dos LDs oferecidos pelo PNLEM ocorra de maneira crítica, consciente e analítica, com um olhar minucioso para alinhar a escolha do material a ser adotado, com os enfoques explicitados pelo *Guia*, aos objetivos pedagógicos declarados pela Instituição de Ensino em que atuam e ao objetivo mais valioso de alfabetizar cientificamente os estudantes em seu processo de formação para a cidadania.

Referências – livros didáticos analisados

LD1. GEWANDSZNAJDER, F.; LINHARES, S.; PACCA, H. **Biologia hoje**. 3ed, São Paulo: Ática, 2016.

LD2. CALDINI; CÉSAR; SÉZAR. **Biologia**. 12ed, São Paulo: Saraiva Educação, 2016.

LD3. ROSSO, S.; LOPES, S. **BIO**. 3ed, São Paulo: Saraiva Educação, 2016.

LD4. MARTHO, G. R.; AMABIS, J. M. **Biologia moderna: Amabis & Martho**. 1ed, São Paulo: Moderna, 2016.

LD5. RIOS, E. P.; THOMPSON, M. **Conexões com a Biologia**. 2ed, São Paulo: Moderna, 2016.

LD6. MENDONÇA, V. L. **Biologia**. 3ed, São Paulo: AJS, 2016. V. 3.

Referências

ANDRADE, A. B.; PELICE, F. M. Concepções de Método Científico entre pós-graduandos em cursos de Ecologia. *Ciências & Cognição*, Rio de Janeiro, v.23, n. 2, p. 290-306, 2018

AQUINO, G. T. M. *História da Ciência e Epistemologia*: um estudo no ensino médio brasileiro. 2016. Tese (Doutorado em História Social) – Faculdade de Filosofia, Letras e Ciências Humanas, Universidade de São Paulo, São Paulo, 2017. DOI: 10.11606/T.8.2017.tde-08052017-101748. Acesso em: 17 dez. 2020

BARDIN, L. *Análise do conteúdo*, 1. ed. São Paulo: Edições, 2016.

BASTOS, F. O ensino de conteúdos de História e filosofia da Ciência. *Ciência & Educação*, v. 5, n. 1, p. 55-72, 1998.

BELTRAN, M. H. R.; SAITO, F.; TRINDADE, L. S. P. *História da Ciência para a formação de professores*. São Paulo: Editora Livraria da Física, 2014, 128 p.

BITTENCOURT, F. B. *O tratamento dado à História da Biologia nos livros didáticos brasileiros recomendados pelo PNLEM-2007*: análise das contribuições de Gregor Mendel. 80 f. Dissertação (Mestrado em Ensino de Ciências) – Instituto de Física, Instituto de Química, Instituto de Biociências, Faculdade de Educação, Universidade de São Paulo, São Paulo, 2013.

BRANDÃO, G.; FERREIRA, L. O ensino de Genética no nível médio: a importância da contextualização histórica dos experimentos de Mendel para o raciocínio sobre os mecanismos da hereditariedade. *Filosofia e História da Biologia*, [S. l.], v. 4, n. 1, p. 43-63, 2009.

BRASIL. Ministério da Educação. Secretaria da Educação Básica. *PNLD 2018: biologia – guia de livros didáticos – Ensino Médio.* Brasília, DF: Ministério da Educação, Secretária de Educação Básica, 2017. 92 p.

CARNEIRO, M. H. S.; SANTOS, W. L. P.; MÓL, G. S. Livro didático inovador e professores: uma tensão a ser vencida. *Ensaio: Pesquisa em Educação em Ciências.* Belo Horizonte, v. 7, n. 2, p. 35-45, 2005.

CARVALHO, A. M. P. (Org.). *Ensino de Ciências por Investigação*: condições para implementação em sala de aula. 5. ed. São Paulo: Cengage Learning, 2019. 152p.

COSTA, F. J. F.; PEREIRA, K. R. C.; DE PAULA, A. S. N. Ciência e obscurantismo em contexto de crise: A superação do Capitalismo como uma vela na escuridão. *Cadernos GPOSSHE On-line.* Fortaleza, v. 2, n. Especial, 2019. p.144-162.

EL-HANI, C. N.; GOLDBACH, T. Entre receitas, programas e códigos: metáforas e ideias sobre genes na divulgação científica e no contexto escolar. *Alexandria - Revista de Educação em Ciência e Tecnologia*, v. 1, n. 1, p. 153-189, 2008.

FLICK, Uwe. *Introdução* **à pesquisa qualitativa**. 3ed, Porto Alegre: Artmed, 2009. 405 p.

GOLDBACH, T.; MACEDO, A. G. Produção científica e saberes escolares na área de Ensino de Genética: olhares e tendências. *In*: JORNADAS LATINO-AMERICANAS DE ESTUDOS SOCIAIS DAS CIÊNCIAS E TECNOLOGIAS, 7., 2008, Rio de Janeiro. *Anais [...].* Rio de Janeiro: UFRJ, 2008. p. 1-12.

KRASILCHIK, M. *O professor e o currículo das ciências*. São Paulo: EDUSP, 1987. 80 p.

LEITE, L. History of Science in Science education: development and validation of a checklist for analyzing the historical content of science textbooks. *Science and Education*, v. 11, n. 2, p. 333-359, jul. 2002.

LEITE, R. C. M.; FERRARI, N.; DELIZOICOV, D. A história das Leis de Mendel na perspectiva Fleckiana. *Revista Brasileira de Pesquisa em Educação em Ciencias*, [S. l.], v. 1, n. 2, p. 12, 2001.

MARTINS, A. F. P. História e Filosofia da Ciência no ensino: Há Muitas Pedras Nesse Caminho ... *Caderno Brasileiro de Ensino de Física*, [S. l.], v. 24, n. 1, p. 112–131, 2007.

MATTHEWS, M. R. História, filosofia e ensino de ciências: a tendência atual de reaproximação. *Caderno Brasileiro de Ensino de Física*, [S. l.], v. 12, n. 3, p. 164–214, 1995.

MORAIS, W. R. *História e Natureza da Ciência No ensino de Biologia*: perfil e concepções de professores em serviço e de materiais didáticos. Dissertação (Mestrado Educação para a Ciência) – Universidade Estadual Paulista. Faculdade de Ciências, Bauru, 2016. 230 p.

MOREIRA, B. R.; ANTUNES, E. P.; FERREIRA, L. H. Concepção de alunos da pós-graduação sobre aspectos da Natureza da Ciência: a Ciência é imutável ou é influenciada por agentes externos? *Revista Iluminart*, Sertãozinho, v. 11, n. 16, dezembro, 2018.

OLIVEIRA, T. B.; SILVA, C. S. F.; ZANETTI, J. C. Pesquisas em Ensino de Genética (2004-2010). *In*: ENCONTRO DE PESQUISA EM ENSINO DE CIÊNCIAS, 8., Campinas, 2011. *Atas [...]*. Campinas, 2011.

PINHEIRO, J. C. *História Da Genética e Ensino de Biologia:* Um Estudo Visando Proporcionar Subsídios para a Reflexão sobre Formação de Professores. 2021. Dissertação (Mestrado Educação para a Ciência) – Faculdade de Ciências, Universidade Estadual Paulista, Bauru, 2021.

Disponível em: https://repositorio.unesp.br/handle/11449/21442 Acesso em: 28 jun. 2023.

PRADO, K. F. *Livros Didáticos e concepções de professores*: a história da ciência no ensino de equilíbrio químico. Dissertação (Mestrado Educação para a Ciência) – Universidade Estadual Paulista, Faculdade de Ciências, Bauru, 2016.

PRESTES, M.; CALDEIRA, A. M. A. Introdução. A importância da história da ciência na educação científica. *Filosofia e História da biologia,* [S. l.], v. 4, n. 1, p. 1–16, 2009.

RIBEIRO, G.; SILVA, J. L. J. C. Imagem Do Cientista: Impacto De Uma Intervenção Pedagógica Focalizada Na História Da Ciência. *Investigações em Ensino de Ciências,* [S. l.], v. 23, n. 2, p. 130, 2018. DOI: 10.22600/1518-8795.ienci2018v23n2p130.

SCHEID, N. M. J.; FERRARI, N. A história da ciência como aliada no ensino de genética. *Revista Genética na Escola*, v. 1 n. 1, p. 17-18, 2008.

SILVA, E. C. C.; AIRES, J. A. Panorama histórico da Teoria Celular. *História da Ciência e Ensino*: construindo interfaces. PUC, SP, v. 14, 2016. p. 1-18.

SILVA, L. N.; MEGHLIORATTI, F. A. Análise de Livros Didáticos de Biologia em periódicos de Ensino: O que trazem as pesquisas? *Vidya*, Santa Maria, v. 40, n. 1, p. 259-278, jan./jun., 2020.

SMITH, M. V. It's not your grandmother's Genetics anymore! *The American Biology Teacher,* v. 76, n. 4, p. 224-229, 2014.

TEÓFILO, F. B. S.; GALLÃO, M. I. História e Filosofia da Ciência no ensino de Biologia Celular. *Ciência & Educação (Bauru)*, v. 25, n. 3, p. 783–801, 2019. DOI: 10.1590/1516-731320190030012.

VIDAL, P. H. O. *A História da Ciência nos livros didáticos de química do PNLEM-2007.* Dissertação (Mestrado em Ensino de Ciências) – Instituto de Física, Instituto de Química, Instituto de Biociências, Faculdade de Educação da Universidade de São Paulo, 2009.

VIDAL, P. H. O.; PORTO, P. A. Representações químicas e a História da Ciência em sala de aula. *História da Ciência e Ensino*: construindo interfaces, v. 10, p. 70- 84, 2014.

CAPÍTULO 6

DIDATICAGRAFIA NO ENSINO DE FÍSICA POR MEIO DO *GOALBALL* PARA ESTUDANTES COM DEFICIÊNCIA VISUAL: UMA INTERPRETAÇÃO A PARTIR DA PERCEPÇÃO EPISTEMOLÓGICA DA RELAÇÃO COM O SABER

Willdson Robson Silva do Nascimento[1]
Eder Pires de Camargo[2]
Veleida Anahi da Silva[3]

A pesquisa aqui relatada se desenvolveu por meio de uma parceria firmada entre a Universidade Estadual Paulista "Júlio de Mesquita Filho" (Unesp, campus Bauru) e Universidade Federal do Sergipe (UFS, câmpus São Cristóvão), por meio do Programa Nacional de Cooperação Acadêmica (Procad), cujo objetivo é promover a formação de recursos humanos de alto nível, nas diversas áreas do conhecimento, por meio de projetos conjuntos de pesquisa de média duração. Desse modo, pode-se mergulhar em

---

1 *Licenciado em Física pela Universidade Federal do Maranhão (UFMA/São Luís) Mestre (2018) e Doutorando no Programa de Pós-graduação em Educação para a Ciência, área: Ensino de Ciências, pela Universidade Estadual Paulista "Júlio de Mesquita Filho" (Unesp, câmpus Bauru). E-mail: willdsonnascimento@gmail.com Orcid: https://orcid.org/0000-0002-2350-7731*

2 *Graduado em Licenciatura em Física, Mestre em Educação para a Ciência (2000), Doutor em Educação (2005) pela Universidade Estadual de Campinas (Unicamp) e Pós-Doutor (2006) pela Unesp. É Livre Docente do Departamento de Física e Química da Unesp, e no PPG Mestrado e Doutorado em Educação para a Ciência. E-mail: eder.camargo@unesp.br Orcid: https://orcid.org/0000-0003-2577-9885*

3 *Licenciada em Ensino de Ciências e Matemática, Doutora em Ciências da Educação pela Universidade de Paris VIII, docente do Programa de Pós-graduação em Ensino de Ciências e Matemática e em Educação da Universidade Federal de Sergipe. Líder do Grupo de Pesquisa Educação e Contemporaneidade – EDUCON/UFS/CNPq. E-mail: vcharlot@terra.com.br Orcid: https://orcid.org/0000-0002-0920-5884.*

um conjunto de relações e processos que constituíram um sistema de sentido ao referencial adotado, uma vez que a UFS é o "lar epistemológico" da Relação com o Saber no Brasil.

A Relação com o Saber, princípio do filósofo francês Bernad Charlot, ganhou notoriedade no Brasil, em meados de 1980, por meio do livro *A mistificação pedagógica* e teve seu fortalecimento e sua consolidação teórica em solos brasileiros a partir de 2000, com a publicação dos livros *Da relação com o saber: elementos para uma teoria* e *Os jovens e o saber* (CHARLOT, 2005).

Charlot (2005) rememora que o sujeito que se tem em sala de aula é um sujeito que tem uma história e vive em um mundo humano, com múltiplas diferenças; aprende de diversas formas; é provido de uma afetividade; um sujeito de relação com o mundo repleto de significados que ele deverá procurar dar sentido; é um sujeito que se constrói gradativamente por um processo de identificação e desindentificação com o outro, além de realizar uma atividade no mundo e sobre o mundo, agindo e sendo agido por ele.

Com tal característica, ensinar exige disponibilidade para o diálogo, saber escutar, reflexão crítica sobre sua prática, "quem forma se forma e re-forma ao formar e quem é formado forma-se e forma ao ser formado" (FREIRE, 2014, p. 25). Na busca por esse caminho, a Relação com o Saber pode contribuir para o ensino de física, reconhecendo-se que têm, dentro de sala de aula, discentes que são confrontados com a necessidade de aprender; sujeitos que não são, mas devem se tornarem o que quiserem ser, e para tal, a educação, como um triplo processo (singularização, socialização e humanização), é fundamental para a construção desse sujeito, além da oferta de um saber que faça sentido, gere prazer, produza um desejo e os envolva em uma atividade intelectual.

Nessa perspectiva, trazer a Relação com o Saber ao ensino de Física voltado a estudantes com deficiência visual é entrar na história desses sujeitos, sua história singular; é entrar em um conjunto de relações e interações que transversalizam sua idiossincrasia, além de explorar a importância e a presença do saber física no mundo para esses estudantes. Assim, não se pode deixar de considerar o sujeito ao estudar um ensino de física, que se disponibiliza a promover um sentido, o pensamento crítico, que se articule com as discussões sociais, políticas e econômicas da sociedade, uma vez que a educação faz parte dos acontecimentos sociais.

De acordo com Charlot (2005, p. 41), debruçar-se sobre a questão da Relação com o Saber é explorar como o sujeito apreende o mundo "e, com isso, como se constrói e transforma a si próprio: um sujeito indissocialmente humano, social e singular". Ou seja, é preciso compreender os estudantes dentro de sua complexidade social, afetiva, econômica, de relações e história de vida, pois essa história se desenvolve em um mundo que dita regras, impõe normas de padronização e é estruturado por processos de dominação e exclusão.

Nesse contexto, mediante os elementos que constituem o conceito de Relação com o Saber, é possível traçar como objetivo deste capítulo investigar o sentido da mobilização no processo de ensino e aprendizagem no ensino de física para os estudantes com deficiência visual por meio da "didaticagrafia no ensino de física" pautada no sentido, desejo, prazer e envolvimento em uma atividade intelectual.

Dessa forma, pretendemos abordar questões que transversalizam o sujeito como um ser social, singular, subjetivo e estabelece relações sociais (CHARLOT, 2000). Para isso, utilizamos o *Goalball*, esporte criado para pessoas com deficiência visual, um esporte que não é adaptado, que surgiu após o fim da Segunda Guerra Mundial como uma forma de amenizar os efeitos devastadores deixados pela guerra aos soltados envolvidos nos conflitos.

Aspectos metodológicos

Este estudo se configura como uma pesquisa qualitativa do tipo participativa (FLICK, 2009; GIL, 2008). A pesquisa qualitativa se justifica neste estudo por possibilitar um maior grau de liberdade para refletirmos sobre a construção das práticas educativas e a mobilização dos discentes, uma vez que ela permite estudar os fenômenos que envolvem as relações que os sujeitos estabelecem consigo mesmos, com o outro e com o mundo.

Os sujeitos da pesquisa (NASCIMENTO, 2018) que deram origem a este capítulo foram dois alunos com deficiência visual de uma escola estadual de Aracaju: uma aluna cega de nascença, que estava no 3.º ano do

Ensino Médio, e um aluno que ficou cego aos 3 anos de idade, e estava cursando o 3.º ano do Ensino Médio quando a pesquisa foi realizada. Ambos foram incentivados a convidarem dois amigos de suas turmas para montar uma equipe para o jogo. Para este capítulo, analisaremos apenas os relatos de um dos participantes, a aluna cega.

Por motivos de sigilo, identificaremos a estudante pelo nome fictício de Resistência. Durante a análise, identificaremos as falas de Resistência pela letra R e as falas do pesquisador (primeiro autor do capítulo) pela letra P. E a constituição de dados foi fundamentada no Balanço do Saber e Entrevista Semiestruturada.

Nesse sentido, por meio do instrumento de constituição de dados Balanço do Saber[4], iniciamos o diálogo: (i) "Conte-nos um pouco da sua trajetória escolar até aqui", assim, podemos mergulhar na história dos estudantes, compreender seu contexto social, suas histórias de vida, crenças, projeções futuras, uma vez que a Relação com o Saber reconhece os estudantes, antes de tudo, como sujeitos. E já na Entrevista Semiestruturada, perguntamos: (ii) Qual a bola tem maior massa, *Goalball* ou futebol? (iii) O que faz a bola de *Goalball* permanecer na sua mão? (iv) O valor obtido em uma balança quando colocamos a bola de *Goalball* e futebol, o que seria?; (v) Qual a diferença entre peso e massa?; (vi) Como a massa e o peso de um atleta de *Goalball* podem proporcionar um maior rendimento no jogo? (vii) Qual sua percepção sobre a proposta planejada com você sobre o ensino de física por meio do *Goalball*? A partir desses questionamentos, podemos interpretar o sentido da mobilização no processo de ensino e aprendizagem do Ensino de Física para a estudante com deficiência visual, a partir da vivência construída com o *Goalball*.

Para a exploração interpretativa dos dados constituídos por meio das ações pedagógicas e dos diálogos construídos, utilizamos a análise de conteúdo. Segundo Bardin (2011), essa análise adota normas sistemáticas para extrair os significados temáticos de características específicas da mensagem que compõem um texto, documento, vídeo, imagens ou áudios,

---

4 *Um instrumento utilizado por Bernard Charlot e sua equipe de pesquisa ESCOL (Educação, Socialização e Coletividade Locais) nas pesquisas que envolvem sentido e que consiste em uma produção de texto na qual o aluno avalia os processos e os produtos de sua aprendizagem.*

podendo expressar os resultados por meio de indicadores qualitativos e quantitativos.

Para realizarmos a análise de conteúdo, aprofundamo-nos em três dimensões, a seguir explicitadas:

Dimensão histórico-social dos sujeitos: diz respeito ao reconhecimento de sua história dentro da sua identidade. Busca conhecê-los a partir da sua posição social, sua concepção de vida, suas referências, suas relações com os outros, da percepção que tem de si e a que quer dar de si aos outros (CHARLOT, 2000).

Dimensão escolar dos sujeitos: diz respeito ao momento em que iniciamos a observação na escola, conhecemos os professores, diretores e coordenadores pedagógicos e projetamos as primeiras entrevistas e ações pedagógicas.

Dimensão da transcrição e categorização: neste momento, transcrevemos sistematicamente as entrevistas, de modo a prepararmos evidências para desenvolvermos a interpretação dos dados. Nessa fase, construímos categorias que serviram como suporte para a análise de conteúdo. Segundo Bardin (2011), as categorias podem ser definidas *a priori* ou *a posteriori*. No caso desta pesquisa, as categorias se constituíram *a posteriori*, ou seja, após a audição e a leitura sistemática das entrevistas, exteriorizando o bloco temático "didaticagrafia no ensino de física" (expressão que vem da didática no ensino de física) e suas categorias. Etimologicamente, didaticagrafia é a grafia da didática, que projeta e materializa ações por meio do planejamento, efetiva a mediação entre o ensino e aprendizagem, seleciona conteúdos e métodos em função de um ensino democrático, inclusivo e crítico.

A partir da construção de um ensino de física que promova um sentido, desejo, prazer – que envolvam os estudantes em uma atividade intelectual, além de oferecer aos professores uma reflexão sobre o seu poder de transformação, de forma que possam surpreender a si e aos estudantes, suas maneiras de apresentar os fenômenos e conceitos físicos, significando uma relação com o seu fazer (CASTIBLANCO; NARDI, 2018) –, adotou-se, nesta pesquisa, a categoria "didaticagrafia no ensino de física". Esse nome está fundamentado na cartografia, interpretação metodológica que possibilita ao pesquisador ser afetado pela sua imersão na experiência pesquisada, de modo a não se amarrar em roteiros prescritivos, externos às suas experiências, regras prontas, pois cada pesquisa nessa perspectiva é única, tendo como característica a unicidade do método (MOURA; LAURINO, 2016). Assim, justificamos o uso e a criação da expressão "didaticagrafia no ensino de física" por sugerir ações práticas tomadas na direção de um planejamento que possa melhorar seu processo de ensino.

Portanto, a "didaticagrafia no ensino de física" é a ação de fomentar um ensino de física com sentido, interligar conhecimento de outras áreas para resolver problemas do ensino de física, refletir sobre os processos de ação e consciência crítica, suas relações à realidade no mundo e com o mundo.

Uma didática de física para a mobilização no contexto da relação com o saber

No contexto atual da educação, um dos grandes desafios reconhecidos pelas escolas é referente ao número crescente de alunos desmobilizados, desinteressados e mergulhados em um ambiente sem significados e sentidos que nutrem um espaço de promoção da evasão escolar (MARANGON, 2009).

Nesse sentido, a rotina em uma sala de aula, que tem o ensino de Física presente, revela-se também nutrido de um ambiente de desinteresse cujos saberes ensinados têm pouco sentido para os alunos e alunas, dificultando, inclusive, que esses saberes possam ser considerados objeto de desejo, tanto no contexto escolar quanto fora dele (CARVALHO; GIL-PÉREZ, 2006).

Nessa perspectiva, o contexto atual da escola está "inserido na problemática da relação com o saber, cujo elemento central é a questão da mobilização, que, segundo Bernard Charlot, remete aos móbiles da ação, ao sentido e à atividade" (MARANGON, 2009, p. 28).

A mobilização é interpretada aqui como a causa de uma relação interna íntima entre o sujeito e o aprender. É uma ação que coloca esse mesmo sujeito na direção do afetar e ser afetado pela relação de mediação entre um discurso que se enuncia do seu interior para fora, diferentemente de um discurso que se enuncia de fora para o seu interior, motivação, remetendo o fato de perceber apenas a enunciação de fora para o seu interior, ou seja, um discurso que chega ao aluno sem qualquer relação múltipla com ele mesmo, com o outro, com o mundo e com o objeto (MORANGON, 2009).

Para Charlot (2012), a ideia de motivar o estudante remete a buscar uma forma de impor uma situação na qual esses sujeitos não estão dispostos. O interesse maior no ensino não deve ser pensado em termos da motivação, ou seja, em encontrar uma forma de motivar alunos e alunas. Não é essa a questão! O que se deve analisar é como o professor pode fazer para que os alunos e alunas – que têm suas singularidades, e, ao mesmo tempo, são sujeitos coletivos, pois estão em uma classe que expõe uma heterogeneidade – se mobilizem.

A mobilização é um distanciamento do mundo da falta de significado; é um movimento que aproxima o sujeito de uma atividade consciente do seu objetivo. Charlot (2000, p. 55) chama atenção para o fato de que se mobilizar "é pôr-se em movimento". É desorganizar e organizar a si próprio como recurso para o fim dessa "dinâmica interna" que é a mobilização. Essa mobilização também é entendida aqui como um sentido social para o sujeito, uma vez que sua relação com o mundo é indireta, baseada em suas experiências diversas. É por isso que o autor dá preferência para o termo mobilização em vez de motivação.

Diante dessa afirmação, a aprendizagem é uma atividade intelectual intencional por parte do aprendente, que aprende por um processo de reflexão, sentido, desejo e prazer (CHARLOT, 2000; CORREIA, 2017). Assim, o *Goalball* foi pensado como um fenômeno socializador que possa disponibilizar aos alunos com deficiência visual canais de comunicação/percepção necessárias para que eles percebam os fenômenos e conceitos físicos apresentados.

Nesse viés, é preciso pensar em uma didática de intervenção em sala de aula que motive os estudantes a se mobilizarem pelo saber-física, pois ninguém pode mobilizar o outro, a mobilização é uma ação individual e intencional do sujeito, mas é possível motivar o outro a se mobilizar, oferecer os recursos necessários para que esse outro encontre sua relação íntima com a Física. A Didática aqui é entendida como uma teoria do ensino, "nos auxiliando a converter objetivos sociopolíticos e pedagógicos em objetivos de ensino, selecionar conteúdos e métodos em função desses objetivos, estabelecendo os vínculos entre ensino e aprendizagem" (LIBÂNEO, 2013).

Nessa linha, concordamos com Castiblanco e Nardi (2018), quando concluem que a Didática da Física se fundamenta na promoção de um conhecimento a ser ensinado para que o professor ou professora se envolvam com o ensinar Física, significando a compreensão do que vai ser ensinado, como, por que e para quem, uma vez que o processo de ensino é uma atividade conjunta, na qual a "mobilização do docente deve provocar, desencadear, de certa forma, a mobilização dos estudantes" (CHARLOT, 2012).

Uma Didática da Física, na percepção epistemológica da Relação com o Saber, deve-se preocupar com a questão de como motivar os estudantes a se mobilizarem pela física, pois eles só continuam se relacionando com algum saber quando entram em uma atividade intelectual, encontram um sentido, desejo e prazer nisto ou naquilo; deve-se perceber os estudantes como sujeitos imersos em um mundo estruturado por relações sociais que são também relações de saber. Além de pensar em uma redemocratização do ensino de física, cujos fenômenos e conceitos físicos passem da ideia de uma simples informação, macetes de fórmulas e instrutiva, para um saber, um conhecimento que se sustenta a partir de uma relação pessoal do estudante com este ou aquele fenômeno ou conceito, um ensino formativo.

A análise é pertinente: não se pode pensar em uma Didática da Física sem pensar em um ensino pautado na educação como prática da liberdade, que acredite no poder da criação e de crítica dos estudantes, que fomente o diálogo, ou seja, em "uma responsabilidade social e política do homem" (FREIRE, 2000, p. 78), já "que não há educação fora das sociedades e não há homem no vazio" (FREIRE, 2000, p. 43).

Torna-se cada vez mais inviável pensar em um ensino de física voltado apenas para cumprir objetivos de exames, avaliações em larga escala e vestibulares, que intencionalmente levam nossos estudantes à margem dos acontecimentos, a uma educação massificadora, que não proporciona aos educandos as experiências do debate, análise e participação dos problemas socioeconômicos. Ou seja, expor que $F = m.a$, em que $m = 5$ kg e $a = 2$ m/s^2 e $F = 10$ N, já não faz mais sentido isoladamente em uma sociedade que se torna cada vez mais desigual, violenta, intolerante e excludente. Essa força, uma entidade física, também é uma entidade política, social, religiosa e econômica, que estigmatiza, exclui e domina, fora dos muros da escola.

Diante do exposto, chega-se a ideia de uma Didática da Física que motive nossos estudantes a se mobilizarem para suas relações com o mundo. Freire (2000) afirma que o envolvimento do sujeito com sua realidade, no sentido de estar com ela e de estar nela, e não apenas junto com ela, é fundamental para atos de criação, recriação e decisão, de forma que o sujeito vai dinamizando seu mundo e suas relações, não permitindo sua imobilidade, agindo, acrescentando à sua realidade marcas que o reafirmam como o fazedor de suas ações. É por esse caminho que a Didática da Física deve trilhar, deixando marcas de suas relações com seu contexto escolar, tomando consciência de uma educação como prática de sua liberdade.

Freire (2000) nos orienta a refletir sobre a intervenção do sujeito no seu contexto, confrontando-o historicamente, a partir do momento em que ele cria, recria e decide não se acomodar passivamente diante do poder obtuso de alguns que leva à desumanização de todos. Na mesma linha, Charlot (2005, p. 145) alerta que a educação é um direito, e não uma mercadoria, "vinculado à própria condição humana e é como direito que precisa ser defendida".

Resultados e discussões

O roteiro das aulas elaboradas foi iniciado com a apresentação da proposta das aulas pelo professor-pesquisador aos estudantes: mostrar alguns fenômenos e conceitos físicos por meio do *Goalball*. Para complementar essa parte inicial da aula, o professor-pesquisador expressou, fazendo uso do contexto histórico deste esporte. Pretendemos envolver os estudantes na aula, por meio de uma contextualização que caracterizou a orientação para o que seria vivenciado ao longo das aulas.

Depois de finalizar essa discussão inicial, o professor-pesquisador passou a seguir o roteiro das aulas elaboradas, trazendo situações, problemas, questionamentos, desafios para que os estudantes encontrassem seu próprio sentido em estar naquele espaço, praticando o *Goalball* com a finalidade de aprender Física.

Nesse sentido, as aulas elaboradas apresentam como objetivo geral discutir e apresentar aos alunos uma aplicação de alguns fenômenos e conceitos básicos que envolvem a Mecânica, além de, como objetivos específicos, viabilizar a compreensão a respeito dos conceitos básicos estudados na Mecânica e possibilitar aos alunos um sentido para os fenômenos e conceitos que envolvem ponto material, corpo extenso, trajetória, repouso, movimento, referencial, massa, peso, gravidade, força e impulso.

Durante o aprofundamento das três dimensões (Dimensão histórico-social dos sujeitos, Dimensão escolar dos sujeitos, Dimensão da transcrição e categorização), quando iniciamos o primeiro contato com a estudante, nós o fizemos para caracterizar os estudantes como sujeito social e histórico que tem desejos, objetivos de vida, e para capturar os momentos da proposta de ensino.

Com a entrevista semiestruturada, projetamos o bloco temático "didaticagrafia no ensino de física" e suas categorias: dimensão da componente curricular Física, dimensão sociocultural e dimensão da interação. Essas categorias foram reinterpretadas segundo Castiblanco e Nardi (2018), conforme indica o Quadro 1.

Quadro 1 – Didaticagrafia no ensino de Física e suas categorias

Bloco temático	Categorias
Didaticagrafia no ensino de física	Dimensão da da componente curricular Física
	Dimensão sociocultural
	Dimensão da interação

Fonte: Elaborado pelos autores, 2020.

A dimensão da da componente curricular Física trata do saber-física, da organização do conteúdo e a perspectiva para a compreensão dos fenômenos e conceitos. O Saber-Física transcende conceitos e fórmulas prontas que provavelmente servirão apenas para algum exercício fictício, criado para um mundo não real. Apropriar-se da Física é se apropriar do funcionamento do mundo e do universo, e a Relação com o Saber aponta que, para alcançar tal objetivo, é preciso pensar no sujeito, na dinâmica do desejo desse sujeito.

A dimensão sociocultural trata de propor e planejar ações com base em uma reflexão crítica, expondo os estudantes a situações e contextos voltados à diversidade cultural a partir de um ensino do sujeito, reconhecendo a singularidade dos estudantes.

E a dimensão da interação trata de propor um diálogo, enriquecer e qualificar as ações para um ensino preocupado em oferecer um sentido e auxiliar na comunicação entre professor e estudante, pensando em um processo de dupla mobilização, em que a autoestima e o sucesso pedagógico do professor dependem da mobilização intelectual dos estudantes e vice-versa.

Diante do exposto, percebe-se a importância de planejar, organizar as ações, pensar em estratégias, como afirma Moretto (2007). O ato de planejar também nos direciona à busca pelo conhecimento do contexto social, cultural e histórico dos estudantes, aumentando as chances de se obter sucesso nas aulas, uma vez que conhecer essas características nos permite tomar decisões que melhor atendam à especificidade dos estudantes. A seguir, o Quadro 2 expõe o planejamento.

Quadro 2 – Plano de aula elaborado com base na didaticagrafia no ensino de física

Plano de aula elaborado	Categorias
Conceitos básicos	
Inércia	
Massa	Dimensão da da componente curricular Física
Peso	
Objetivo geral	
Discutir e apresentar aos estudantes uma aplicação dos fenômenos e conceitos básicos envolvendo a mecânica.	
Objetivos específicos	
Conhecer a história de vida dos sujeitos;	Dimensão sociocultural
Possibilitar aos estudantes um sentido para os fenômenos e conceitos físicos que envolvem a Inércia, a Massa e o Peso, por meio da aplicação desses assuntos na prática do *Goalball*.	
Desenvolvimento da aula	
Para o desenvolvimento desta aula, preparamos o ambiente praticando o *Goalball*. Os alunos serão dirigidos até a quadra, que estará organizada.	
1 – Apresentar aos alunos uma bola de futebol e uma de *Goalball*;	
2 – Questionar os alunos sobre qual das bolas tem maior massa;	
3 – A partir do questionamento sobre a massa das bolas, entrar em discussão sobre o que seria inércia;	Dimensão da interação
4 – Questionar os alunos sobre o valor obtido em uma balança, quando colocamos as bolas de *Goalball* e futebol;	
5 – Questionar sobre a diferença entre peso e massa	
6 – Como a massa e o peso de um atleta de *Goalball* podem proporcionar maior rendimento no jogo?	
7 – Questionar sobre a percepção da proposta didática.	

Fonte: Elaborado pelos autores, 2020.

Nesse contexto, durante o desenvolvimento da aula mencionada, os alunos foram questionados sobre as situações, na tentativa de construir um ambiente de problematização e contextualização do ensino de Física. Além de projetar, nesse momento, a criação de situações de aprendizagem, refletir sobre o processo didático nos saberes escolares e trabalhar com as representações dos estudantes. Eis as perguntas e respostas obtidas:

P: (i) Conte-nos um pouco da sua trajetória escolar até aqui.

R: *Então, aos 10 anos de idade eu fui para uma escola, onde não existia inclusão social e era uma escola especificamente para pessoas com deficiência. Onde, quando eu tinha 7, vamos dizer assim, 8 anos, essa escola fechou e aí, eu fui para escola que também só tinha deficientes, João Cardoso. Na escola João Cardoso, eu passei 2 anos, depois, indo para a escola estadual Leite Neto, onde lá, sim, tem uma ampliação de recursos muito incrível, só que o Leite Neto só tem até o ensino fundamental, fundamental maior e fundamental menor. Apenas, como eu sempre digo, acho que falar da inclusão, não é apenas falar e aceitar alunos e, sim, a inclusão vir de verdade, em forma de materiais acessíveis, arquitetura da escola, uma linguagem acessível... essas coisas.*

P: (ii) Qual bola tem maior massa, *Goalball* ou futebol?

R: *A bola de Goalball, né, ela tem mais massa, quer ver, segura aqui. O senhor falou da massa e peso, o peso tenho que pegar a massa e multiplicar pela gravidade. Segurando as duas bolas aqui nas mãos, fica mais fácil saber.*

P: (iii) O que faz a bola de *Goalball* permanecer na sua mão?

R: *Acho que ela tá parada, é isso. Tá em repouso. E ela vai continuar assim, agora, se alguém lançar ela, tudo bem, vai se movimentar.*

P: (iv) O valor obtido em uma balança, quando colocamos a bola de *Goalball* e futebol, o que é?

R: *O senhor tem uma balança aí? Fiquei curioso, aposto que o senhor tem! (risos) Quando eu coloco uma bola, eu sei sua massa e quando coloco a outra, sei a outra massa da bola, o que senhor tá fazendo uma pegadinha, né (risos).*

P: (v) Qual a diferença entre peso e massa?

R: Pelo o que o senhor explicou durante o jogo e se eu entendi certo quando colocamos a bola de Goalball na balança, a massa deu, vou pegar onde anotei, aqui, a massa deu 0,125 kg, mas não acabou, temos que multiplicar por 9,8, mas pode ser 10 também, vamos supor, deixa eu pegar meu celular, então, deu 1,25. Deixa eu tentar ver aqui minha massa na balança e depois fazer a conta do meu peso sozinha.

P: (vi) Como conhecer a massa e o peso de um atleta de Goalball pode proporcionar maior rendimento no jogo?

R: Pelo o que eu entendi, professor, se o atleta for magrinho, ele se mexe mais, o senhor falou que o atleta do meio se mexe bastante, pra lá e pra cá. Isso pode ajudar.

P: (vii) Qual sua percepção sobre a proposta planejada aqui com você sobre o ensino de física por meio do Goalball?

R: Nossa! Professor, eu vou te dizer uma coisa, ninguém nunca tinha feito algo assim, eu pude aprender mais sobre a física e, ainda, estava com meus colegas, foi divertido, animado e eu já ficava ansiosa no dia seguinte, sair da sala, só ficar sentada enjoa.

Diante da fala da estudante, podemos interpretar e localizar as variáveis do sentido, desejo, prazer, envolvimento em uma atividade intelectual. O sentido é uma disposição íntima, que depende das experiências de vida do sujeito e no discurso, fez sentido a partir do momento em que o estudante: *"Segurando as duas bolas aqui nas mãos fica mais fácil saber"*; *"se o atleta for magrinho"*. O desejo é a ação primeira, é a vontade: *"O senhor tem uma balança aí? Fiquei curioso, aposto que o senhor tem! (risos)"*. O prazer é o estado da pessoa, alegria, felicidade e expectativas: *"foi divertido, animado e eu já ficava ansiosa no dia seguinte, sair da sala, só ficar sentada enjoa."* Já a atividade intelectual é se organizar para sua aprendizagem, esforço pelo aprender: *"Deixa eu tentar ver aqui minha massa na balança e depois fazer a conta do meu peso sozinha"*.

Considerações finais

Esse capítulo teve por objetivo investigar a mobilização no processo de ensino e aprendizagem no ensino de Física para os estudantes com deficiência visual por meio da "didaticagrafia no ensino de física" pautada no sentido, desejo, prazer, envolvimento em uma atividade intelectual, e, para isso, construímos e planejamos uma aula a partir da prática de *Goalball*, esporte criado para pessoas com deficiência visual, projetando, nesse planejamento, a dimensão da componente curricular Física, a dimensão sociocultural e a dimensão da interação. Embora o esporte não faça parte do contexto escolar da escola pesquisada, tivemos o cuidado de aproximar o esporte do estudante.

Nesse contexto, fomos possibilitando à estudante recursos para que ela pudesse se deparar com a vontade de aprender os conteúdos propostos. E, assim, aproximá-la de uma atividade que fizesse sentido, causasse um desejo e um prazer em aprender, pois é a situação de aprendizagem que pode causar um movimento para aprender, exteriorizar uma "disposição de", questionar, comparar situações, sugerir situações e soluções.

Na análise, verificamos que não foi apenas contextualizando o ensino de Física, por meio do *Goalball*, que a estudante se mostrou desejante e prazerosa em estar naquele espaço construído na escola pensando nela, mas foi fruto de um conjunto de ações, que vai desde nossas escolhas didáticas, por meio de conteúdos e metodologia, até uma estrutura de projeto de ensino definido.

Diante do exposto, a mobilização tem significação marcante em nosso estudo, uma vez que o planejamento de toda a pesquisa foi pensando em interseccionar a história do sujeito, suas crenças, particularidades, especificidades, desejos e projetos futuros, de forma que Resistência pudesse sentir que a Física vai muito além do que é apenas dita em sala de aula. O ensino da Física é a solução e não os problemas dos estudantes, que acabam terminando o Ensino Médio acreditando que a Física é apenas cálculos. Os cálculos até fazem parte da comunicação da física com o mundo para explicar seu funcionamento, por meio de funções, equações, gráficos, etc., mas a interpretação desses cálculos nada adianta se não orientarmos os estudantes sobre o que a Física diz sobre os cálculos feitos.

Em conformidade, ninguém nasce sabendo ou odiando Física, na verdade, aprender sobre Física se dá no processo de desenvolvimento e amadurecimento do conhecimento dos estudantes na escola de forma mediada, por signos, instrumentos, linguagens, metodologias, etc., mas é sempre na relação com o outro que se constrói e se desenvolve essa área do saber da humanidade. É nessa perspectiva com o outro que o processo de mobilização vai ganhando ainda mais sentido durante a aula, pois foi pensando no sujeito da pesquisa que fomos construindo nossos caminhos, buscando parcerias, aprofundando os referenciais e construindo materiais acessíveis. E o resultado, foi um ambiente em que tivemos o estudante de fato presente naquele espaço, envolvendo-se, engajando-se, disposto a aprender, expondo e materializando um prazer e um desejo pelo que propomos.

A experiência com a realidade do *Goalball* praticado na escola com o estudante possibilitou que as aulas se tornassem uma atividade intelectual, uma vez que a Relação com o Saber também é uma relação com o outro. Esse outro é o mediador que o ajuda a se envolver, engajar-se com a física, por exemplo.

Assim, a atividade intelectual é entendida aqui como uma ação consciente que leva o sujeito a refletir, organizar-se e se planejar sobre a prática do seu saber, isto é, uma ação que leva ao saber a partir da sua relação consigo mesmo, com base nas suas experiências pessoais, com o outro, que pode ser um objeto, uma pessoa, um lugar, uma situação, um livro, e no nosso caso, está encarnado na prática do *Goalball*, e com o mundo, o patrimônio cultural já construído pela humanidade, no nosso caso, os conhecimentos físicos já desenvolvidos. Todas essas relações configuraram nossas ações considerando o estudante como sujeito em processo de construção.

A entrada no processo de mobilização depende do sentido e do tipo de prazer que ele(a) encontrará durante as aulas propostas. Assim, quanto mais afastado do sentido, quanto menos desejo há e quanto menos prazer sentir, mais fraco é o movimento de mobilização para aprender. E o que foi percebido é que a aula de Física, através do *Goalball*, pode dar ao estudante um novo sentido e prazer em aprender os fenômenos e conceitos expostos, o que, até a data da realização desta pesquisa, vinha sendo negligenciada por falta de uma linguagem e instrumentos pedagógicos necessários que dessem a possibilidade para que Resistência construísse seu saber sobre a física.

Diante dessa afirmação, estamos convencidos da importância dos estudantes entrarem na sua mobilização e compreendemos que o *Goalball* foi uma "boa razão" para colocar o estudante na rota do processo da sua aprendizagem.

Agradecimentos

À Capes/Procad, pela oportunidade de participar de uma mobilidade acadêmica em Aracaju, onde pude desenvolver minha pesquisa. A todos do grupo Encine/Unesp –Bauru (Ensino de Ciências e Inclusão Escolar), pelas contribuições na área de ensino de ciências e inclusão escolar. A todos do grupo Educon/UFS – São Cristóvão (Educação e Contemporaneidade), pelas contribuições em algumas escolhas e novos direcionamentos da pesquisa.

Referências

BARDIN, Laurence. *Análise de conteúdo*. São Paulo: Edições 70, 2011, 229 p.

CARVALHO, A. M. P.; GIL-PÉREZ, D. *Formação de professores de ciências*: tendências e inovações. 8 ed. São Paulo: Cortez, 2006.

CASTIBLANCO, O.; NARDI, R. A didática da física na formação inicial de professores: uma proposta estruturada em dimensões. *In*: BASTOS, F.; NARDI, R. (Orgs.). *Formação de Professores para o Ensino de Ciências Naturais e Matemática*: aproximando teoria e prática. São Paulo: Escrituras Editora, 2018.

CHARLOT, B. A mobilização no exercício da profissão docente. *Revista Contemporânea de Educação*, v. 7, n. 13, 2012.

CHARLOT, B. *Da relação com o saber*: elementos para uma teoria. Trad. de MAGNE, B. Porto Alegre: Artmed, 2000.

CHARLOT, B. *Da relação com o saber à Globalização*. Porto Alegre: Artmed, 2005.

CORREIA, E. S. *Corpo Humano e Ensino de ciências*: sentidos de alunos do oitavo ano ensino fundamental. Dissertação (Mestrado em ensino de Ciências e Matemática) – Universidade Federal de Sergipe, São Cristóvão, 2017.

FLICK, U. *Desenho da pesquisa qualitativa*. Porto Alegre: Artmed, 2009.

FREIRE, P. *Pedagogia da autonomia*: saberes necessários à prática educativa. 50. ed. Rio de Janeiro: Paz e Terra, 2000.

FREIRE, P. *Pedagogia da Autonomia*: saberes necessários à prática educativa. 48 ed. São Paulo: Paz e Terra, 2014.

GIL, A. C. *Métodos e técnicas de pesquisa social*. 6. ed. São Paulo: Atlas, 2008.

LIBÂNEO, J. C. *Didática*. 2 ed. São Paulo: Cortez, 2013.

MARANGON, D. *Mobilização para o saber, discurso pedagógico e construção de identidades*: uma análise do livro didático público de educação física do estado do Paraná. 2009. 275 f. Tese (Doutorado em Educação) – Universidade Federal do Paraná, Paraná. 2009.

MORETTO, V. P. *Planejamento*: planejando a educação para o desenvolvimento de competências. Petrópolis, RJ: Vozes, 2007.

MOURA, A. C. O. S.; LAURINO, D. P. Apresentação. *In*: MOURA, A. C. O. S.; LAURINO, D. P. (Orgs.). *Percursos metodológicos de cartógrafos no educar*. Rio Grande: Editora da FURG, 2016.

NASCIMENTO, W. R, S. 2018. *Os Efeitos da Prática do Goalball no Processo da Mobilização da Aprendizagem de Alguns Fenômenos e Conceitos Físicos da Mecânica para Alunos com Deficiência Visual nas Aulas de Física*. Dissertação (Mestrado em Educação para a Ciência) – Faculdade de Ciência, Universidade Estadual Paulista, Bauru, 2018.

CAPÍTULO 7

A FORMAÇÃO DIDÁTICO-PEDAGÓGICA DE LICENCIANDOS REVELADA NO CONTEXTO DO ESTÁGIO SUPERVISIONADO DE UM CURSO DE FÍSICA DE DUPLA MODALIDADE[1]

Augusto Cesar Araujo Lima[2]
Fernanda Cátia Bozelli[3]

As Universidades brasileiras, nascidas no século 20, são instituições jovens e de características complexas. Ao longo do desenvolvimento delas, moldaram-se sob influência de exemplos de instituições já estabelecidas ao redor do mundo. Segundo Souza e colaboradores (2013), no Brasil, somente após a Era Vargas (1930-1945) teve início a difusão de tais instituições. Algumas adotaram a concepção alemã, enquanto outras buscaram propor um modelo nacional na tentativa de promover a construção de uma identidade própria.

Como um todo, passaram por diversas reestruturações curriculares até os dias de hoje. Após a instauração da ditadura militar, em 1964, as universidades públicas brasileiras passaram a receber intensas influências do modelo estadunidense[4]. A partir daí, a Universidade passou pela reforma de 1968 e pelas alterações na Lei de Diretrizes e Bases (LDB) de 1971, que instituíram as Licenciaturas Curtas e os Currículos Mínimos, reduzindo

---

1 *Esta pesquisa recebeu apoio do Programa Procad/Capes convênio 162.227.*
2 *Doutorando em Educação para a Ciência, Faculdade de Ciências, Unesp, câmpus Bauru, Grupo de Pesquisa em Ensino de Ciências. E-mail: araujo.lima@unesp.br*
3 *Docente do Programa de Pós-graduação em Educação para a Ciência, da Faculdade de Ciências, Unesp, câmpus Bauru, Grupo de Pesquisa em Ensino de Ciências. E-mail: fernanda. bozelli@unesp.br*
4 *O modelo estadunidense promovia uma universidade ligada ao ensino, à pesquisa e à extensão, com seus fundamentos políticos e ideológicos pautados segundo a lógica liberal, de modo a privilegiar uma formação profissional técnica.*

pela metade a carga horária dos cursos de formação de professores. Com a reabertura política do país, foi promulgada uma nova Constituição, em 1988, e aprovada uma nova LDB, em 1996, a qual anulou a validade da antiga e restituiu as Licenciaturas Plenas. Além de reafirmar a garantia da Educação como um direito universal, o documento trouxe novas normas para a formação de professores concentrando-as na educação básica e delegando novas atribuições às Instituições de Ensino Superior e a seus docentes.

Em 2002, foram publicadas as Diretrizes Curriculares Nacionais (DCN), as quais definiram normativas para a formação de professores da educação básica, e também para a carga horária dos cursos de licenciatura. A partir de então, os cursos de licenciatura passaram por significativas mudanças estruturais. As normativas definiram uma nova referência modular, segundo a qual metade da carga horária passou a ser direcionada a um núcleo comum e restante foi distribuída em módulos complementares dedicados à ênfase em quatros perfis: pesquisador, interdisciplinar, tecnólogo e educador.

Ao longo dos anos seguintes, as discussões a respeito das demandas atuais da profissão docente se intensificaram evidenciando a necessidade de se repensar a formação dos profissionais da docência. Diante desse contexto, novas propostas foram surgindo como tentativa de se avançar nessa questão. Depois de vários anos de debates, foi publicado, dentre outros documentos, o Plano Nacional de Educação (PNE), aprovado pelo Congresso Nacional, em 2014. O Plano propôs metas para a Educação no decorrer dos próximos dez anos, traçando estratégias ao cumprimento de tais objetivos. As ações indicadas no documento pretendiam promover uma melhoria na qualidade educacional e, para tal, foi reconhecida a necessidade da qualificação dos cursos de formação de professores, alinhando a formação às demandas dos alunos da educação básica e considerando a escola foco dessa educação.

No ano seguinte, em 2015, foram aprovadas novas DCNs, as quais passaram a contemplar, além das licenciaturas em geral, os cursos de formação pedagógica para não licenciados e os de segunda licenciatura. As diretrizes ampliaram a carga horária das licenciaturas de 2.800 para 3.200 horas e estabeleceram a necessidade de aproximação entre as atividades da universidade e as práticas da escola, de modo a avizinhar seus respectivos contextos culturais.

Conforme salientam Diniz-Pereira, Flores e Fernandes (2021), as DCNs, tanto as de 2002, como as de 2015, imperam sobre a necessidade de as licenciaturas comporem currículos autônomos a partir de projetos com identidade própria e bem definida, de modo que não se assemelhem aos bacharelados, embora devam se articular com eles.

Considerando alguns dos marcos contextuais dos movimentos curriculares ao longo das últimas décadas, esta pesquisa foi desenvolvida em um curso de graduação em Física com dupla modalidade de formação, de uma universidade pública brasileira, o qual está imerso nessa realidade histórica. Nesse sentido, a presente pesquisa buscou responder à seguinte questão: Em que medida o acompanhamento de licenciandos em Física de um curso com dupla modalidade de formação, durante a realização do estágio supervisionado, pode revelar indicadores da formação didático-pedagógica?

A Análise de Discurso francesa como aporte teórico e metodológico

O desenvolvimento desta pesquisa foi permeado pelos fundamentos da Análise de Discurso (AD) de linha francesa, a qual, por suas características, atravessou todas as etapas e processos do trabalho, amparando e orientando todos os movimentos teóricos e metodológicos construídos nessa investigação.

No Brasil, os conceitos relacionados ao referencial da AD têm sido difundidos e aperfeiçoados desde o final dos anos de 1980 de maneira robusta e consistente pelas pesquisadoras Eni Orlandi e Helena Brandão, cujos textos fundamentaram os apontamentos e as considerações desenvolvidas nesta pesquisa (BRANDÃO, 2017; ORLANDI, 2015).

De acordo com Orlandi (2015), a AD surgiu com um interesse específico de se estudar a linguagem, considerando que há inúmeros modos de se significar. Nessa perspectiva, a AD não se concentra em estudar particularmente a gramática, ou a língua, mas o discurso. Para Orlandi (2015, p. 13), "a palavra discurso, etimologicamente, tem em si a ideia de curso, de percurso, de correr por, de movimento. O discurso é assim palavra em movimento, prática de linguagem: com o estudo do discurso observa-se o homem falando".

Dessa maneira, a AD busca observar a língua fazendo sentido no mundo, considerando que esse tipo de análise trata a linguagem como a conciliadora do ser humano e suas respectivas realidades, visto que tal ligação – o discurso – possibilita a transformação ou manutenção dessas realidades. Em outras palavras, a AD conceitua a língua como um sistema vivo, no qual os seres humanos falam e produzem sentidos enquanto sujeitos pertencentes a uma comunidade e com historicidade.

O discurso, segundo tal ótica, desaproxima-se do simples processo primordial da comunicação e, de tal forma, não concerne apenas à transmissão de informação, como uma sucessão de processos seriados em que um emissor fala utilizando um código para, depois, um receptor, ao decodificá-lo, captar a mensagem. Ambos os indivíduos realizam processos de significação simultaneamente, e não um após o outro.

Nesse sentido, a linguagem, para Orlandi (2015), é utilizada tanto para comunicar quanto para não comunicar. Brandão (2017, p. 11) justifica que

> [...] como elemento de mediação necessária entre o homem e sua realidade e como forma de engajá-lo na própria realidade, a linguagem é lugar de conflito, de confronto ideológico, não podendo ser estudada fora da sociedade, uma vez que os processos que a constituem são histórico-sociais. Seu estudo não pode estar desvinculado de suas condições de produção.

As relações de linguagem, de acordo com Orlandi (2015), são relações de sentidos e sujeitos, sendo suas implicações diversas e multifacetadas. Logo, as condições de produção do discurso, de acordo com Brandão (2017), integram o âmbito verbal da produção discursiva e estão relacionadas com os interlocutores, o contexto histórico-social, o lugar de onde se fala e as imagens que consideram de si. Orlandi (2015) elenca as condições de produção em dois sentidos: estrito e amplo. O primeiro compreende as circunstâncias de enunciação, que tratam do contexto imediato, enquanto o segundo abarca os contextos sócio-históricos e ideológicos.

Ao refletir sobre as condições de produção do discurso na perspectiva da AD, torna-se fundamental compreender os principais fatores que influenciam na constituição do discurso. De acordo com Orlandi (2015), o discurso é balizado por três fatores: relações de sentidos, mecanismo de antecipação e a relação de força.

O primeiro fator, intitulado relações de sentidos, chama a atenção para o fato de que todo discurso se relaciona com outro, caracterizando-se como um processo contínuo, sem início e fim absoluto. O segundo, denominado mecanismo de antecipação, está relacionado com a capacidade que o sujeito pode apresentar de se colocar no lugar de seu interlocutor. Ao fazer uso de tal mecanismo, o sujeito se antecipa na produção de sentidos de seus dizeres. Nessa perspectiva, esse mecanismo orienta o processo de argumentação do sujeito, uma vez que ele busca dirigir os efeitos desse processo sobre o interlocutor.

Por fim, o terceiro fator, a relação de forças, está diretamente associado ao local do qual um sujeito fala. De acordo com Orlandi (2015, p. 37), "o lugar a partir do qual fala o sujeito é constitutivo do que ele diz". Sob tal contexto, entende-se que as palavras têm significados diferentes de acordo com o lugar do sujeito na sociedade.

A partir da conceituação desses três fatores, torna-se parte fundamental da investigação compreender as condições de produção do discurso, considerando que a linguagem, os sentidos e os sujeitos são constituídos a partir da relação dialética entre a língua, a história e a ideologia.

A formação didático-pedagógica de professores: alguns pressupostos

As discussões sobre formação de professores vêm sendo delineadas por um conjunto de perspectivas e possibilidades que emergiram sucessivamente no percurso acadêmico das últimas décadas, promovendo um vasto repertório literário sobre o tema (BASTOS, 2017; DINIZ-PEREIRA, 2019; GARCIA, 1999; PIMENTA, 2002). Dessa forma, estão presentes no imaginário social diversos sentidos sobre a área e, portanto, torna-se relevante contextualizar as ideologias e os conceitos que orientam a formação de professores no Brasil.

Assim, destaca-se que, no percurso da formação inicial, a conjuntura formativa da qual o futuro professor faz parte pode gerar marcas em sua prática, contribuindo para a construção de sua identidade profissional. Nesse contexto, atualmente, prioriza-se a formação de profissionais a partir da sociedade que se tem ou daquela que se deseja, de forma a questionar o papel, as funções, as intenções e o papel da universidade, atentando-se aos efeitos sociais por ela causados, sobretudo, nos âmbitos da pesquisa e do ensino. Sendo assim, é pertinente ressaltar que a formação docente está condicionada ao contexto em que ela ocorre. De acordo com Tardif, Lessard e Gauthier (2001), a profissionalização docente ocorre por meio de diversas interações, sendo orientada de acordo com uma realidade dinâmica, mediante ações coletivas, e marcada por esferas sociais, econômicas, políticas e culturais.

Considerando que a formação didático-pedagógica compõe um arcabouço amplo de elementos teóricos e epistemológicos materializados nos programas de formação profissional, essa pesquisa se dedicou a explorar alguns aspectos fundamentais à formação de professores, tais quais os modelos institucionais de formação e os saberes docentes inerentes à profissão.

No final do século 20, intensificaram-se discussões a respeito do modo como os professores eram formados nas universidades, tanto no Brasil como no exterior. Até então, o modelo amplamente utilizado no ocidente era pautado por uma perspectiva tecnicista que formava um professor instrumental reprodutor de tarefas. A partir de 1990, passou a ser defendido um modelo baseado em uma racionalidade prática, a fim de formar professores mais autônomos e que refletissem sobre seu próprio trabalho. Na mesma época, algumas críticas a tais ideias também começaram a ser desenvolvidas, uma vez que, mais do que profissionais reflexivos, era necessário formar professores críticos, com compromisso coletivo, considerando-os sujeitos intelectuais que são, de maneira que tenham condições de utilizar seu trabalho para transformar a realidade.

Quadro 1 – Características dos principais modelos de formação de professores.

Professor tecnicista	Professor reflexivo	Professor crítico
Predominante até a década de 1980	A partir do início da década de 1990	Final da década de 1990
Racionalidade técnica	Racionalidade prática	Racionalidade crítica
Professor como um agente executor de tarefas elaboradas por outro grupo que não conhece a realidade escolar. O professor soluciona problemas instrumentais com meios técnicos.	O professor desenvolve sua prática a partir da reflexão de sua própria experiência. O professor resolve as problemáticas da sala de aula questionando suas ações como docente.	A ação reflexiva sobre a prática deve ser crítica. Professores como agentes intelectuais, com uma consciência engajada no mundo, com um papel social transformador.
Professor sem autonomia	Professor com autonomia parcial	Professor autônomo
Perspectiva individual	Perspectiva individual	Perspectiva coletiva

Fonte: Quadro elaborado pelos autores.

Sobre o professor de Física, Abib (2010) aponta que o modelo de formação crítico deve ser vislumbrado como uma proposta que permita mudanças mais profundas, em termos de conhecimentos e práticas dos docentes. Ademais, a autora discute que há limitações de diferentes ordens relacionadas com o modelo de formação crítico e chama atenção para o fato de que, ao tentar fazer mudanças nos modelos de formação, pode-se acarretar modelos híbridos, que mesclam características de diferentes modelos (técnico, prático, reflexivo).

Sendo assim, levando em consideração o contexto complexo e real no qual se dão os modelos de formação de professores, e entendendo a formação inicial como um espaço importante para a mobilização de vários saberes necessários a prática educativa dos futuros professores, pesquisadores (GAUTHIER *et al.*, 2013; PIMENTA, 2002; TARDIF, 2010) têm investigado, a partir da conjuntura de evolução do ensino nos últimos anos, a mobilização dos tipos de saberes inerentes ao exercício da profissão docente. Nesse sentido, Bastos e Nardi (2018) apresentam uma relação de saberes docentes e suas respectivas fontes baseada nesses e em outros autores, além de considerar a perspectiva da pesquisa em formação de professores de Ciências.

Quadro 2 – Tipos de saberes docentes, por Bastos e Nardi (2018).

Saberes docentes	Fontes
Saberes pessoais	Família; ambiente de vida; experiências do indivíduo no âmbito de igrejas, sindicatos, escolas, locais de lazer, etc.
Saberes provenientes da formação escolar anterior	Escola primária e secundária; outros estudos que proporcionem formação cultural e/ou técnica.
Saberes da tradição pedagógica	Experiências do indivíduo em situações escolares nas quais predomina o ensino habitual.
Saberes disciplinares	Disciplinas de conteúdo específico do curso de graduação escolhido; cursos de atualização, etc.
Saberes das ciências da educação	Disciplinas pedagógicas do curso de graduação; programas de formação continuada, etc.
Saberes curriculares	Propostas curriculares, livros didáticos, apostilas, etc.
Saberes experienciais	Experiência de trabalho do professor nas instituições escolares e nas situações de aula.

Fonte: Recorte da organização de saberes docentes (BASTOS; NARDI, 2018, p. 33-36).

Tal organização evidencia uma ampla diversificação de campos em que são desenvolvidos saberes que o professor mobiliza em seu trabalho. Segundo Bastos e Nardi (2018), a partir da compreensão dessa pluralidade, a universidade deve elaborar seus programas de modo a permitir que os licenciandos reflitam sobre suas diversas experiências e, a partir daí, promovam, pessoal e coletivamente, as contribuições das Ciências da Educação e superem o senso comum sobre a área.

A pesquisa e seus percursos metodológicos

A pesquisa foi desenvolvida no contexto de um curso de graduação em Física de uma universidade pública brasileira. O referido curso foi inaugurado no ano de 1969 e ofereceu, até 2011, apenas a modalidade de Licenciatura. A partir de 2012, a modalidade de Bacharelado em Física de Materiais passou a ser ofertada de forma conjunta.

Desse modo, por meio de um ingresso único via exame vestibular, os candidatos podem, a partir do segundo semestre, optar por cursar ambas as modalidades ou apenas uma delas, sendo que mais de 50% dos créditos são correspondentes a disciplinas comuns às duas modalidades.

O *corpus* de análise foi constituído a partir do acompanhamento das disciplinas de Estágio Curricular Supervisionado (ECS) III e IV e dos enunciados produzidos por licenciandos durante o planejamento e execução de uma sequência de aulas. O ECS é realizado na segunda metade do curso, durante os quatro últimos semestres, em quatro disciplinas (ECS I, ECS II, ECS III e ECS IV). Nos ECS I e II, os licenciandos são orientados a visitarem unidades escolares do Ensino Médio público para participarem, como observadores, das aulas de Física, das reuniões de professores, e demais eventos que integrem as rotinas escolares da unidade. Em específico, o ECS III contempla o planejamento de uma sequência didática a ser ministrada pelos licenciandos durante o ECS IV em uma escola de Ensino Médio regular (Colégio Técnico Industrial [CTI]) e uma escola de jovens e adultos (Centro Estadual de Educação de Jovens e Adultos [CEEJA]). Propõe-se aos licenciandos que as aulas sejam elaboradas segundo uma perspectiva não tradicional de ensino, isto é, façam uso de uma pluralidade metodológica, de modo a contrapor aulas puramente expositivas, e, para isso, o docente orientador solicita aos licenciandos que busquem utilizar os resultados de pesquisas discutidos ao longo da licenciatura.

As aulas planejadas pelos licenciandos compuseram um curso intitulado "O outro lado da Física[5]). Nove licenciandos estavam matriculados no ECS e foram organizados em quatro grupos, sendo três duplas e um trio. O curso, com uma carga horária total de 36 horas para cada unidade escolar, abordou sobre seis temáticas da Física, sendo três aulas de duas horas para cada uma delas: Mecânica, Termodinâmica, Eletricidade e Magnetismo, Óptica, Astronomia e Física Moderna e Contemporânea (FMC).

Como instrumentos para constituição dos dados, foram utilizadas gravações audiovisuais em dois momentos: o primeiro durante o ECS III, quando os licenciandos apresentaram o planejamento de suas aulas, e o segundo no decurso do ECS IV, ao longo de encontros de reflexão promovidos junto aos licenciandos após a regência das aulas. As gravações foram transcritas posteriormente para constituição do *corpus* de dados.

---

5 *É um curso de difusão de conhecimento estabelecido como projeto de extensão junto à Pró-reitoria de Extensão da universidade. É desenvolvido, todos os anos, no âmbito do ECS, pelos licenciandos e pelo professor responsável, objetivando oferecer, para escolas públicas de Ensino Médio, um curso de Física com abordagens de ensino fundamentadas em resultados contemporâneos da pesquisa da área de Ensino de Física.*

Para elencar os participantes da pesquisa, foi necessário considerar algumas questões. Uma das duplas de licenciandos estava matriculada em uma estrutura curricular anterior à vigente no momento da pesquisa, e, portanto, não correspondia ao contexto da investigação proposta. Uma licencianda de outra dupla apresentava uma trajetória formativa diferente, pois já tinha formação anterior em bacharelado em Física por outra Instituição de Ensino. Um dos integrantes do trio não compareceu a todos os encontros. Dessa forma, pelo percurso formativo inicial compatível com a realidade atual do curso, a qual é objeto da pesquisa, e por dispor de uma maior pluralidade de dados, foram considerados participantes da pesquisa os licenciandos de apenas uma das duplas, Lucas e Mário (nomes fictícios), que planejaram e ministraram aulas de Termodinâmica e Física Moderna e Contemporânea.

A formação didático-pedagógica no contexto da dupla modalidade: o discurso produzido pelos licenciandos

Para responder à questão proposta nessa pesquisa, foram analisados os discursos produzidos por Lucas e Mário no percurso do planejamento e execução de planos de aula decorrentes dos ECS III e IV.

Lucas iniciou a apresentação do planejamento das aulas produzindo o seguinte trecho discursivo:

> Nosso tema é Física Moderna. Os outros grupos fizeram um plano só, tanto para o CTI quanto para o CEEJA... no nosso caso, o currículo do CEEJA nos limita um... um "tantão"... então a gente fez dois... a gente separou em duas aulas para poder abordar mais... também mais coisa. O currículo do CEEJA começa um passo antes do que a gente começa no CTI.

Nota-se que, em sua produção discursiva, Lucas dá indícios de mobilização de saberes curriculares, pois apontou que realizou planejamentos de ensino diferentes considerando os currículos de cada uma das escolas. De acordo com Bastos e Nardi (2018, p. 35), os saberes curriculares "implicam [...] ter noções sobre o que os documentos oficiais e livros didáticos propõem para o ensino escolar quanto a objetivos, conteúdos, sequências de tópicos, abordagens, textos, ilustrações, atividades para os alunos e formas de avaliação".

Ao descrever sobre o percurso metodológico que pretendiam trilhar, Lucas esclareceu sua pretensão em "trabalhar cada coisa com uma metodologia diferente".

> O conceito de átomo a gente trabalha com História e Filosofia da Ciência, depois o Átomo de Bohr em si, a gente usa um simulador... a gente quebrou a cabeça para achar alguma experimentação para fazer, porque para a Física Moderna a gente vai trabalhar com experimentação também... vai trabalhar a parte da força forte com a utilização de textos de divulgação científica, na parte de leitura; e experimento mental, por conta do paradoxo da relatividade (grifos nossos).

Nesse momento, o licenciando deu mostras de que reconhece a importância da utilização de diversas concepções metodológicas nos processos de ensino e aprendizagem, em particular, na abordagem de conhecimentos da área de Física Moderna e Contemporânea. Tal ótica corrobora, conforme o PPC, uma das competências essenciais esperadas para o licenciado em Física, visto que o professor deve "planejar e desenvolver diferentes experiências didáticas em Física, reconhecendo os elementos relevantes às estratégias adequadas" (UNIVERSIDADE ESTADUAL PAULISTA, 2019, p. 12).

Em seguida, antes do Mário iniciar sua fala, Lucas antecipou algumas características do currículo do CEEJA.

> Por conta daquilo que eu falei, como o CEEJA (eu tive falando disso com a professora Ana), metade do que o CEEJA coloca como Física Moderna, na definição da Ostermann que a gente vê, não é Física Moderna, e aí fica meio complicado a gente só trabalhar isso... Então a gente começou de pontos diferentes para os dois lugares.

A análise dessa unidade discursiva sugere indicativos de elementos teóricos trabalhados pelas disciplinas do eixo didático-pedagógico do curso de licenciatura, em que são apresentados conteúdos acerca do ensino de

FMC utilizando, entre outros, trabalhos de Moreira e Ostermann (2000). Ademais, também dá evidenciais da mobilização de saberes curriculares.

Na sequência, Mário deu continuidade à apresentação, narrando sobre o plano de aula elaborado para ser trabalhado com os alunos do CEEJA.

> Então, como o Lucas falou, a gente resolveu... um outro motivo além da limitação do currículo do EJA, foi também que a gente talvez tivesse que escolher entre um conteúdo e outro por questões de adequações de abordagem.

Mário iniciou a fala dele complementando os motivos de terem elaborado um plano específico para cada escola. Além da limitação curricular, o licenciando evidenciou a ocorrência de uma seleção entre conteúdos necessários em razão da diferença de características entre um público e outro. A partir disso, observou-se o desenvolvimento da competência de "utilizar resultados de pesquisas na área de Ensino de Física, adaptando para diferentes contextos e público-alvo", que é discutido no PPC (UNIVERSIDADE ESTADUAL PAULISTA, 2019, p. 12) como essencial ao exercício profissional de professores de Física. Além disso, Mário, assim como Lucas, deu sinais de mobilização dos saberes curriculares. Logo em seguida, Mário apresentou as metodologias de ensino que utilizariam durante a regência.

> As metodologias. Então também pegando do que a gente viu em Introdução à Pesquisa e nas teses que a gente trabalhou nas disciplinas de estágio, tanto no Estágio I, no II e no III, abordagem CTSA, Ensino por Investigação, nesse caso a gente achou interessante colocar também uma Atividade Centrada em Eventos no caso da questão da radiação corpuscular, e a utilização de modelos. Então, as duas primeiras aulas... ah, no caso também tem o uso de simulador e a experimentação é a mesma utilizada no CTI... os recursos são slides, materiais dos experimentos como o Lucas já mencionou, e as atividades escritas também que a gente vai levar, que seria uma por aula, da mesma maneira que no CTI, só a abordagem que seria um pouquinho diferente (grifos nossos).

Assim como analisado nas produções discursivas de Lucas, o discurso de Mário também indicou a opção por trabalhar com diversas estratégias de ensino, evidenciando marcas das disciplinas de conhecimentos didático-pedagógicos na formação dos futuros professores.

Posteriormente, durante o ECS IV, após ministrarem as aulas, os licenciandos participaram de um encontro de reflexão junto ao professor da disciplina de estágio com os demais colegas de turma e compartilharam suas experiências sobre a regência.

Os licenciandos comentam sobre a escolha de utilizar aspectos de História e Filosofia da Ciência (HFC) para a abordagem de conceitos de FMC. Lucas defendeu a necessidade de evidenciar teorias construídas ao longo do tempo e suas inconsistências para, a partir daí, trabalhar com o conceito atual.

> Como no CTI a gente tinha pouco tempo pra trabalhar o conteúdo, eu não conseguiria partir do zero, do nada, pra construir o conceito quântico do nada, então eu optei por sair da onda clássica, que dá errado, e daí chegar no modelo quântico. Mas pra fazer isso a gente tinha que mostrar porque a física clássica dava errado. Por isso que a gente fez a abordagem histórica.

Na mesma direção, Mário trouxe argumentos semelhantes e ressaltou a dificuldade em realizar experimentos sobre a temática de FMC.

> Eu acho que não tinha jeito mais adequado, porque experimentação era difícil de fazer, assim, replicar o que eles fizeram na época, então como você vai explicar que não funciona mais um determinado tipo de pensamento pra determinado tipo de situação, aí teve que ser no embasamento histórico, pra eles entenderem como foi a construção do conhecimento novo.

Sob tal contexto, observou-se que tanto Lucas quanto Mário incorporaram em suas materialidades discursivas elementos de HFC estudados em algumas disciplinas da matriz curricular.

Mais adiante, os licenciandos falaram sobre os experimentos utilizados nas aulas. Mário indicou o trabalho com um experimento mencionado no material didático dos alunos.

> O experimento que a gente usou, a gente pegou do caderno do Estado, que já tinha sido utilizado pelos alunos, a gente achou muito bacana demonstrar uma ideia nova, que era a questão da força forte.

O discurso de Mário indica o desenvolvimento de uma das habilidades gerais presentes no PPC (UNIVERSIDADE ESTADUAL PAULISTA, 2019, p. 12), que é "resolver problemas experimentais, desde seu reconhecimento e a realização de medições, até a análise de resultados". O licenciando Lucas mencionou a utilização de outro experimento presente no mesmo material didático, porém, sob uma perspectiva diferente da descrita no caderno.

> Um outro experimento que a gente fez na primeira aula era também do caderno do aluno, pra mostrar que tem coisa boa no caderno, mas foi adaptado. <u>Da forma como está no caderno, o professor já fala tudo sobre o modelo de Rutherford e depois ele faz o experimento</u> de jogar as bolinhas por baixo da tábua. Então <u>é mais pra comprovar ou só pra se ter uma ideia do experimento</u> [...] o professor já dá toda a matéria em sala e depois ele vai pro laboratório só pra comprovar aquilo, ele nunca encontra alguma coisa no laboratório, <u>o aluno sempre já sabe tudo e vai lá no laboratório pra comprovar que o negócio acontece.</u> Então nós fizemos o contrário, porque não faz sentido a gente falar tudo e depois eles jogarem as bolinhas lá só pra ver. <u>A intenção era mostrar pra eles como é difícil investigar algo que eles não tão vendo</u> e também ter uma ideia de como é o modelo, basicamente, de Bohr. (grifos nossos).

Tal ação demonstra o desenvolvimento de uma nova habilidade presente no PPC (UNIVERSIDADE ESTADUAL PAULISTA, 2019, p. 13), indicando que o licenciado deve "elaborar ou adaptar materiais didáticos de diferentes naturezas, identificando seus objetivos formativos, de aprendizagem e educacionais".

Mais adiante, ao ser questionado sobre um momento de sua aula, em que utilizou a lousa para uma demonstração, Lucas contextualizou a seguinte situação:

> Essa parte é mais burocrática, a gente só queria mostrar... a gente não queria "assassinar" a Física e falar que o Bohr falava sobre a quantização de energia, Bohr não falava sobre a quantização de energia, ele falava sobre a quantização do momento angular, e a gente mostrou que a quantização do momento angular levava a quantização de energia.

Nesse trecho discursivo, nota-se que o licenciando, embora tenha proposto, desde seu planejamento, trabalhar com diferentes estratégias de ensino por meio de uma perspectiva investigativa, ao se deparar com a dúvida de um aluno recorre a utilização da lousa, durante bom período, para uma demonstração matemática. Dessa forma, o licenciando apresentou indícios da apropriação de saberes disciplinares construídos no decurso da graduação sugerindo também o desenvolvimento da habilidade de "utilizar a matemática como uma linguagem para a expressão dos fenômenos naturais", presente no PPC (UNIVERSIDADE ESTADUAL PAULISTA, 2019, p. 12). Lucas aparentou se sentir seguro e confiante ao buscar sanar a dúvida do aluno a partir de tal estratégia. Na sequência, Lucas mencionou que não ter cursado oficialmente durante a graduação uma disciplina sobre a Teoria da Relatividade não foi um obstáculo para trabalhar com o assunto.

> *Em relação à Teoria da Relatividade, vocês tiveram a disciplina no curso (de graduação) ou não?*
>
> Não. Mas é que eu sou um entusiasta, então não foi muito um problema não ter tido. O problema foi planejar, fazer caber tudo [...] então pensei em fazer uma aula com uma quantidade razoável de coisas, mas depois fiquei pensando que eles já iam saber o que eu ia falar, mas depois vi que eles não sabiam. A dificuldade maior que eu tive foi... quando eu estou dando aula eu não escrevo muito na lousa, e quando fui escrever na lousa eles não conseguiam entender

o meu 'v', eles confundiam com o 'n', aí eu tive que trocar por esse 'V' maiúsculo, só que toda hora eu colocava o outro 'v', então eu ficava apagando toda hora.

O discurso de Lucas revela que o licenciando identifica dificuldades com o planejamento dos conteúdos, apesar de não indicar problemas relacionados ao domínio dos conceitos. Tal percalço é de natureza pedagógica e tem a ver com a gestão do ensino. Nota-se, nesse sentido que, mesmo com a falta de familiaridade com a escrita em lousa, Lucas recorreu ao uso dela, dando mostras dos efeitos da tradição pedagógica em sua prática, visto que o licenciando reproduziu os costumes de seus professores formadores, os quais, em sua maioria, adotam aulas fundamentadas em aspectos conteudistas e expositivos.

A seguir, Mário comentou sobre a necessidade de mudanças nos conteúdos que seriam abordados nas aulas do CEEJA.

> A segunda aula seria mais sobre a aplicabilidade da FMC, que iria gerar mais discussões. Mas não deu tempo de fazer melhor. A gente escolheu um tema que era o celular, porque a gente imaginou que todo mundo tinha, e ficou nisso. Mas a questão da Relatividade, que a gente abordou legal no CTI, a gente já decidiu não fazer no CEEJA por conta de pertinência mesmo.

O licenciando demonstrou que foram realizadas adaptações no planejamento inicial frente às condições que surgiram na execução das aulas. Mário também sinalizou um cuidado em aproximar os conteúdos de Física a elementos presentes no cotidiano dos alunos. Tal movimento sugere a inserção dos licenciandos no modelo de professor reflexivo, pois, conforme apontado por Schön (1992), eles refletem sobre sua ação no intuito de adequar ou melhorar suas próximas atuações. Essa perspectiva se mostra problemática na formação de professores, visto que estimula a valorização dos saberes experienciais em detrimento dos outros e colabora para uma visão do exercício da docência pautado no praticismo.

Considerações finais

Entre os resultados que a análise dos dados indicou, identificou-se a mobilização de saberes disciplinares, curriculares, das ciências da educação, da tradição pedagógica e experienciais pelos licenciandos entre o planejamento das aulas e a reflexão sobre sua regência. Também se evidenciou a necessidade de o curso de licenciatura em Física promover ambientes que favoreçam a manifestação dos saberes pessoais e dos saberes provenientes da formação escolar anterior no exercício profissional docente dos futuros professores. A fim de suprir tais carências, indica-se que o curso busque proporcionar aos licenciandos experiências com a docência desde os primeiros anos, de forma que estimulem a reflexão crítica e a pesquisa de sua prática como professor.

A articulação dos discursos produzidos pelos licenciandos com o perfil previsto no PPC para o licenciado egresso revelou o desenvolvimento de alguns indicadores da formação didático-pedagógica relacionados, principalmente, ao domínio do conhecimento específico e à instrumentalização técnica e matemática. Por outro lado, não foram identificados indicativos da mobilização de conhecimentos didático-pedagógicos associados à responsabilidade social da profissão. Tal desarticulação pode estar relacionada ao modelo de dupla modalidade sob o qual o curso está organizado, contribuindo para a formação de profissionais mistos, com parte de suas características inerentes ao professor e parcela delas próximas às de um bacharel.

Além disso, a análise indicou uma departamentalização do conhecimento que se inicia na prática profissional dos professores formadores, compõe a estrutura do PPC e, consequentemente, revelam-se na ação docente dos licenciandos. Essa forma de tratar o conhecimento contribui para a não compreensão da teoria e prática como unidade, não promovendo o desenvolvimento da práxis docente distanciando, por conseguinte, o futuro professor do perfil crítico, que é o esperado para o licenciado segundo o PPC, e o aproximando do modelo do professor reflexivo, sendo interessante, mas não atingindo a formação crítica textualizada no PPC.

Referências

ABIB, M. L. V. S. A pesquisa em ensino de física e a sala de aula: articulações necessárias na formação de professores. *In*: GARCIA, R. *et al*. (Org.). *A pesquisa em ensino de física e a sala de aula*: articulações necessárias na formação de professores. São Paulo: Editora da Sociedade Brasileira de Física, 2010.

BASTOS, F. A pesquisa em educação em ciências e a formação de professores. *Ciência & Educação*, Bauru, v. 23, n. 2, p. 299-302, 2017.

BASTOS, F.; NARDI, R. Formação de professores: aspectos concernentes à relação teoria e prática. *In*: BASTOS, F.; NARDI, R. (Orgs.). *Formação de professores para o ensino de ciências naturais e matemática*: aproximando teoria e prática. São Paulo: Escrituras, 2018, p. 19-45.

BRANDÃO, H. H. N. *Introdução à Análise do Discurso*. 3. ed. rev. Campinas: Editora Unicamp, 2017.

DINIZ-PEREIRA, J. E. *Formação de professores S/A*: tentativas de privatização da preparação de docentes da educação básica no mundo. Belo Horizonte: Autêntica, 2019.

DINIZ-PEREIRA, J. E.; FLORES, M. J. B.; FERNANDES, F. S. Princípios gerais para a reforma dos cursos de licenciatura no Brasil. *Interfaces da Educação*. [S. l.], v. 12, n. 34, p. 589-614, 2021.

GARCÍA, C. M. *Formação de professores*: para uma mudança educativa. Porto: Porto Editora, 1999. 271 p.

GAUTHIER, C. *et al*. *Por uma teoria da pedagogia*: pesquisas sobre o saber docente. 3. ed. Ijuí: Ed. UNIJUÍ, 2013. p. 480.

MOREIRA, M. A.; OSTERMANN, F. Uma revisão bibliográfica sobre a área de pesquisa de Física Moderna e Contemporânea no Ensino Médio. *Investigações em Ensino de Ciências*. Porto Alegre, v. 5, n. 1, p. 23-48, 2000.

ORLANDI, E. P. *Análise de Discurso*: Princípios & Procedimentos. 12. ed. Campinas: Pontes, 2015.

PIMENTA, S. G. (org.). *Saberes pedagógicos e atividade docente*. 3. ed. São Paulo: Cortez, 2002.

SOUZA, J. A. J. et al. Concepções de universidade no Brasil: uma análise a partir da missão das universidades públicas federais brasileiras e dos modelos de universidade. *Revista GUAL*, Florianópolis, v. 6, n. 4, p. 216-233, 2013.

SCHÖN, D. A. Formar professores como profissionais reflexivos. *In*: NÓVOA, A. (org.). *Os professores e sua formação*. Lisboa: Dom Quixote, 1992, p. 77- 91

TARDIF, M. *Saberes docentes e formação profissional*. 3. ed. Petrópolis: Vozes, 2010.

TARDIF, M.; LESSARD, C.; GAUTHIER, C. *Formação dos professores e contextos formais*: perspectivas internacionais. Porto: Rés, 2001.

UNIVERSIDADE ESTADUAL PAULISTA. *Projeto Pedagógico do Curso de Física*: modalidades em Licenciatura em Física e Física dos Materiais. Currículo 1605. Faculdade de Ciências. UNESP. Câmpus de Bauru, 2019.

CAPÍTULO 8

UM ESTUDO LONGITUDINAL SOBRE O IMAGINÁRIO DE LICENCIANDOS EM FÍSICA E O DESENVOLVIMENTO DA IDENTIDADE DOCENTE[1]

Jéssica dos Reis Belíssimo[2]
Roberto Nardi[3]

Investigações sobre a formação inicial de professores e em como os resultados de pesquisa podem ser considerados durante a formação inicial têm sido mobilizados tanto por pesquisadores brasileiros quanto por pesquisadores de outros países, motivando discussões em nível internacional.

Pesquisadores como McIntyre (2005) têm estudado como "fazer a ponte" entre a pesquisa e a prática. Na Inglaterra, Galamba (2018) tem discutido a formação de professores ingleses em uma tentativa de aproximar os conteúdos e as práticas desenvolvidas na universidade à prática educacional que se verifica nas escolas públicas, buscando facilitar e fortalecer a parceria universidade-escola.

No Brasil, tais discussões têm estado cada vez mais presentes no contexto da formação de professores e vários autores têm discutido as relações entre a teoria e prática. Entre eles, Lüdke e Cruz (2005) estudaram a relação entre "o professor, seu saber e sua prática", buscando "aproximar a universidade e a escola de educação básica pela pesquisa". André (2013, p. 61)

---

1 *Esta pesquisa recebeu do Programa Procad/Capes convênio 162.227.*
2 *Doutoranda do Programa de Pós-graduação em Educação para a Ciências, Faculdade de Ciências. Universidade Estadual Paulista, câmpus Bauru. Apoio: Capes (Coordenação de Aperfeiçoamento de Pessoal do Ensino Superior). E-mail: jessica.belissimo@unesp.br*
3 *Professor Associado. Departamento de Educação, Faculdade de Ciências. Universidade Estadual Paulista, câmpus Bauru. Apoio: CNPq – Conselho Nacional de Desenvolvimento Científico e Tecnológico. E-mail: r.nardi@unesp.br*

investigou "diferentes maneiras de articular ensino e pesquisa na formação e prática docente", chamando a atenção para o papel da pesquisa na formação docente. Pimenta e Lima (2010) discutiram a relação entre teoria e prática na formação da identidade docente, enxergando a profissão docente como uma prática social. Essas discussões são derivadas e fundamentadas em diversos referenciais teóricos (CONTRERAS, 2002; GAUTHIER *et al.*, 2013; GIROUX, 1997; NÓVOA, 2007) sobre formação de professores, considerando uma pluralidade de preocupações, que convivem com concepções de senso comum sobre a profissão docente e a aprendizagem da docência, presentes no meio acadêmico (entre licenciandos e docentes formadores) e em professores da educação básica.

Nessa perspectiva, a presente pesquisa teve como objetivo estudar alguns aspectos do processo de formação de professores de Física, em especial da pesquisa em educação e ensino de Física, e identificar como se constitui o processo da identidade profissional ao longo do curso de licenciatura. Entendendo a amplitude do objeto de investigação, estabeleceu-se a seguinte questão de pesquisa: De que maneira os imaginários de licenciandos em Física sobre o conhecimento científico, o ensino da ciência e o processo de constituição de saberes para a docência vão se modificando ao longo do curso e delineando sua identidade profissional?

O contexto de produção deste estudo se deu no curso de Licenciatura em Física de uma Universidade pública paulista. A constituição dos dados da pesquisa ocorreu por meio de questionários respondidos pelo(a)s licenciando(a)s anualmente, desde o ingresso na universidade até a conclusão do curso, e entrevistas semiestruturadas ao final da graduação. Para responder à questão de pesquisa, o estudo foi amparado pelo referencial teórico e metodológico da Análise de Discurso Pecheutiana e por alguns referenciais da área de formação de professores (GIROUX, 1997; GAUTHIER *et al.*, 2013; FREIRE, 2020, entre outros).

FORMAÇÃO DE PROFESSORES E A IDENTIDADE PROFISSIONAL DOCENTE

Estudar a formação de professores demanda compreender que a área está delineada por uma pluralidade de contextos: históricos, políticos, sociais e culturais. Segundo Adorno (1996), a formação é a apropriação subjetiva da cultura, na qual o indivíduo conhece seu papel histórico, social e a sua pertença em determinada comunidade. A partir de sua relação com o mundo real e coletivo, o indivíduo vai contribuindo para a cultura da sociedade em que vive e, subjetivamente, apropriando-se dela.

Ao levar em consideração as dimensões sociais e culturais da formação de professores, passa-se a vislumbrar o processo de formação como algo inacabado, que está em constante construção. De acordo com Freire (2020, p. 25), "não há docência sem discência, as duas se explicam e seus sujeitos, apesar das diferenças que os conotam, não se reduzem à condição de objeto, um do outro. Quem ensina aprende ao ensinar e quem aprende ensina ao aprender".

Nessa perspectiva, compreender a formação de professores, considerando o contexto cultural, é fundamental para entender que a formação docente vai além de formar um único indivíduo, ela se desenvolve em uma perspectiva de coletividade, articulando as experiências e vivências nos diversos âmbitos e contextos formativos. De acordo com Veiga (2008, p. 17), "a formação busca a emancipação e a consolidação de um coletivo profissional autônomo e construtor de saberes e valores próprios".

Os contextos históricos e políticos também são fundamentais ao se discutir sobre formação de professores, visto que, assim como tratado por Giroux (1997), ao propor a formação de professores autônomos e intelectuais críticos, articula-se o relacionamento entre as políticas públicas e a sociedade. Dessa maneira, entender o movimento histórico e curricular na formação de professores é fundamental para compreender como vêm sendo estabelecidos os imaginários da sociedade sobre a profissão docente.

Os modelos de formação de professores no Brasil foram marcados pelos pressupostos da racionalidade técnica, uma vez que tal racionalidade esteve presente durante a consolidação e o aprimoramento da área de formação de professores no país, ganhando força, principalmente, durante a ditadura militar. Esse tipo de racionalidade carrega consigo uma concepção positivista sobre a ação docente. Segundo Saviani (2007), a racionalidade tecnicista é centrada na dimensão experimental/instrumental/pragmática tendo como prioridade o desenvolvimento de competências e habilidades tanto dos professores quanto dos alunos. Objetivando, principalmente, a eficiência e a produtividade na educação.

Um movimento contrário a esse modelo começou a emergir no Brasil entre os anos de 1975 e 1985, com a mudança no cenário político do país. Opondo-se à lógica tecnicista, o modelo de professor reflexivo vislumbra na prática reflexiva uma possibilidade de estudo e solução de problemas antes, durante e após o desenvolvimento das aulas. Conforme defendido por Schön (1992), as problemáticas que emergem da ação docente durante o processo de "ensino-aprendizagem" não podem ser solucionadas por meio da instrumentalização técnica.

A difusão desse modelo de formação do professor reflexivo promoveu várias contribuições para área de formação de professores, principalmente no que diz respeito à profissionalização docente, trazendo subsídios que orientaram pesquisas acerca da formação da identidade docente ao articular o professor como pesquisador de sua própria prática. Conforme discutido por Pimenta (2006, p. 21), "a ampliação e a análise crítica das ideias de Schön (e a partir delas) favoreceram um amplo campo de pesquisas sobre uma série de temas pertinentes e decorrentes para a área de formação de professores".

Com o avanço das pesquisas em relação ao modelo, foram surgindo diversos questionamentos em relação às suas limitações, principalmente no que diz respeito à reflexão sobre a prática. Contreras (2002) aponta que a principal crítica ao modelo de Schön está relacionada ao condicionamento da reflexão a um exercício individualista e limitante à sala de aula. Nesse tipo de exercício, o professor não considera as influências da realidade escolar em um contexto abrangente interpelado pela historicidade e a ideologia.

Sob tal contexto, toma-se como base a representação da formação do professor como intelectual crítico que problematiza sua formação e ação docente por meio da reflexão dialética enquanto ser histórico e transformador, capaz de compreender os elementos individuais e coletivos de sua profissão e, a partir da práxis, vai mobilizando os saberes docentes fundamentais para a construção de sua identidade profissional.

Dessa forma, evidencia-se a dialética da identidade, uma vez que ela pode ser ao mesmo tempo individual e coletiva, biográfica e relacional, real e abstrata, permanente e transitória, isto é, a construção das identidades é o resultado da relação entre os processos individuais e sociais. De acordo com Nuñez e Ramalho (2005, p. 97), "os professores constroem suas identidades pessoais no seu grupo e contextos, em interação com outros grupos profissionais". É durante essa construção que os docentes elaboram representações sobre si e sobre o grupo no qual estão inseridos, levando em consideração aspectos de sua história de vida enquanto ser coletivo e das normativas por trás de seu exercício profissional.

Segundo Nóvoa (2007, p. 17), a identidade profissional docente está relacionada com "a capacidade de exercermos com autonomia a nossa actividade, pelo sentimento de que controlamos o nosso trabalho. A maneira como cada um de nós ensina está diretamente dependente daquilo que somos como pessoa". De acordo com Garcia (2009), assim como para Dubar (2006), o conceito de identidade docente está associado a algo que evolui e se desenvolve individual e coletivamente. Assim sendo, a identidade é algo em constante transformação e não é um atributo fixo de um sujeito individual, mas um fenômeno relacional.

Nessa conjuntura, compreende-se que a identidade profissional é construída a partir da função social da profissão, das normativas que delineiam os profissionais docentes, da cultura dos grupos nos quais os professores pertencem e, também, do contexto sociopolítico em que ocorre. Segundo Veiga (2008, p. 17), "a identidade profissional se constrói com base no significado dos movimentos reivindicatórios dos docentes e no sentido que o profissional confere a seu trabalho".

Ademais, torna-se importante ressaltar que a lógica capitalista e as relações sociais de produção estão diretamente associadas com a construção da base identitária docente. Isso se dá, principalmente, devido à institucionalização das ideologias neoliberais na sociedade, nas quais vislumbram-se as relações de produção como o cerne para o desenvolvimento econômico e material. Nessa racionalidade, o trabalho do professor é desvalorizado, sendo visto como algo periférico, uma vez que sua função é formar a mão de obra para o trabalho produtivo. Segundo Reis e Videira (2013), ao adentrar a essa lógica, as instituições, na intenção de conseguir mais investimentos, passaram a remodelar as pesquisas e a formação de especialistas para atender as demandas do mercado. Esse pensamento é conhecido como divisão do trabalho, no qual, de acordo com Marx (1996, p. 454), em vez de uma mesma pessoa realizar diferentes operações dentro de uma sequência temporal, as atividades são divididas, desmembradas, "isoladas justapostas no espaço", e cada uma delas é realizada por uma pessoa diferente e ao mesmo tempo, na intenção de aumentar a produção.

No âmbito de tais discussões, compreende-se que o processo de construção da identidade profissional dos sujeitos se encontra, sobretudo, dependente de uma imposição opressora da divisão de trabalho, estruturada historicamente pelos contextos político, econômico e ideológico presentes na sociedade. Segundo Carvalho (2016), dentro desses contextos, as identidades profissionais passam a incorporar "personificações do capital", uma vez que operam dentro da lógica capitalista colaborando para a manutenção do privilégio burguês. Tal situação é análoga com a classe dos professores, pois, com a identidade profissional construída dentro dessa racionalidade, o docente exerce um importante papel ideológico, fortalecendo a aceitação da burguesia e do individualismo como algo natural, aumentando significativamente a competitividade entre trabalhadores e enfraquecendo a construção de bases identitárias coletivas e, consequentemente, a luta de classes.

As identidades construídas dentro do contexto da divisão do trabalho influenciam diretamente a representação individual de si mesmo dos trabalhadores, visto que, dentro da lógica capitalista, as representações de suas identidades dependem necessariamente do que eles produzem, como produzem e se atendem os desígnios do capital. Sendo assim, as relações profissionais passam a ser idealizadas em harmonia com a lógica produtivista, unindo estrategicamente o indivíduo e a profissão e, consequentemente, fortalecendo as estratégias opressoras do Capital, nas quais manipulam e responsabilizam os trabalhadores e, também, culminam na naturalização do modelo auto formativo e instrumentalizador da prática reflexiva. Em conformidade com Carvalho (2016, p. 222), nesta pesquisa, vislumbra-se que o processo de construção da identidade está diretamente relacionado com o processo de identificação dos seres humanos, tornando-o, essencialmente, cultural, histórico e delineado pelas condições de produção.

ANÁLISE DE DISCURSO PECHEUTIANA E A CONSTITUÇÃO DOS DADOS DA PESQUISA

A Análise do Discurso (AD) na linha francesa teve como principal mentor Michel Pêcheux (1938-1983). No Brasil, ela vem sendo estudada e desenvolvida por diversos pesquisadores. Na presente pesquisa foram utilizados, principalmente, os trabalhos de Orlandi (2015) e Pêcheux (2002). De acordo com Orlandi (2015), a AD é uma proposta de reflexão sobre a linguagem, sobre o sujeito, sobre a história e a ideologia. A AD desenvolvida por Pêcheux e seus colaboradores teve início a partir da articulação entre três áreas do conhecimento: a Linguística, o Marxismo e a Psicanálise. Segundo Pêcheux (2002, p. 45), essa trilogia foi motivada pela promessa de uma "revolução cultural, colocando em causa as evidências da ordem humana como estritamente biossocial".

A AD, fundamentando-se nessas áreas do conhecimento, busca se afastar da linguagem como uma mera transmissão de informação e, para isso, considera o conceito do discurso definido como efeitos de sentidos entre os interlocutores que, por sua vez, são vistos como sujeitos afetados pela história e pelo simbólico. A noção de discurso está, portanto, diretamente relacionada com uma das instâncias na qual a materialidade ideológica é consolidada. Assim, as condições de produção do discurso, são definidas, em um sentido mais particular, como o contexto mais imediato e, em um sentido mais amplo, como o contexto sócio-histórico e ideológico.

Portanto, ao considerar a AD referencial teórico e metodológico, é fundamental compreender que a linguagem, os sentidos e os sujeitos não são transparentes; eles são constituídos a partir de suas materialidades e da construção conjunta entre a língua, a história e a ideologia. Sob tal perspectiva, nos subtópicos a seguir serão discutidas as condições de produção discursiva e a constituição do *corpus* da pesquisa.

Condições de produção da pesquisa

A matriz curricular do curso de licenciatura em Física estudado é dividida em três eixos. O eixo 1, denominado Formação de conhecimentos básicos da Física e Ciências afins e seus instrumentais matemáticos, está relacionado com "os conteúdos específicos de Física, Química, Matemática,

Computação e outros afins, necessários à formação do físico e do professor de Física"; o eixo 2, intitulado A formação dos conhecimentos didático--pedagógica do professor de Física, vinculado com "os conhecimentos didático-metodológicos do conteúdo específico relativos ao exercício da docência", e o eixo 3, nomeado Ciência, Tecnologia, Sociedade, Ambiente e Desenvolvimento Humano, cujo objetivo é possibilitar "a compreensão da ciência, da sociedade, do homem, da educação escolar e do professor" (UNIVERSIDADE ESTADUAL PAULISTA, 2013, p. 14-15). Além disso, o curso também conta com um eixo articulador, composto pelas disciplinas de Metodologias e Práticas de Ensino (I, II, III, IV e V) e pelas disciplinas de Estágios Curriculares Supervisionados (I, II, III e IV).

Constituição do *corpus* da pesquisa

A constituição dos dados da pesquisa ocorreu em uma perspectiva longitudinal. Segundo Flick (2013), os estudos longitudinais são relevantes no desenvolvimento de pesquisas que têm como foco a compreensão histórica da estrutura sociocultural de determinado grupo. Nessa perspectiva, a constituição dos dados foi dividida em duas etapas. Na primeira, foram utilizados questionários respondidos pelo(a)s licenciando(a)s ingressantes no curso de licenciatura em Física, em março de 2014, quando começam as atividades da turma de licenciatura, e no início de cada ano posterior (2015, 2016 e 2017). Na segunda etapa, foram realizadas entrevistas com o(a)s licenciando(a)s que concluíram o curso.

Em 2014, o primeiro questionário foi aplicado durante uma aula de Metodologia e Prática de Ensino de Física (MPEF) I. Dos 60 alunos(as) ingressantes no curso, 49 aceitaram participar da pesquisa. Em 2015, um novo questionário foi aplicado no início do semestre na disciplina de MPEF III, quando apenas 11 licenciandos(as) da amostra inicial responderam aos questionários. Em 2016, um questionário semelhante foi aplicado no início de MPEF V e, dessa vez, somente oito licenciandos(as) responderam ao questionário. Por fim, em 2017, durante a disciplina de Didática da Ciência, somente três alunos(as) dos(as) que haviam ingressado em 2014, responderam. Logo, as entrevistas foram realizadas com esses(as) três licenciandos(as) que participaram de toda a constituição dos dados. Essa queda no número de participantes aconteceu pelo fato de que alguns estudantes foram reprovados, evadiram ou optaram por seguir apenas a estrutura curricular do curso de bacharelado, uma vez que a entrada no curso é comum às duas modalidades.

OS IMAGINÁRIOS DO(A)S LICENCIANDO(A)S EM FÍSICA

A análise dos dados constituídos ao longo deste estudo foi feita por meio de um dispositivo analítico visando contemplar, por meio da teorização, e expor, mediante a descrição, os efeitos da compreensão. De acordo com Orlandi (2015, p. 60), "não há análise do discurso sem a mediação teórica permanente, em todos os passos da análise, trabalhando a intermitência entre descrição e interpretação que constituem, ambas, o processo de compreensão do analista". Dessa forma, é a partir desses pressupostos que foi construído o dispositivo de análise deste estudo, de forma particularizada, tendo como objetivo estudar o imaginário de três licenciando(a)s em Física que participaram de todas as etapas de constituição dos dados.

Participantes da pesquisa como seres históricos e sociais

Ao considerar a AD referencial teórico e metodológico, é fundamental compreender que os sujeitos são constituídos a partir de suas materialidades e da construção conjunta entre a história e a ideologia. Sendo assim, torna-se necessário compreender as historicidades de Caio, Sara e Lúcio, os três licenciandos em Física que participaram da pesquisa.

Caio frequentou, em sua formação básica, desde a Educação Infantil até o fim do Ensino Médio, um colégio particular da região de Bauru. Após a conclusão do Ensino Médio, ingressou em um curso preparatório para o vestibular. Em 2014, assim que ingressou no curso, Caio já lecionava em um colégio da região. Nos anos subsequentes (2015, 2016 e 2017), o participante passou a conciliar o magistério com uma Iniciação Científica (IC) na área de Biofísica. Com a conclusão da licenciatura, o participante ingressou no mestrado acadêmico na área de Biotecnologia e deu sequência no exercício da profissão docente, lecionando disciplinas de Física e Matemática em um colégio particular da região. Em 2020, em sua identificação na plataforma *Lattes*, Caio se apresenta como graduado em licenciatura em Física e mestrando no programa de Biotecnologia de uma universidade pública da região.

Sara cursou toda sua formação básica na rede pública de ensino. Após finalizar o Ensino Médio, fez um ano de curso preparatório para o vestibular aos sábados no período vespertino e noturno com aulas de Física quinzenais. Em 2014, assim que ingressou no curso, a licencianda passou a fazer parte de um projeto de extensão no Observatório Astronômico da instituição e, nos anos subsequentes (2015, 2016, 2017, 2018, 2019 e 2020), passou a desenvolver diversas atividades no Observatório, dentre elas: monitoria no atendimento de alunos da educação básica, palestras e oficinas de lunetas e telescópios de baixo custo. Em 2020, no entanto, com o contexto pandêmico, essas atividades ficaram suspensas. Por fim, é importante ressaltar que, em agosto de 2020, quando foi realizada a entrevista, Sara estava cursando suas últimas disciplinas da graduação e recebeu o título de licenciada no início de 2021.

Lúcio cursou a educação básica em um colégio particular da cidade onde morava. Logo após a conclusão do Ensino Médio, ingressou na graduação em Física. Entre o segundo e terceiro anos do curso (2015 e 2016), desenvolveu pesquisas de IC na área de Ciência dos Materiais. Em 2018, formou-se na licenciatura em Física e, em 2019, no bacharelado em Física de Materiais. Atualmente, o participante cursa mestrado acadêmico na área de Ciências dos Materiais, no qual desenvolve pesquisas na "área de modelagem de materiais". Em sua identificação na plataforma *Lattes*, Lúcio se apresenta como licenciado em Física, bacharel em Física dos Materiais e mestrando em Ciências dos Materiais.

No âmbito de tais discussões, compreendendo as histórias de Caio, Sara e Lúcio e entendendo a opacidade da linguagem, a determinação dos sentidos pela história e a constituição do sujeito pelo inconsciente e pela ideologia, foi possível analisar as produções discursivas deles atravessando o efeito da transparência da linguagem.

As produções discursivas sobre o ensino da ciência, o processo de constituição de saberes para a docência e a profissão docente

O *corpus* de análise, isto é, as produções discursivas a serem analisadas, foram selecionadas de acordo com suas propriedades. Segundo

Orlandi (2015, p. 61), "considera-se que a melhor maneira de atender à questão da constituição do *corpus* é construir montagens discursivas que obedeçam a critérios que decorrem de princípios teóricos da Análise de Discurso, face aos objetivos da análise".

Assim, considerando o objetivo da pesquisa, a primeira montagem discursiva a ser analisada busca compreender os imaginários do(a)s licenciando(a)s, ao longo de sua formação inicial e após a conclusão do curso, sobre a Ciência, o desenvolvimento do conhecimento científico e sua contribuição para sociedade. No Quadro 1, são apresentados recortes das respostas dos licenciandos aos questionários no decorrer de seu percurso na graduação.

Quadro 1 – Respostas para a questão "Em sua opinião, o que é a Ciência, como ela se desenvolve e qual a sua contribuição para a nossa sociedade? "

Discentes	Respostas para a questão
Caio	2014: Ciência é o estudo do que nos cerca. [...] . 2015: Ciência é extremamente difícil de se definir. Várias teorias tentam defini-la e todas têm seus pontos positivos e negativos (Indutivismo, Falsificacionismo...). [...] 2016: É difícil definir a ciência, mas ela é composta de modelos explicativos do universo [...] Tais modelos são mutáveis, não são uma verdade absoluta, mas funcionam e fazem previsões suficientes para o conhecimento atual 2017: [...] se desenvolve por meio de modelos que são substituídos ou melhorados à luz de novas evidências. Sem a ciência, ainda estaríamos vivendo em cavernas.
Sara	2014: A ciência para mim é o estudo da natureza, dos fenômenos, da tecnologia [...] 2015: Ciência é o estudo da natureza, ela se desenvolve a partir dos anos com as pesquisas provando que nada é absoluto [...] 2016: [...] ela desenvolve em conjunto com a evolução da sociedade, suas necessidades e suas ambições, ou seja, de extrema importância. 2017: [...] seus estudos impactam diretamente na sociedade, a fim de auxiliar e compreender certas situações.
Lúcio	2014: A ciência arranja uma maneira para explicar ao homem como as coisas ocorrem [...] 2015: Ciência seria algo relacionado como a natureza se comporta. 2016: A ciência é responsável por demonstrar tudo o que ocorre, o que ocorreu até chegar nesse resultado [...] 2017: A ciência está relacionada a tudo que está ao nosso redor, formação, desenvolvimento e outros [...]. Contribuição para uma sociedade melhor, maior conforto e melhoria para o ser humano e o meio ambiente.

Fonte: Belíssimo (2021).

Nos discursos de Caio e Sara, é possível identificar as marcas das disciplinas do curso em sua materialidade discursiva, uma vez que, a partir do segundo ano (2015), seus discursos passaram a incorporar elementos de História e Filosofia da Ciência (HFC). Caio, ao utilizar os termos entre parênteses "(Indutivismo, Falsificacionismo...)" traz discussões abordadas nas aulas de HFC que utilizam como material de estudo o livro de Alan Chalmers (1993) intitulado *O que é ciência afinal?*, que fornece em sua primeira metade, duas explicações simples, mas inadequadas da ciência, às quais se referem como indutivismo e falsificacionismo. Sara, ao dizer que a Ciência "se desenvolve a partir dos anos com as pesquisas provando que nada é absoluto", dá indícios de que compreende a Ciência como algo mutável e está em constante elaboração, corroborando os objetivos desta na ementa da disciplina de HFC, que busca possibilitar aos licenciandos compreenderem a Física como uma ciência em construção e analisar diferentes discursos de validação do conhecimento ao longo do tempo.

Nas produções discursivas de Lúcio, é possível identificar que, a partir do terceiro ano (2016), ele passou a incorporar em sua materialidade discursiva alguns elementos estudados nas disciplinas do eixo 2 e 3 do curso de licenciatura em Física. Em 2016, ao dizer que "a ciência é responsável por demonstrar tudo o que ocorre, o que ocorreu até chegar nesse resultado", ele sugere que a Ciência está relacionada com a metodologia científica de divulgação de resultados, dando indícios de que a compreende como algo construído coletivamente. A característica coletiva da construção do conhecimento científico é abordada pela disciplina de Metodologia e Prática de Ensino de Física II, que trabalha alguns aspectos da questão da alfabetização científica, e pela disciplina de História da Ciência, que estuda a ciência como algo mutável e em permanente elaboração.

A segunda montagem discursiva, por sua vez, buscou compreender o processo de constituição de saberes para a docência e entender as mudanças nos imaginários dos participantes sobre o papel do professor em sala de aula e as características necessárias ao planejamento de uma "boa" aula. No Quadro 2, são apresentados recortes das respostas dos licenciandos sobre a temática no decorrer de seu percurso na graduação e após a conclusão do curso.

Quadro 2 – Respostas para as questões "Qual o papel do professor em sala de aula e que características deve ter uma aula para ser considerada uma 'boa aula?'"

Discentes	Respostas para a questão
Caio	**2014:** O professor deve ser um facilitador de aprendizado [...]. Uma "boa" aula deve ser apresentada como uma forte base teórica que expliquem as fórmulas e exemplos, exercícios [...] um método expositivo, com vídeos ou experimentos que mostrem a teoria discutida. **2015:** O professor deve ser um facilitador da aprendizagem [...] identificar as falhas e concepções prévias e trabalhar sobre elas. [...] **2016:** Depende da situação, em alguns momentos o professor deve ser o motivador de debates e discussões [...]. Uma "boa" aula deve ser clara, abordar diferentes métodos de explicação e se adequar a diferentes contextos e alunos [...]. **2017:** O professor deve agir como um mediador do conhecimento [...] aproximando o conteúdo do cotidiano dos estudantes. **Entrevista 2020:** Então, o que eu via como ensino, era simplesmente aquele ensino que a gente vê em cursinhos preparatórios, aquele ensino repetitivo, por meio de listas de exercícios, por meio de frases para decorar fórmulas, aquele professor *showman* que faz todo mundo rir. [...] Hoje eu vejo um ensino muito mais como um fator de pensamento, de ensinar pensamento científico. [...] Você tem que ser aberto a questionamentos [...] você tem que ter preparado o que, talvez, o aluno possa pensar, como que ele pode receber essa informação, ainda mais agora em época de EaD [...].
Sara	**2014:** Ativo, que faça-nos questionar, interpretar, que nos cobre, e que faça bem o que propõe. **2015:** Uma ótima relação aluno-professor, exemplos, experimentos discussões. **2016:** Proporcionar ferramentas para que o aluno possa aprender determinados assuntos. Interação aluno-professor [...] **2017:** Um facilitador do saber. [...] Ter mais de um meio de ensinar e de avaliar os alunos, ser uma aula que o aluno possa se expressar questionar e discutir sobre os temas. **Entrevista 2020:** [...] A gente viu bastante sobre isso no estágio, porque ministramos cursos no Colégio Técnico e no EJA e praticamente era o mesmo conteúdo, mas a metodologia tinha que ser completamente diferente porque são realidades diferentes. [...] Tem que levar em consideração o espaço que a gente está, o que a gente tem para trabalhar, o tempo e qual o perfil dos alunos.

Lúcio	**2014:** Explicar o conteúdo da sua matéria. **2015:** [...] demonstrar o conteúdo e tirar dúvidas quando os alunos as tiverem. **2016:** Explicar o conteúdo de uma forma clara, tirar as dúvidas dos alunos. Uma aula que exponha o conteúdo de forma simples e clara, o aluno consiga relacionar o assunto visto em sala de aula com seu cotidiano e consiga utilizá-lo. **2017:** Explicar e envolver o conteúdo ensinado para o aluno [...] para cada turma ter que haver um planejamento e muitas vezes ele pode não dar certo, nesse planejamento ela poderia utilizar uma transposição didática. **Entrevista 2020:** [...] ter o domínio e sempre estar estudando inclusive os fatos atuais para conseguir transmitir uma "boa" aula relacionada a isso [...]. Verificar o próprio contexto dentro da sua sala de aula, ao redor da escola e da cidade em que você está ministrando. Isto é algo que vemos com frequência, principalmente, nas metodologias [...], levantamento de concepções prévias. Aí, novamente, você deveria tentar relacionar essas concepções com as partes históricas, porque muitas vezes estão diretamente ligadas. [...]

Fonte: Belíssimo (2021).

Nos discursos de Sara e Caio, é possível identificar a mobilização de três saberes docentes. Na perspectiva de Gauthier e colaboradores (2013): os da tradição pedagógica (trata-se dos saberes sobre as tradições que estruturam a escola e o ensino, e também estão relacionados às representações sociais sobre a profissão docente); os das ciências da educação (relacionados aos conhecimentos teóricos sobre educação oriundos da formação docente) e os experienciais (mobilizados durante as práticas cotidianas do professor, estando intimamente ligados aos hábitos que os professores adquirem durante sua atuação e vivência profissionais). Tanto Sara quanto Caio dão sinais de mobilização dos saberes da tradição pedagógica no primeiro ano do curso para embasar suas produções discursivas.

A partir do segundo ano do curso, os elementos da pesquisa relacionados com a área de ensino de Ciências e discutidos nas disciplinas do eixo de formação de conhecimentos didático-pedagógicos passam a fazer parte de suas materialidades discursivas acerca do papel do professor em sala de aula e as características necessárias para o planejamento de uma "boa" aula, dando indicações da mobilização de saberes das ciências da educação. Ademais, Sara e Caio, nos últimos anos do curso, utilizaram suas experiências de regência – tanto nas disciplinas de ECS, como é o caso de Sara, quanto no exercício docente após a conclusão da licenciatura, como é o caso de Caio – para fundamentar suas produções discursivas, sugerindo a mobilização dos saberes experienciais.

Lúcio, diferentemente dos demais licenciandos, deu indícios da mobilização de saberes da tradição pedagógica ao longo de todo seu processo formativo ao descrever o papel do professor em sala de aula simplesmente como "explicar o conteúdo". Segundo Gauthier e colaboradores (2013), tal situação pode ser justificada devido ao fato de que os saberes da tradição pedagógica são mais fortes do que se pode imaginar e eles só serão adaptados e/ou modificados pelos saberes experienciais ou, se for o caso, validados pelo saber da ação pedagógica. Contudo, ao refletir sobre as características para uma "boa" aula, o participante apresenta em sua materialidade discursiva, na segunda metade do curso, elementos da pesquisa em educação e ensino de ciências estudados nas disciplinas do eixo 2 da matriz curricular, sugerindo a mobilização de saberes das ciências da educação.

A terceira e última montagem discursiva buscou compreender os imaginários dos participantes, em 2020, sobre a pesquisa no exercício da profissão docente. Para tanto, foi utilizada a seguinte questão: O(a)s docentes da educação básica realizam pesquisa em seu exercício profissional? No Quadro 3, são apresentados recortes das respostas dos participantes sobre a temática.

Quadro 3 – Respostas para a questão "O(a)s docentes da educação básica realizam pesquisa em seu exercício profissional?"

Discentes	Respostas para a questão
Caio	[...] Talvez não nos moldes de uma pesquisa científica que vai ser avaliada talvez em um molde diferente, é uma pesquisa sim, se realiza. Eu acredito que muitos professores ao passar anos e anos na carreira deixam de fazer essa atividade e as aulas deles são as mesmas todos os anos [...] então, não que ele não estivesse fazendo pesquisa, talvez ele estivesse fazendo pesquisas, modificando algumas coisas que talvez não tenha gostado e o que ele tinha realmente gostado continuou aplicando. [...]
Sara	Sim, todo professor realiza pesquisa. Se a gente parar para pensar, o professor vai fazer um plano de aula com base na formação que ele tem, e aí ele vai testar. Ele vai tentar aprimorar. Ele vai fazer um relatório, nem que seja mental, sobre o que foi bom e vai conseguir aplicar e modificar para as outras turmas dele.
Lúcio	[...] O que é esperado que ele deveria fazer, obviamente alguns fazem, é tentar ver o que o aluno sabe (como sou muito a favor de tentar ver as concepções), tentar ver o desenvolvimento dele, utilizando até as formas de avaliação. Podemos utilizar as avaliações para ver erros e tentar melhorar nossa didática [...]

Fonte: Belíssimo (2021).

Os recortes discursivos dão indícios de que os imaginários dos três entrevistados estão inseridos dentro da perspectiva do professor como pesquisador de sua própria prática, isto é, considera que o professor realiza a pesquisa em sala de aula para tentar aprimorar sua prática futura. Tal compreensão está inserida no modelo de professores reflexivos e é defendida por Schön (1992) como a reflexão sobre a reflexão na ação, na qual o professor reflete sobre as ações realizadas e investiga suas principais dificuldades na busca por novas ações para solucioná-las.

Esse modelo, conforme discutido por Pimenta (2006), trouxe várias contribuições para a área de formação de professores, favorecendo um amplo campo de pesquisas sobre o tema, dentre elas a profissionalização docente e a construção da identidade profissional. Contudo, com o avanço das pesquisas relacionadas ao modelo reflexivo, surgiram vários questionamentos em relação às suas limitações, principalmente no que diz respeito à reflexão sobre a prática. Diversos pesquisadores (CONTRERAS, 2002; PIMENTA, 2006) apontam que esse modelo de professor pode ocasionar o condicionamento da reflexão a um exercício individualista e limitante à sala de aula, visto que, nesse tipo de modelo, o professor não considera as influências da realidade escolar em um contexto abrangente interpelado pela historicidade e a ideologia.

Sob tal perspectiva, entende-se que os imaginários de Caio, Sara e Lúcio, inseridos na perspectiva do professor reflexivo, influenciam na construção de suas identidades, visto que, conforme defendido por Nuñez e Ramalho (2005), os professores constroem suas identidades profissionais a partir de suas representações sobre si e sobre o grupo no qual estão inseridos, isto é, a identidade profissional dos docentes é construída socialmente e materializada por meio de uma pluralidade de representações que os professores fazem de si mesmos, do seu grupo de pertença e de suas funções, instituindo, de maneira consciente ou não, marcas derivadas de sua historicidade, condições de produção do trabalho e o imaginário social sobre a profissão.

CONSIDERAÇÕES FINAIS

Os resultados a que chegamos nos fazem entender que o projeto pedagógico do curso e sua matriz curricular têm um papel fundamental na modificação dos imaginários dos(as) licenciandos(as) em Física, no processo de constituição dos saberes para a docência e no desenvolvimento da construção da identidade docente e, portanto, nos leva a adotar a compreensão de também ser possível e viável que, durante a formação inicial, as disciplinas ofereçam subsídios à constituição do imaginário da pesquisa como promotora não apenas da reflexão mas também da crítica e, por conseguinte, facilitadora da práxis docente.

Concordando com Habermas (1987), para que isso ocorra, acreditamos ser necessária a dialética entre teoria e prática nos momentos reflexivos, entendendo a reflexão de forma crítica, isto é, como um processo dialógico, no qual os professores dialoguem com seus pares sobre a realidade social e política em sua ação docente. Sendo assim, defendemos a ideia de que a formação inicial de professores deve contemplar uma sólida formação teórica e uma completa compreensão da práxis docente, possibilitando o desenvolvimento de professores como intelectuais críticos e, por conseguinte, proporcionando que os docentes desenvolvam sua identidade profissional tendo consciência das limitações da racionalidade liberal e, enquanto seres individuais e coletivos, possam lutar pela emancipação de sua classe.

Por fim, acreditamos ter contribuído, por meio desta pesquisa, para a compreensão de alguns detalhes do processo de formação de professores de Física, em especial da Pesquisa em Educação e Ensino de Física, a influência do Projeto Pedagógico e da estruturação do curso no perfil formativo dos(as) futuros(as) professores(as) e o entendimento de alguns aspectos do imaginário de licenciandos(as) em Física e o processo de constituição de saberes para a docência.

REFERÊNCIAS

ADORNO, W. T. Teoria da semicultura. *Educação & Sociedade*, Campinas, v. 17, n. 56, p. 388-411, 1996.

ANDRÉ, M. Pesquisa, formação e prática docente. *In:* ANDRÉ, M. (Org.). *O papel da pesquisa na formação e na prática dos professores.* 12. ed. Campinas: Papirus, 2013. cap. 3, p. 55-69.

BELÍSSIMO, J. R. *Um estudo longitudinal sobre o imaginário de licenciando(a)s em Física:* pensando a identidade profissional docente. 150 f. Dissertação (Mestrado em Educação para a Ciência) – Faculdade de Ciências, Universidade Estadual Paulista, Bauru, 2021.

CARVALHO, S. R. *Profissionalização docente e subordinação do trabalho educativo à lógica flexível da produção capitalista.* 2016. 238 f. Tese (Doutorado em Educação Escolar) – Faculdade de Ciências e Letras, Universidade Estadual Paulista, Araraquara, 2016.

CHALMERS. A. F. O que é Ciência afinal? Tradução: Raul Filker. Editora Brasiliense. 1993

CONTRERAS, J. *A autonomia de professores.* São Paulo: Cortez, 2002.

DUBAR, C. *A crise das identidades:* a interpretação de uma mutação. São Paulo: CIIE/Edições Afrontamento, 2006.

FLICK, U. *Introdução à metodologia de pesquisa:* um guia para iniciantes. Porto Alegre: Penso, 2013.

FREIRE, P. *Pedagogia da autonomia:* saberes necessários à prática educativa. 63. ed. São Paulo: Paz e Terra, 2020.

GALAMBA, A. Formação de professores na Inglaterra. *In:* BRITISH COUNCIL. *Educação na Inglaterra:* formação de professores, carreira docente e ensino de Ciências, Inglaterra, 2018.

GARCIA, C. M. A identidade docente: constantes e desafios. *Revista Brasileira de Pesquisa sobre Formação Docente.* Belo Horizonte, v. 1, n. 1, p. 109-131, 2009.

GAUTHIER, C.; MARTINEAU, S.; DESBIENS, J.-F.; MALO, A.; SIMARD, D. *Por uma teoria da pedagogia:* pesquisas contemporâneas sobre o saber docente. 3. ed. Ijuí: Ed. Unijuí, 2013.

GHEDIN, E. Professor reflexivo: da alienação da técnica à autonomia da crítica. *In:* PIMENTA, S. G.; GHEDIN, E. (Orgs.). *Professor Reflexivo no Brasil:* gênese e crítica de um conceito. 4. ed. São Paulo: Cortez, 2006. p. 129-150.

GIROUX, H. A. *Os professores como intelectuais:* rumo a uma pedagogia crítica da aprendizagem. Porto Alegre: Artes Médicas, 1997.

HABERMAS, J. *Teoria de la Acción Comunicativa.* 2. ed. Madrid: Taurus, 1987.

LÜDKE, M.; CRUZ, G. B. Aproximando universidade e a escola de educação básica pela pesquisa. *Cadernos de Pesquisa.* São Paulo, v. 35, n. 125, 2005.

MARX, K. *O Capital:* crítica da economia política. São Paulo: Nova Cultural, v. 1, t. 1, 1996.

MCINTYRE, D. Bridging the gap between research and practice. *Cambridge Journal of Education,* v. 35, n. 3, p. 357-382, 2005.

NÓVOA, A. Os professores e as histórias da sua vida. In: NÓVOA, A. (org.). *Vida de Professores.* 2. ed. Porto: Porto Editora, 2007. p. 14-30.

NUÑEZ, I.; RAMALHO, B. A pesquisa como recurso da formação e da construção de uma nova identidade docente: notas para uma discussão inicial. *EccoS – Revista Científica,* v. 7, n. 1, p. 87-111, 2005.

ORLANDI, E. P. *Análise de Discurso:* Princípios & Procedimentos. 12. ed. Campinas: Pontes, 2015.

PÊCHEUX, M. *O discurso:* estrutura ou acontecimento. 3. ed. Campinas: Pontes, 2002.

PIMENTA, S. G.; LIMA, M. S. L. *Estágio e docência*. 5. ed. São Paulo: Cortez, 2010.

PIMENTA, S. G. Professor reflexivo: construindo uma crítica. *In:* PIMENTA, S. G.; GHEDIN, E. (org.). *Professor reflexivo no Brasil:* gênese e crítica de um conceito. 4. ed. São Paulo: Cortez, 2006. p. 17-52.

REIS, V. M. S.; VIDEIRA, A. A. John Ziman e a ciência pós-acadêmica: consensibilidade, consesualidade e confiabilidade. *Scientiae Studia*, São Paulo, v. 11, n. 3, p. 583-611, 2013.

SAVIANI, D. *História das ideias pedagógicas no Brasil*. São Paulo: Autores Associados, 2007.

SCHÖN, D. A. Formar professores como profissionais reflexivos. *In*: NÓVOA, A. (Org.). *Os professores e sua formação*. Lisboa: Dom Quixote, 1992. p. 77-91.

UNIVERSIDADE ESTADUAL PAULISTA. Departamento de Física. Faculdade de Ciências. Câmpus de Bauru. *Projeto Político Pedagógico do Curso de Física*, 2013.

VEIGA, I. P. A. Docência como atividade profissional. *In:* VEIGA, I. P. A.; D'ÁVILA, C. M. (Orgs.). *Profissão docente:* novos sentidos, novas perspectivas. Campinas: Papirus, 2008. p. 13-21.

CAPÍTULO 9

UMA ANÁLISE FENOMENOLÓGICA DAS REFLEXÕES DE UMA PROFESSORA DE QUÍMICA SOBRE SUA PRÁTICA PEDAGÓGICA[1]

Adonay de Oliveira Teixeira[2]
Beatriz dos Santos Santana[3]
Bruno Ferreira dos Santos [4]

No extenso debate sobre a formação de professores no Brasil, uma das questões pertinentes é o papel da instituição escolar e sua contribuição para a formação docente (ARAÚJO; SANTOS; MALANCHEN, 2012; NUNES, 2001). De acordo com os especialistas da área, a formação pode ser compreendida como o desenvolvimento ou o crescimento pessoal e profissional do docente, de forma dinâmica e construtiva, a fim de, entre outros objetivos, torná-lo capaz de compreender e solucionar as necessidades dos alunos de forma prática e criativa (ARAÚJO; SANTOS; MALANCHEN, 2012). A pesquisa sobre formação de professores afirma que se trata de algo em permanente movimento, algo não acabado, mas que precisa ser aprimorado constantemente por meio de políticas educacionais.

No que se refere especificamente à formação de professores de Química, os debates também envolvem discussões sobre as estruturas e

---

1 *Esta pesquisa recebeu apoio do Programa Procad/Capes convênio 162.227 (bolsa IC, missão de estudo e missão de docência, etc.).*
2 *Licenciado em Química pela Universidade Estadual do Sudoeste da Bahia, membro do Grupo de Estudos e Pesquisa Ensino de Química e Sociedade (GEPEQS), e-mail: adonay.oteixeira@gmail.com.*
3 *Professora Assistente da Universidade Estadual de Feira de Santana, membro do Grupo de Estudos e Pesquisa Ensino de Química e Sociedade (GEPEQS), e-mail: bssantana@uefs.br*
4 *Professor Pleno da Universidade Estadual do Sudoeste da Bahia, coordenador do Grupo de Estudos e Pesquisa Ensino de Química e Sociedade (GEPEQS, e-mail: bf-santos@uesb.edu.br*

conteúdos dos currículos e o descompasso entre a formação pedagógica e a disciplinar. De acordo com Maldaner (2006), tanto a dissociação entre a teoria e a prática na formação como as dificuldades de cunho pedagógico interferem negativamente na dinâmica da sala de aula. Além disso, tem-se o impacto da complexidade dos processos de ensino e aprendizagem na Química. Essa constatação se verifica tanto pela natureza particular de seu conhecimento, como pelas formas em que essa matéria escolar é ensinada (OLIVEIRA *et al.*, 2020).

Cientes da complexidade e dos desafios do ensino de Química na Educação Básica, concebemos esta pesquisa a partir da ideia de que a reflexão é um movimento necessário para as transformações da prática pedagógica e das dinâmicas em sala de aula. Para isso, o professor precisa estar familiarizado com as condições que promovem essa reflexão. Dessa forma, é importante a inserção da reflexão *na* e *sobre* a prática pedagógica como estratégia para minimizar e/ou superar muitas dificuldades identificadas no processo de ensino-aprendizagem (ALARCÃO, 2010; SCHÖN, 2000; ZEICHNER, 1993, 2008; ZEICHNER; LISTON, 1996). A reflexão, entretanto, não é algo fácil de ser realizado, pois exige competências, comprometimento, conhecimentos diversos e uma formação contínua.

Nessa perspectiva, o presente capítulo se pautou por um processo de reflexão estimulada e por uma abordagem fenomenológica para a constituição e a análise dos dados. Acreditamos que essa abordagem, ainda pouco empregada em pesquisas voltadas à área da educação em Ciências, pode ser utilizada para uma melhor compreensão dos desafios inerentes ao exercício profissional. Além disso, o processo de reflexão estimulada deve permitir aos professores ponderarem sobre suas próprias práticas pedagógicas, podendo resultar em mudanças no modo como esses concebem e exercem a sua docência. Assim, o objetivo principal deste capítulo é *reconstruir, por intermédio de uma investigação de cunho fenomenológico, uma experiência de formação continuada de uma professora de Química acerca de sua própria prática pedagógica vivenciada após um processo de reflexão estimulada.*

A formação dos professores de Química

Historicamente, os cursos de formação de professores passaram por constantes transformações, em um movimento que permitiu que essa formação fosse pensada, repensada, construída e reconstruída ao longo do tempo, de acordo com os contextos socioeconômicos, políticos e culturais de cada período da história do nosso país (SAVIANI, 2009). Esses processos de reforma foram importantes e possibilitaram inúmeros avanços, tanto no campo da prática profissional como no conhecimento sobre a formação docente.

Por muito tempo, a formação inicial foi considerada suficiente para a preparação do docente ao exercício profissional. Todavia, as grandes transformações sociais, científicas e tecnológicas das últimas décadas têm ocasionado e exigido uma série de mudanças no âmbito educacional e, por conseguinte, demandado dos docentes atualização e aperfeiçoamento constantes para atender às novas exigências sociais relacionadas à educação. A escola, como parte integrante da sociedade, é naturalmente afetada pelas transformações sociais ocorridas ao longo dos tempos e tem se tornado a cada dia um ambiente mais complexo, mais desafiador e tomado por contradições, contexto esse que requer do professor uma formação crítica.

Considera-se que os cursos de formação inicial em Química no Brasil são configurados como uma extensão dos cursos de bacharelado. Atrelada a essa concepção, de acordo com Lima e Leite (2018), a partir dos anos 1970, as licenciaturas incorporaram uma forte influência da pedagogia tecnicista tornada hegemônica no sistema educacional do país nesse período. As características bacharelescas e tecnicistas na formação do professor de Química são consideradas a fonte das dificuldades que ele enfrenta em suas práticas de ensino para trabalhar os fundamentos e conceitos dessa disciplina e suas relações com a sociedade.

A partir da segunda metade da década de 1990, tanto a Lei de Diretrizes e Bases (BRASIL, 1996) quanto as Diretrizes Curriculares Nacionais (BRASIL, 2001) apontaram a necessidade de uma formação de professores que possibilitasse o acesso aos conhecimentos no campo da Química de forma sólida e abrangente, ressaltando tanto a importância de uma formação humana, que permitisse a construção de um perfil profissional crítico, alicerçado em componentes éticos, políticos, sociais, tecnológicos, quanto sua relevância no ambiente pedagógico. A ausência desses elementos na formação do professor incide sobre a qualidade de sua formação, impondo limitações e lacunas que o profissional terá que buscar corrigir com a formação continuada para não impactar a qualidade do seu ensino.

Todavia, no exercício da profissão, os professores percebem que, mesmo tendo sido apresentados a teorias e conceitos imprescindíveis da sua área de formação, é no chão da sala de aula e na relação entre o ensino e a aprendizagem dos estudantes que os desafios da docência aparecem. Nessa perspectiva, Tomelin e Rausch (2022) discutem a importância da formação permanente de professores como uma necessidade ao desenvolvimento profissional docente e ao aperfeiçoamento de sua prática pedagógica. A formação docente, compreendida de uma forma mais ampla, não se constitui apenas dos conhecimentos adquiridos no decorrer da formação acadêmica, pois se trata, sobretudo, de um processo gradual decorrente de experiências e processos (BRAGA, 2015).

Conforme relatamos até aqui, muitos são os elementos necessários à formação do professor de Química, foco da nossa discussão, de forma que esse profissional consiga realizar seu trabalho com qualidade. Nessa perspectiva, é fundamental que seja propiciado a todos os professores o acesso a políticas de formação continuada que os ajudem a superar os diferentes desafios que se apresentem durante sua carreira (HUBERMAN, 1995 *apud* MORICONI, 2017).

Práticas docentes e processos de reflexão

Os conceitos de prática reflexiva e professor reflexivo vêm sendo discutidos por diferentes autores (ALARCÃO, 2010; LIBÂNEO, 2002; PIMENTA; GHEDIN, 2002; SCHÖN, 2000), e essas discussões têm fundamentado debates no campo de formação de professores (FAGUNDES, 2016; FREIRE; FERNANDEZ, 2015; JANERINE; QUADROS, 2021). Nessa perspectiva, a reflexão é entendida como um ato essencial para o desenvolvimento profissional e para a construção de novos conhecimentos pelos docentes e pesquisadores.

De acordo com Pimenta (2002), o conceito de *professor reflexivo* começa a ganhar espaço no campo educacional a partir da década de 1990, em um contexto marcado por oposições ao modelo de formação pautado na racionalidade técnica. Pimenta (2002) destaca que Donald Schön apresenta uma grande contribuição para esse cenário ao valorizar a prática profissional como um espaço fértil para que a reflexão aconteça. Schön (2000) defende a noção de uma *prática refletida* que possibilite o desenvolvimento de um profissional criativo para atuar em situações únicas e incertas decorrentes do exercício prático da profissão. Assim, por meio da noção de *talento artístico profissional*, o autor busca discutir as relações entre a reflexão e a ação.

Segundo Alarcão (2010), os métodos utilizados para tornar os professores críticos e protagonistas em seu campo de profissão envolvem questões que buscam solucionar problemas rotineiros e, ao mesmo tempo, visualizar um âmbito maior: o papel da escola dentro da sociedade. Ghedin (2002), por sua vez, enfatiza que em uma perspectiva crítica, a reflexão não pode ser vista dissociada de um contexto histórico, político e social. Esses contextos representam espaços de disputas de diferentes valores e interesses. Sendo assim, os professores não podem, "nas suas reflexões e ações, deixar de levar em consideração tal contexto como condicionante de sua própria prática" (GHEDIN, 2002, p. 136). A importância de refletir sobre a prática pedagógica também está relacionada com a atitude dos professores em reconhecer a necessidade de mudança. Nesse sentido, um professor reflexivo busca sair de sua zona de conforto com o intuito de visualizar os condicionantes intrínsecos à sua prática pedagógica.

Há diferentes maneiras de se engajar em práticas reflexivas. Rumenapp (2016) nos adverte que professores que se engajam em práticas reflexivas, como as que examinam e analisam o discurso de sala de aula, são capazes de desafiar suas próprias representações reificadas dos estudantes e compreender suas posições discursivas tomadas no curso das interações em sala de aula. Ambos os elementos acarretam profundas implicações para a instrução, posto que ver os estudantes de novas maneiras pode induzir à introdução de mudanças em decisões didático-pedagógicas.

No caso da formação continuada, também podemos utilizar a reflexão estimulada, que proporciona um percurso construtivo de saberes educacionais indispensáveis aos professores, na medida em que permite o reconhecimento de estratégias que vão além dos métodos tradicionais e do aprimoramento de suas práticas pedagógicas. Acreditamos também que a reflexão estimulada seja crucial para se trabalhar a subjetividade dos professores envolvidos nesse processo (SÁ FILHO *et al.*, 2018).

Subjetividade e fenomenologia

A fenomenologia foi originalmente proposta pelo filósofo e matemático Edmund Husserl e está diretamente relacionada ao conceito de fenômeno, podendo ser definido como "aquilo que aparece ou se manifesta". Para a fenomenologia, todo conhecimento sucede a partir de como a consciência do ser humano interpreta os fenômenos que experencia (COSTA, 2014; HUSSERL, 2008; LIMA, 2015; SILVA, 2010; SILVA; LOPES; DINIZ, 2008). Dessa forma, como uma abordagem de pesquisa fundamentada no conhecimento dos fenômenos da consciência, a fenomenologia possibilitaria ao pesquisador investigar as situações vividas e acessar o mundo subjetivo dos sujeitos investigados.

Husserl propôs para o método fenomenológico uma análise compreensiva da consciência, considerando que as vivências do mundo se sucedem nela e por ela. Para esse filósofo, o mundo é compreendido a partir da forma em que ele se manifesta para a consciência humana, e a consciência é a responsável por dar sentido às coisas (MARTINS; BICUDO, 2006; FEIJOO; MATTAR, 2014; SILVA, 2010). Daí decorre a famosa máxima fenomenológica: "Toda a consciência é consciência de algo" (HUSSERL, 2008, p. 18).

Na abordagem fenomenológica, os dados absolutos apreendidos por intuição pura têm o propósito de revelar as estruturas essenciais dos atos (*noesis*), ou seja, o mundo transcendente tal qual ele nos é dado (o ato de perceber). Por sua vez, aquilo que é percebido como o objeto de percepção (*noema*) se torna o aspecto subjetivo da vivência. Segundo Husserl, a proposta do método fenomenológico é observarmos o mundo como se fosse pela primeira vez, pois a forma que acumulamos conceitos ao longo da vida vem a "obscurecer" nossa maneira de apreender as coisas (COSTA, 2014; HUSSERL, 2008; SANTOS, 2010; SILVA, 2010).

O método husserliano de investigação inclui a redução fenomenológica (*epoché*). Na filosofia antiga, o termo grego *epoché* significava para os antigos céticos a "suspensão" do juízo a respeito das coisas. Adotamos assim a *epoché* husserliana, uma suspensão momentânea de todo conhecimento que temos em relação às coisas do mundo, ou seja, um movimento pelo qual tudo que é percebido pelos sentidos é mudado em uma experiência de consciência (considerando apenas o conhecimento em si mesmo e a sua estrutura essencial), deixando de lado todos os preconceitos, teorias, fantasias, atos, relações e definições utilizados para se conferir sentido às coisas (COSTA, 2014; HUSSERL, 2008; SANTOS, 2010; SILVA, 2010).

Este capítulo tem como base o método fenomenológico, visando à organização das descrições nas falas dos sujeitos, que são os dados da pesquisa (COSTA, 2014; HUSSERL, 2008; LIMA, 2015; SILVA, 2010; SILVA; LOPES; DINIZ, 2008). Adotamos também a abordagem fenomenológica de pesquisa, buscando identificar a vivência do processo de reflexão da professora com base na entrevista realizada. Assim, na próxima seção, apresentaremos os caminhos metodológicos percorridos.

Caminhos metodológicos

A pesquisa que dá origem a este capítulo foi motivada a partir de um projeto desenvolvido pelo Grupo de Estudos e Pesquisa Ensino de Química e Sociedade (GEPEQS), entre os anos de 2014 e 2015. Dividida em duas etapas, em seu primeiro momento, a pesquisa envolveu a observação e a caracterização da prática pedagógica de uma professora de Química em sua atuação no Ensino Médio. Em um segundo momento, uma intervenção foi planejada e realizada, na qual essa professora, partindo do exercício de reflexão estimulada, tentou modificar sua prática, buscando desenvolver, com os alunos dela, interações discursivas que favorecessem tipos de intercâmbios não observados anteriormente.

No primeiro momento da pesquisa, a caracterização da prática pedagógica evidenciou que a professora fazia muitas perguntas com baixa demanda cognitiva, e também imprimia um ritmo tão veloz durante essas interações que não concedia tempo para que os alunos as respondessem. Para a intervenção, solicitamos a ela que procurasse diminuir o ritmo de sua prática, de modo a permitir que os alunos pudessem responder às suas perguntas e, ao mesmo tempo, que ela elaborasse perguntas de maior demanda cognitiva. As práticas pedagógicas nos dois momentos da pesquisa foram caracterizadas por meio da tipologia de Hugh Mehan (1979), empregada na classificação dos tipos de iniciação elaborados pela professora (MELO *et al.* 2017; TEIXEIRA *et al.*, 2016; TEIXEIRA; MARTINS; SANTOS, 2017). Por meio dessa classificação e de sua comparação entre os dois momentos da pesquisa, foi possível caracterizar a frequência e a demanda cognitiva das perguntas. Também estimamos e comparamos o tempo disponibilizado pela professora para as respostas dos alunos. Consideramos que a participação na pesquisa proporcionou a ela uma experiência de reflexão estimulada.

Dando continuidade à pesquisa, surgiu a ideia de investigar de que forma as experiências vivenciadas pela professora durante a intervenção impactaram em seu desenvolvimento profissional. Esclarecemos que baseamos este estudo em uma abordagem fenomenológica de pesquisa, de forma a explorar aspectos da subjetividade da professora e, assim, compreender os sentidos que foram desencadeados a partir de sua experiência ao longo da pesquisa.

A Figura 1 apresenta, na forma de um fluxograma, as etapas da pesquisa desenvolvida sobre a prática pedagógica da professora.

Figura 1 – Fluxograma da metodologia empregada

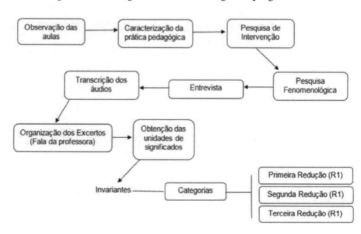

Fonte: Autoral.

A professora participante

A professora participante da pesquisa concluiu, no ano de 2002, o curso de Licenciatura em Ciências com habilitação em Química pela Universidade Estadual do Sudoeste da Bahia, câmpus de Jequié. Ela foi aprovada como efetiva em um concurso público do Estado da Bahia em 2005. Quando nomeada, a professora assumiu uma carga horária de 40 horas semanais no colégio onde ocorreu a pesquisa[5], no qual já atuava como professora substituta desde o ano de 2003. Ela disse que, nesse período, teve oportunidade de participar de cursos de qualificação e experienciar atividades pedagógicas e administrativas da escola, vivenciando diferentes aspectos do ambiente escolar (MELO, 2016). Em março de 2008, ela assumiu concomitantemente a coordenação de área de Ciências da Natureza e suas Tecnologias e a Vice-direção dessa unidade escolar. Em 2016, ano seguinte ao fim da etapa de intervenção realizada nesta pesquisa, ela ingressou no Mestrado em Educação Científica pela mesma universidade em que se graduou como licenciada (MELO, 2016). No período da entrevista, realizada no ano de 2017, a professora relatou ter uma carga horária de aulas de 40 horas semanais, distribuídas em 20 horas no período matutino e 20 horas no noturno. Suas atribuições incluíam 13 aulas à noite e quatro pela manhã, totalizando 17 aulas por semana, e mais 20 horas de Vice-direção.

A construção dos dados

Os dados para esta pesquisa foram obtidos por intermédio de uma entrevista fenomenológica, modalidade constituída por perguntas pré-definidas como questões abertas e organizadas sob a forma de um roteiro (RANIERI; BARREIRA, 2010). Nesse tipo de entrevista, procura-se oferecer "uma questão que abra possibilidade para um fluir livre do relato, permitindo ao fenômeno se mostrar tal como é, na sua própria linguagem, sem se direcionar pelos pressupostos do pesquisador" (GRAÇAS, 2000, p. 29). Segundo Graças (2000), o caminho percorrido pelo pesquisador segue ao encontro de depoimentos ingênuos do sujeito, para que seja espontâneo em suas falas, sem prévias reflexões ou interpretações das experiências

---

5 A escola onde a pesquisa foi realizada está situada em bairro periférico da cidade, sendo considerada uma unidade de médio porte, e atende uma população estudantil de origem urbana e rural no Ensino Médio regular e na EJA, predominantemente das classes populares.

relatadas por ele. Para o registro da entrevista, foi utilizada uma câmera de vídeo cujo áudio foi transcrito para a coleta e análise dos dados. A entrevista foi feita em uma sala onde somente estavam presentes o pesquisador e a professora, e o roteiro procurou explorar a vivência dela na escola e em sua participação na pesquisa. O tempo de duração da entrevista foi de 53 minutos. De início, foi realizado um breve diálogo para que a professora se sentisse à vontade e respondesse às perguntas da forma mais espontânea possível.

Análise dos dados

A análise dos dados acompanhou o protocolo analítico do método fenomenológico. Essa análise começou com a leitura das descrições que detalhavam os acontecimentos por meio de características e afirmações significativas no contexto em que se deu a entrevista, produzindo os excertos e, posteriormente, a identificação das unidades de significados. Segundo Bicudo (2011), o procedimento de análise das descrições abrange dois modos: a análise ideográfica e a análise nomotética. Ambas fazem reduções sucessivas, indo em direção às sínteses mais abrangentes do dito e interpretado, buscando as estruturas das experiências vividas que revelam o modo do ser do fenômeno investigado. As reduções na pesquisa são necessárias para se obter os invariantes e as categorias. A ideia central em cada redução tem como finalidade a compreensão dos significados atribuídos às descrições pelo participante.

Análise ideográfica

A análise teve início com a leitura atenta da entrevista por algumas vezes, de forma que o pesquisador pudesse organizar as descrições por excertos, que representam os conjuntos de fragmentos textuais com significados semelhantes. Segundo Graças (2000), com base nessas leituras, o pesquisador vai identificando os fragmentos que começam a dar sentido à sua pesquisa, de forma espontânea, e daí surgem as unidades de significados, revelando o pensar do participante da pesquisa sobre sua experiência vivida. Em seguida, as unidades de significado e os excertos são organizados em um quadro (BICUDO, 2011; SUART JÚNIOR, 2016) e, logo depois, foram realizadas as reduções. Cada uma das reduções tem como finalidade a compreensão dos significados atribuídos às descrições. As análises mencionadas têm as funções de compreensão e entendimento sobre vários aspectos relacionados à vivência do sujeito a partir de sua experiência. Após a análise ideográfica, iniciou-se a análise nomotética.

Análise nomotética

Buscaram-se, na análise nomotética, características individuais interpretadas a partir da análise ideográfica, com as quais o pesquisador tem a possibilidade de formar as categorias abertas, possibilitando sair do específico para o geral. Dessa forma, o pesquisador organiza os dados em um quadro normativo, buscando validar, por meio da análise, as divergências, as convergências e as individualidades descritas pelo participante (LIMA, 2016). Segundo Lima (2016), as reduções fenomenológicas possibilitam analisar as essências encontradas na descrição do sujeito, e são analisadas para obter as convergências, divergências e individualidades. "Assim, chega-se então aos conjuntos de essências que caracterizam a estrutura do fenômeno" (ZULIANI, 2006, p. 84).

Resultados e discussão

Para a investigação do tema apresentado, os resultados obtidos foram expostos por meio da análise ideográfica e da nomotética. A partir das leituras da transcrição da entrevista, foram destacados 50 excertos e, consequentemente, 50 unidades de significados, levando-se em consideração a ótica dos pesquisadores. As unidades de significados foram, em seguida, agrupadas em 11 categorias iniciais. As categorias identificadas na análise ideográfica representam as invariantes de primeira redução descritas na análise nomotética. Com a identificação das 11 invariantes na primeira redução, fizemos os dois outros movimentos redutores, os quais resultaram, primeiramente, em quatro invariantes de segunda redução: "Prática pedagógica intuitiva", "Desmotivação na prática", "Mudança reflexiva" e "Prática reflexiva". Finalmente, por meio de uma terceira redução, foram identificadas duas invariantes finais, as quais serão abordadas como as categorias abertas "Prática" e "Reflexão", ambas fundamentais e que serão discutidas neste capítulo. Os resultados dessas análises são apresentados no Quadro 1.

Quadro 1 – Análise nomotética – categorias abertas e invariantes advindos das unidades de significados

n.º	Categorias	n.º	Invariante da segunda redução	n.º	Invariante da primeira redução
3R.1	Prática	2R.1	Prática pedagógica intuitiva	1R.1	A falta de conhecimento de interações discursivas
				1R.2	Dificuldade para inserção de uma prática pedagógica nova (reflexiva)
				1R.3	Prática irrefletida
		2R.2	Desmotivação na prática	1R.4	A mudança na prática cria dúvidas no cotidiano educacional
				1R.5	Falta de estímulo e dificuldade em aplicar o novo
3R.2	Reflexão	2R.3	Mudança reflexiva	1R.6	A professora se permite mudar sua prática pedagógica
				1R.7	A reflexão estimula o aprendizado contínuo
				1R.8	A importância da intervenção
		2R.4	Prática reflexiva	1R.9	Reflexão para mudança na prática pedagógica
				1R.10	Reconhecia que a prática antiga tinha caráter tradicional
				1R.11	Reflexão entre a prática antiga e a prática nova

Fonte: autoral.

Como forma de organizar as experiências da professora por meio da análise fenomenológica de sua entrevista, identificamos dois padrões temáticos: *Formação da professora e os condicionantes da sua prática pedagógica* e *Vivência da professora e sua reflexão como profissional*. Utilizamos as invariantes de segunda redução encontradas na análise nomotética e os excertos da fala da professora, respectivamente, para a estruturação e a discussão que apresentamos a seguir.

Formação da professora e os condicionantes da sua prática pedagógica

Os padrões de interações discursivas nas aulas foram o objeto da intervenção nos primeiros momentos da pesquisa que deu origem a este capítulo. Nesse sentido, verificamos que o emprego da intuição durante o exercício da prática pedagógica no cotidiano da professora estava vinculado à falta de conhecimento sobre as interações discursivas e à dificuldade para configurar uma nova prática, traduzida na execução de uma prática irrefletida. Somado a isso, a professora reconheceu também a falta de estímulo para desenvolver métodos de ensino inovadores, além do surgimento de dúvidas sobre como introduzir inovações em sua prática educacional, aspectos esses que repercutiram na desmotivação relatada por ela.

Prática pedagógica intuitiva

As interações discursivas são fundamentais aos processos de ensino e aprendizagem em Ciências, pois promovem o diálogo entre professores e alunos e a subsequente produção de significados que permite a construção do conhecimento científico. Segundo Mortimer e Scott (2002), no processo de ensino de Ciências, é fundamental que ocorram interações entre professor e aluno por meio do intercâmbio de ideias, visto que isso estimula a interpretação dos fenômenos e objetos do mundo da experiência por parte dos alunos. As interações, portanto, contribuem para a produção de significados na construção do conhecimento científico. Em seu relato, a professora reconheceu que a falta de conhecimento sobre as interações discursivas dificultava sua compreensão para colocar em prática o que foi proposto pela intervenção:

> *No primeiro contato, assim, eu não entendi muito bem do que se tratava, porque, para falar a verdade, nunca tinha ouvido falar em interações discursivas.*

Observando o período da formação inicial da professora (1998-2002), notamos que ele coincide com o ano de publicação de um dos primeiros artigos sobre interações discursivas no ensino de Ciências no Brasil: "Atividade discursiva nas salas de aula de Ciências: uma ferramenta sociocultural para analisar e planejar o ensino" (MORTIMER; SCOTT, 2002). Portanto, o desconhecimento dela a respeito está relacionado ao fato de ser relativamente recente na pesquisa em educação científica o destaque dado à linguagem e às interações discursivas.

Além disso, Plakitsi, Piliouras e Efthimiou (2017) acrescentam que a maioria dos professores não está familiarizada com os princípios socioculturais da aprendizagem. As formas deles atuarem são muito mais semelhantes à de transmissores de conhecimento do que de facilitadores ou mediadores, além de serem pouquíssimo abertos ao diálogo em sala de aula. Consequentemente, as práticas discursivas dos professores de Ciências estão, na maioria das vezes, na direção oposta àquela recomendada pela perspectiva sociocultural. A professora descreveu assim sua dificuldade com as questões discursivas:

> *[...] eu preparava tudo, a aula, tudo do mesmo jeito como eu sempre fazia, por mais que eu sentasse e dissesse: não, dessa vez eu vou fazer assim, assim e assim, para ver se eu consigo melhorar o diálogo na sala de aula, se eu dou mais espaço para os alunos do meio para fim do meu planejamento, eu estava fazendo sempre as mesmas coisas que eu fazia antes.*

Esse impasse parece reproduzir o que argumentam Moraes, Gomes e Gouveia (2015), de que, em um cenário de práticas pedagógicas mecânicas repetitivas e reprodutoras, há pouco espaço para ações e experiências que sigam caminhos inovadores. Em outro momento, a professora relatou que:

> *[...] eu tive um problema, porque, assim, primeiro é aquela questão que eu falei, eu era negligente em relação a essa questão, em relação ao meu trabalho em sala de aula. Era, é muito mecânico, não sei se por conta das turmas, ou se por causa do perfil das turmas, a gente acaba ficando muito mecânico [...].*

Para Martins (2006), o ensino transmitido de uma forma mecânica pouco contribui para um ensino de qualidade. Trata-se de um método tradicional, voltado à transmissão de conteúdo, contribuindo para práticas irrefletidas, as quais, de acordo com Steiner e Malnic (2006), acarretam o desinteresse dos alunos ao não promoverem voos em sua imaginação. A professora assumiu que não foi uma tarefa fácil modificar sua prática pedagógica, uma vez que ela ficou muito tempo ministrando suas aulas de uma forma "mecânica". O ensino mecanizado está relacionado à rotina a que os professores estão submetidos dentro das escolas, em um cenário que induz à repetição e à automação. Segundo Tardif e Lessard (2014), nesse trabalho, a rotina dos professores segue um ciclo contínuo, uniforme e repetitivo, que se encontra condicionado a processos de preparação, aulas e avaliação.

Diante desse cenário, constatamos que a formação inicial também concorreu para essa prática mecânica, visto que, no processo formativo da professora, a ausência de discussões envolvendo as metodologias educacionais resultou em sua prática intuitiva. Dessa forma, sua prática era baseada no senso comum pedagógico, adquirido no contato com seus pares de exercício da profissão e também na condição de aluna da graduação. Essa prática pedagógica intuitiva pode estar associada à noção de *conhecimento na ação* proposta por Schön (2000). Segundo Pimenta (2002, p. 20), o conhecimento na ação "é mobilizado pelos profissionais no seu dia a dia, configurando um hábito. No entanto, esse conhecimento não é suficiente", visto que, na prática, há também situações atípicas e particulares.

Schön (2000) afirma que o modelo de formação pautado na racionalidade técnica fornece artifícios para os profissionais solucionarem problemas instrumentais bem estabelecidos. Entretanto, no exercício da prática profissional, podem surgir situações que fujam a esse "repertório" de técnicas, característica que evidenciam a limitação desse modelo de formação. Segundo Pimenta (2002), é na prática que muitas demandas profissionais se manifestam. Assim, a autora defende a ideia de uma formação contínua, presente ao longo do exercício profissional docente.

Desmotivação na prática

A desmotivação pela profissão docente, problema recorrente em nosso tempo, é influenciada por vários fatores do ambiente educacional. Segundo Moura *et al.* (2019), as péssimas condições de trabalho, as sobrecargas, a precarização, os salários defasados e indignos causam um sentimento de frustração e desvalorização, assim como a não efetivação de políticas públicas que poderiam melhorar as condições de trabalho dos professores. Ressaltamos que a professora da pesquisa atuava somente em uma escola, tendo sua carga horária com dedicação exclusiva em um mesmo local de trabalho, sem precisar se deslocar para outros colégios. Compreendemos essa particularidade como um aspecto positivo para o seu desenvolvimento profissional, pois sua aproximação com os alunos pôde ser mais intensa se, em vez disso, ela atuasse em mais de uma escola. Moura *et al.* (2019)

afirmam, entretanto, que os profissionais podem se sentir em uma posição de desqualificação dentro das escolas e, certamente, também podem sofrer algum adoecimento mental. Logo, a fuga da rotina se torna muitas vezes um mecanismo de autoproteção para eles. Nesse sentido, a professora revelou que:

> [...] então, nesse período, no final de 2012 a 2013-2014, eu pensei por várias vezes sair da educação, tanto foi que eu assumi uma coordenação, já pra sair 20 horas da sala de aula, dava graças a Deus os dias que eu não tinha aula [...]

Posto isso, essa fala nos permite inferir que ela se sentia saturada e insatisfeita com a rotina à qual estava submetida, de modo que o ambiente de sala de aula já não era mais atrativo. Diante disso, ela percebeu uma nova função, ainda no ambiente educacional, como uma possibilidade de atenuar o desgaste acumulado ao longo de sua carreira como educadora. Contudo, isso nem sempre se lhe revelou algo positivo:

> [...] esse desligamento que eu estava tendo com meus alunos era terrível, isso machuca eles e machuca a gente, porque eu não sei explicar, eu perdi o sentido, e quando você faz uma coisa sem sentido é incrível como aquilo é um peso pra você [...].

Sua imersão no projeto de pesquisa lhe permitiria fazer algo diferente. Mas isso também causou dor e angústia. Vejamos:

> Mas, assim, foi um tormento, eu me lembro que eu passei umas boas noites sem dormir, para saber se realmente era aquilo ou não. Medo de chegar lá e na verdade só ter mudado a aparência, mas não a essência.

Em outras palavras, mudar as estratégias para inovar a prática não é uma tarefa fácil, e a mudança será gradativa. Dessa forma, resultados imediatos são provisórios, mas os pontos positivos podem começar a surgir com a constância em buscar sempre a melhor versão para o seu trabalho.

Mudança reflexiva

A prática reflexiva proporciona ao educador um olhar crítico sobre suas necessidades individuais, dando a ele a possibilidade de desenvolver novos raciocínios, novas formas de pensar, compreender e atuar que refletirão no coletivo dos alunos (FONTANA; FÁVERO, 2013). A experiência de refletir sobre a própria prática permitiu que a professora imprimisse rumos diferentes a seu ensino. A reflexão, por sua vez, estimulou o aprendizado contínuo, que ela reconheceu ser decorrente da intervenção realizada. Consequentemente, suas reflexões a levaram a reconhecer que sua prática tinha um caráter mais tradicional, por meio da comparação entre a prática antiga e aquela desenvolvida durante a intervenção. A formação pela pesquisa e pela reflexão também a fizeram reconhecer o que lhe acontecia, o que a transcendia:

> Quando eu voltei para universidade, a convite do grupo de estudo, que eu comecei a fazer umas leituras, eu comecei a perceber que o que eu pensei que só aconteceu comigo, aconteceu com outras pessoas, estava descrito em trabalhos, em textos, em leituras e isso continua acontecendo [...]

Para Zeichner e Liston (1996), a reflexão se aproxima de habilidades e estratégias que possibilitam ao professor reconstruir sua prática, de forma introspectiva e avaliadora do seu pensar como atuante profissional, possibilitando a ele refletir sobre os problemas encontrados no cotidiano educacional. Sob esse aspecto, compreendemos que o professor deve estar em constante busca por novos conhecimentos, para que, assim, seja possível aprimorar a sua prática pedagógica. Isso é perceptível quando a professora retrata que:

> Então eu fui procurar outras coisas além do livro didático, que é o que a gente acaba pegando para trabalhar, para ler e estudar. O medo de alguém me perguntar alguma coisa que eu não sabia, que eu não ia saber responder e ia dizer: vixe, não sei responder agora! E ter que ir lá procurar; então eu me peguei pesquisando mais sobre o assunto para aula, foi a coisa que me chamou atenção.

A professora reconheceu que, para inovar em sua prática pedagógica, precisava de novos conhecimentos, tanto os específicos da disciplina, como também de conhecimentos pedagógicos. Dessa forma, a preparação das aulas e a execução delas levaram a docente a reconhecer a importância de sua atualização por meios de leituras e estudos. Portanto, um professor reflexivo segue um percurso tanto de aprimoramento pessoal quanto profissional. Em seu relato, a professora afirmou o quanto a experiência dela foi rica e libertadora ao promover um percurso isento das antigas preocupações:

> [...] acho que foi rico novamente porque não houve essa preocupação com o controle, foi um processo de caminhar, no qual eu caminhei.

Em seu relato, a docente transpareceu satisfação com os rumos que suas aulas haviam adquirido, refletindo sobre a própria prática de uma forma enriquecedora e produtiva. Ela acrescentou que nem sempre o controle trouxe o resultado esperado, mas a interação conduziu o conhecimento por novos horizontes, possibilitando uma expansão do ensino e da aprendizagem.

Prática reflexiva

Segundo a professora, em seu processo formativo, ela foi:

> [...] aprendendo a fazer o que eu fazia olhando os outros, copiando o que os outros faziam, adaptando com alguns bons exemplos que eu tive dentro da universidade, e fui lá, meio que me construindo enquanto professora, e isso me foi suficiente durante muito tempo, só que assim, a cada período, a cada oito anos, a gente tem uma nova geração que ingressa na escola, então os alunos que eu peguei no meu início de carreira, eles tinham um perfil, os alunos que eu tenho hoje na minha realidade, eles têm outro tipo de perfil, e eu estava trabalhando do mesmo jeito do meu início de carreira.

A construção dela como docente foi o resultado de um processo formativo baseado na observação das práticas pedagógicas dos seus antigos professores. Como afirmam Quadros *et al.* (2005), isso acontece pelo fato de os licenciandos terem em sua memória as qualidades desses professores. No entanto, essa formação ambiental parece não ter sido capaz de sustentar os processos de reflexão que promovessem a revisão de seu atuar docente. Ao contrário, como vimos, ela levou à repetição irrefletida, trazendo um custo para a docente na forma de desmotivação e desalento, a ponto de levá-la a pensar em desistir da carreira. As reflexões que a professora fez durante o período da pesquisa permitiram que ela pudesse se autoavaliar, buscando se reconstruir e se engajar em práticas pedagógicas mais criativas. Isso possibilitou a ela reconhecer que o ensino capaz de mobilizar os alunos exige domínio, criatividade e autonomia. A professora reconheceu que o refletir sobre sua prática discursiva a partir dos conhecimentos pedagógicos adquiridos por meio dos estudos realizados com o grupo de pesquisa foi um percurso que oportunizou maior interação entre ela e seus alunos, de modo que eles também puderam elaborar novas ideias sobre o conteúdo ensinado. É possível observar isso no episódio do Quadro 2, em que a professora aproximou o conteúdo químico de questões sociais.

Quadro 2 – Fragmentos de um diálogo da professora com seus alunos

Locutor	Transcrição	Tipo de Iniciação
Professora	Se eu perguntar pra vocês onde vocês usam o plástico, vocês usam onde?	Produto
Aluno	No filtro, na pia, é claro, na cadeira, na roupa.	
Professora	Mas vocês tinham se atentado pra isso antes?	Escolha
Aluno	Não!	
Aluno	Ou seja, tem muito plástico, que é muito resistente; a gente usa em menos de cinco segundos e descarta, e a gente joga no meio ambiente: leva anos pra se degradar.	
Professora	Quanto tempo?	Produto
Aluno	Cinco anos... é muito mais tempo! Não poderia ser um plástico biodegradável.	

Fonte: Melo (2016, p. 32)

Segundo Melo (2016, p. 32), quando a professora trabalhou o conteúdo químico polímeros, aproximando-o de questões sociais, houve uma maior participação dos alunos, de forma que, aos questionamentos feitos pela professora sobre os plásticos (*Mas vocês tinham se atentado pra isso antes?*), os alunos responderam refletindo sobre os impactos que eles geram no meio ambiente (*tem muito plástico, que é muito resistente; a gente usa em menos de cinco segundos e descarta, e a gente joga no meio ambiente: leva anos pra se degradar*).

Além disso, a professora reconheceu que inovar práticas de forma a acompanhar as novas gerações de estudantes é um objetivo para se alcançar novos meios para a aprendizagem. Nessa perspectiva, uma das características desejável para um professor reflexivo é a incessante curiosidade do docente, mantendo-se aberto para aprender constantemente. Freire (1996, p. 18) descreve que, "na formação permanente dos professores, o momento fundamental é o da reflexão crítica sobre a prática. É pensando criticamente a prática de hoje ou de ontem que se pode melhorar a próxima prática". Em seu relato, a professora acrescentou que:

> *Então, eu acho que eu não entro em uma sala de aula do mesmo jeito, eu acho e eu sei disso, porque a gente terminou o projeto, e acho que tive mais umas duas semanas de aula, e aí eu não entrei mais na sala do mesmo jeito; então aquela coisa de entrar, bom dia, boa tarde, hoje a gente vai ver, iremos fazer, e vai acontecer... Parece uma coisa tola e simples, mas era dessa forma que eu agia. Nas últimas aulas que eu tive com a turma, já não foi assim, eles já chegavam dispostos a me ouvir e eu também já chegava disposta a ouvi-los [...]*

Segundo Melo (2016), a professora reconheceu que a intervenção foi importante para a construção de uma prática pedagógica promissora, fomentando a realização de aulas mais elaboradas. A experiência com a pesquisa permitiu a ela analisar suas aulas de uma forma crítica, buscando novas características para sua prática.

Considerações finais

A partir da investigação realizada, foi possível recuperar a vivência da professora de Química participante desta pesquisa com base em suas reflexões sobre suas práticas pedagógicas em sala de aula. Consideramos que, nesse processo, a professora pôde reavaliar e reconstruir suas concepções como docente, por meio da reflexão estimulada. O uso do método fenomenológico nos permitiu, como pesquisadores, ter acesso a suas reflexões e a recuperar a estrutura da experiência vivida. Forghieri (1993) afirma que, sem produção de significados, as situações vividas por um sujeito passam despercebidas, mas, a partir da fenomenologia, essas situações adquirem sentidos, pois as experiências vividas ganham um entendimento. Este capítulo pretende contribuir com as pesquisas em educação em Ciências que usam a abordagem fenomenológica, buscando compreender melhor os processos de formação de professores de Ciências, especialmente aqueles submetidos a rotinas educacionais que resistem às mudanças.

A reflexão estimulada realizada pela professora a partir de sua experiência na pesquisa de intervenção cumpriu um papel formador ao direcionar o olhar dela para sua ação como educadora e profissional. A inclusão dessa reflexão nesta pesquisa pode ser considerada positiva, devendo ser estimulada no campo pedagógico da formação de professores. Reafirmamos a ideia de que formar professores preparados para as atuais demandas educacionais requer a formação de um profissional crítico e reflexivo. Nesse sentido, entendemos a formação docente como um processo contínuo e não se encerra na formação inicial. Assim, ressaltamos a importância da prática reflexiva como um mecanismo para que o professor possa modificar de modo fundamentado a própria prática pedagógica.

Agradecimentos

À Profa. Dra. Sílvia Regina Zuliani, pela sugestão desta pesquisa durante a missão de estudos de Adonay de O. Teixeira na Faculdade de Ciências, câmpus Bauru, Unesp.

Referências

ALARCÃO, Isabel. *Professores reflexivos em uma escola reflexiva*. 7. ed. São Paulo: Cortez, 2010.

ARAÚJO, Roberta Negrão de; SANTOS, Silvia Alves dos; MALANCHEN, Julia. Formação de professores: diferentes enfoques e algumas contradições. *In*: SEMINÁRIO DE PESQUISA EM EDUCAÇÃO DA REGIÃO SUL, 9.,

Caxias do Sul, 2012. *Anais [...].* Caxias do Sul: UCS, 2012. p. 1-14. Disponível em: http://www.ucs.br/etc/conferencias/index.php/anpedsul/9anpedsul/paper/viewFile/1101/570. Acesso em: 20 maio 2020.

BICUDO, Maria Aparecida Viggiani. A pesquisa qualitativa fenomenológica: interrogação, descrição e modalidades de análise. *In*: BICUDO, Maria Aparecida Viggiani (org.) *Pesquisa qualitativa segundo a visão fenomenológica.* São Paulo: Cortez, 2011, p. 53-74.

BRAGA, Jacqueline. Estágio supervisionado no programa de formação de professores: Tensões e reflexões. *Revista Eletrônica de Educação*, Cruz das Almas, v. 9, n. 1, p. 251-261, 2015. Disponível em: https://www.reveduc.ufscar.br/index.php/reveduc/article/view/1073/392. Acesso em: 17 maio 2023.

BRASIL. CNE/CES n.º 1.303/2001, de 6 de novembro 2001. Diretrizes Curriculares Nacionais para os Cursos de Química, Bacharelado e Licenciatura Plena. *Diário Oficial da República Federativa do Brasil*, Brasília, Seção 1, p. 25. 6 de set. 2001.

BRASIL. LDB 9394/1996, de 20 de dezembro de 1996. Lei de Diretrizes e Bases da Educação Nacional. *Diário Oficial da República Federativa do Brasil*, Brasília, 23 dez. 1996.

COSTA, António. Fenomenologia e subjetividade. Análise fenomenológica do conhecimento: representacionismo versus antirrepresentacionismo. *Revista Estudos Filosóficos*, São João Del Rei, n. 13, p. 34-54, 2014. Disponível em: http://www.seer.ufsj.edu.br/estudosfilosoficos/article/view/2119. Acesso em: 15 jul. 2020.

FAGUNDES, Tatiana Bezerra. Os conceitos de professor pesquisador e professor reflexivo: perspectivas do trabalho docente. *Revista Brasileira de Educação*. Rio de Janeiro, v. 21, n. 65, p. 281-298, 2016. Disponível em: https://www.scielo.br/j/rbedu/a/RmXYydFLRBqmvYtK5vNGVCq/?format=pdf. Acesso em: 18 maio 2023.

FEIJOO, Ana Maria Lopez Calvo; MATTAR, Cristine Monteiro. A Fenomenologia como método de investigação nas filosofias da existência e na Psicologia. *Revista Psicologia: Teoria e Pesquisa*, Brasília, v. 30, n. 4, p. 441-447, 2014. Disponível em: https://www.scielo.br/j/ptp/a/YPGVfdBZzVfsgXYKQtHyYcN/abstract/?lang=pt. Acesso em: 20 maio 2023.

FONTANA, Maire Josiane; FÁVERO, Altair Alberto. Professor reflexivo: uma integração entre teoria e prática. *Revista de Educação do Ideau*, Caxias do Sul. v. 8, n. 17, p. 1-14, jan./ jun. 2013. Disponível em: https://www.passofundo.ideau.com.br/wp-content/files_mf/d1d70f07b2de5a15514155cf89886f7730_1.pdf. Acesso em: 20 jul. 2020.

FORGHIERI, Yolanda Cintrão. *Psicologia fenomenológica*: fundamentos, métodos e pesquisas. São Paulo: Pioneira, 1993.

FREIRE, Leila Inês Follmann; FERNANDEZ, Carmen. A base de conhecimentos dos professores, a reflexão e o desenvolvimento profissional: um estudo de caso a partir da escrita de diários de aula por estagiários de professores de Química. *Revista Brasileira de Estudos pedagógicos*. Brasília, v. 96, n. 243, p. 359-379, 2015. Disponível em: https://www.scielo.br/j/rbeped/a/PVzDCvfCDcfxKxBrKPFkjMB/abstract/?lang=pt. Acesso em: 20 maio 2023.

FREIRE, Paulo. *Pedagogia da autonomia*: saberes necessários à prática educativa. 23. ed. São Paulo: Paz e Terra, 1996.

GHEDIN, Evandro. Professor reflexivo: da alienação da técnica à autonomia da crítica. *In*: PIMENTA, Selma Garrido; GHEDIN, Evandro. (org.) *Professor Reflexivo no Brasil gênese e crítica de um conceito*. São Paulo: Cortez, cap. 6, 2002. p. 129-150.

GRAÇAS, Elizabeth Mendes das. Pesquisa qualitativa e a perspectiva fenomenológica: fundamentos que norteiam sua trajetória. *Revista Mineira de Enfermagem*. Belo Horizonte, v. 4. n. 1/2, p. 28-33, 2000. Disponível em:

https://pesquisa.bvsalud.org/portal/resource/pt/lil-733573. Acesso em: 20 maio 2020.

HUSSERL, Edmund. *A crise da humanidade europeia e a Filosofia*. 3. ed. Porto Alegre: EDIPUCRS, 2008.

JANERINE, Aline de Souza; QUADROS, Ana Luiza de. A reflexão coletiva na formação de professores: uma experiência no curso de licenciatura em química da UFVJM. *Ensaio Pesquisa em Educação e Ciências*, Belo Horizonte, v. 23, p. 1-16, 2021. Disponível em: https://www.scielo.br/j/epec/a/BRSqrFR8fGw8z7LgNJwDSQn/. Acesso em: 20 maio 2023.

LIBÂNEO, José Carlos. Reflexividade e formação de professores: outra oscilação do pensamento pedagógico brasileiro? *In*: PIMENTA, Selma Garrido; GHEDIN, Evandro. (org.) *Professor reflexivo no Brasil gênese e crítica de um conceito*. São Paulo: CORTEZ, cap. 2, 2002. p. 53-80.

LIMA, José Ossian Gadelha de; LEITE, Luciana Rodrigues. Historicidade dos cursos de licenciatura no Brasil e sua repercussão na formação do professor de química. *REnCiMa*. São Paulo, v. 9, n. 3, p. 143-162, 2018. Disponível em: https://revistapos.cruzeirodosul.edu.br/index.php/rencima/article/view/1483. Acesso em 15 maio 2023.

LIMA, Luiz Augusto Normanha. O método da estrutura do fenômeno situado: uma contribuição para a pesquisa em motricidade humana. *In*: COLÓQUIO DE PESQUISA QUALITATIVA EM MOTRICIDADE HUMANA: ETNOMOTRICIDADES DO SUL, 6., Valdivia, 2015. *Anais [...]*. São Carlos: SPQMH, 2015, p. 241-251. Disponível em: https://docplayer.com.br/134553365-O-metodo-da-estrutura-do-fenomeno-situado-uma-contribuicao-para-a-pesquisa-em-motricidade-humana.html. Acesso em 20 abr. 2020.

LIMA, Luiz Augusto Normanha. O Método da pesquisa qualitativa do fenômeno situado. Uma criação do educador brasileiro Joel Martins, seguida pela Professora Maria Aparecida Viggiani Bicudo. As análises: ideográfica e nomotética. *In*: CONGRESSO IBERO-AMERICANO EM

INVESTIGAÇÃO QUALITATIVA, 5., Porto, 2016. *Anais [...]*. Porto, v. 1. p. 534-540, 2016. Disponível em: https://proceedings.ciaiq.org/index.php/ciaiq2016/article/view/640. Acesso em 15 maio 2020.

MALDANER, Otavio Aloisio. *A formação inicial e continuada de professores de Química*. 3. ed. Rio Grande do Sul: Unijuí, 2006.

MARTINS, Joel; BICUDO, Maria Aparecida Viggiani. *Estudos sobre existencialismo, fenomenologia e educação*. São Paulo: Centauro, 2006.

MARTINS, Vivian Christine. *A didática no processo de alfabetização de jovens e adultos*: uma leitura do cotidiano a partir da geografia e de textos literários. 2006. 177 p. Dissertação (Mestrado em Geografia) – Faculdade de Geografia, Letras e Ciências Humanas, Universidade de São Paulo, São Paulo, 2006. Disponível em: https://teses.usp.br/teses/disponiveis/8/8136/tde-26062007-135639/publico/TESE_VIVIAN_CHRISTINE_MARTINS.pdf. Acesso em: 20 jun. 2020.

MEHAN, Hugh. *Learning lessons*: social organization of the classroom. Harvard University Press, 1979.

MELO, Ediene Ferreira. *Interações discursivas no ensino de Química*: O questionamento como método de intervenção. 2016. Trabalho de Conclusão de Curso (Graduação em Química) – Universidade Estadual do Sudoeste da Bahia, Jequié, 2016.

MELO, Ediene Ferreira; TEIXEIRA, Adonay de Oliveira; MARTINS, Regiane Barreto; SANTOS, Bruno Ferreira dos. Interações discursivas no ensino de química: os questionamentos como método de intervenção. *In*: ENCONTRO NACIONAL DE PESQUISA E EDUCAÇÃO EM CIÊNCIAS, 11., Florianópolis, 2017. *Anais [...]*. Florianópolis: Universidade Federal de Santa Catarina-UFSC, 2017, p. 1-12. Disponível em: https://www.researchgate.net/publication/320419204_Interacoes_discursivas_no_ensino_de_Quimica_os_questionamentos_como_metodo_de_intervencao. Acesso em: 20 abr. 2020.

MORAES, Dirce Aparecida Foletto de; GOMES, Joyce; GOUVEIA, Sergio. As tecnologias digitais na formação inicial do pedagogo. *Revista Linhas*. Florianópolis, v. 16, n. 30, p. 214-234, 2015. Disponível em: https://www.revistas.udesc.br/index.php/linhas/article/view/1984723816302015214. Acesso em: 20 maio 2020.

MORICONI, Gabriela Miranda (Coord.) *Formação Continuada de Professores:* contribuições da literatura baseada em evidências. São Paulo: Fundação Carlos Chagas, 2017.

MORTIMER, Eduardo Fleury; SCOTT, Phil. Atividades discursivas nas salas de aula de ciências: Uma ferramenta sociocultural para analisar e planejar o ensino. *Investigações em Ensino de Ciências*, v. 7, n. 3, p. 283-306, 2002. Disponível em: https://ienci.if.ufrgs.br/index.php/ienci/article/view/562. Acesso em: 20 jun. 2020.

MOURA, Juliana da Silva; RIBEIRO, Júlia Cecília de Oliveira Alves; CASTRO NETA, Abília Ana de; NUNES, Claudio Pinto. A precarização do trabalho docente e o adoecimento mental no contexto neoliberal. *Revista Profissão Docente*, Uberaba, v. 19, n. 40, p. 1-17, 2019. Disponível em: https://revistas.uniube.br/index.php/rpd/article/view/1242. Acesso em: 20 jun. 2020.

NUNES, Célia Maria Fernandes. Saberes docentes e formação de professores: um breve panorama da pesquisa brasileira. *Educação & Sociedade*. Rio de Janeiro, v. 22, n. 74, p. 27-42, abr. 2001. Disponível em: https://www.scielo.br/j/es/a/3RwPLmZMRk35bjpfhPGDsTv/abstract/?lang=pt. Acesso em: 15 jun. 2020.

OLIVEIRA, Eleilde de Sousa *et al*. Potencialidade e perspectivas da utilização do estudo de casos na formação de professores de Química. *Revista Científica Multidisciplinar Núcleo do Conhecimento*. São Paulo, v. 7, n. 5, p. 27-37, 2020. Disponível em: https://www.nucleodoconhecimento.com.br/educacao/estudo-de-casos. Acessado em: 15 set. 2021.

PIMENTA, Selma Garrido. Professor reflexivo: construindo uma crítica. *In*: PIMENTA, Selma Garrido; GHEDIN, Evandro. (Org.) *Professor Reflexivo no Brasil gênese e crítica de um conceito*. São Paulo: CORTEZ, cap. 1, 2002. p. 17-52.

PIMENTA, Selma Garrido; GHEDIN, Evandro. (Org.) *Professor Reflexivo no Brasil gênese e crítica de um conceito*. São Paulo: CORTEZ, 2002.

PLAKITSI, Katerina; PILIOURAS, Panagiotis; EFTHIMIOU, George. Discourse analysis: a tool for helping educators to teach Science. *Forum: Qualitative Social Research*, v. 18, n. 1, Art. 6, 2017. Disponível em: https://www.researchgate.net/publication/312016012_Discourse_Analysis_A_Tool_for_Helping_Educators_to_Teach_Science. Acesso em: 15 set. 2020.

QUADROS, Ana Luiza de *et al*. Os professores que tivemos e a formação da nossa identidade como docentes: um encontro com nossa memória. *Revista Ensaio*. Belo Horizonte, v. 7, n. 1, p. 4-11, jan./ abr. 2005. Disponível em: https://www.scielo.br/j/epec/a/QQnfy5rjCMZPcnYqLymrRpm/?lang=pt. Acesso em: 15 set. 2020.

RANIERI, Leandro Penna; BARREIRA, Cristiano Roque Antunes. A entrevista fenomenológica. *In:* SEMINÁRIO INTERNACIONAL DE PESQUISAS E ESTUDOS QUALITATIVOS, 4., Rio Claro, 2010. *Anais [...]*. Rio Claro: Universidade Estadual Paulista, 2010, p. 1-8. Disponível em: https://arquivo.sepq.org.br/IV-SIPEQ/Anais/artigos/46.pdf. Acesso em: 15 de jul. 2020.

RUMENAPP, Joseph C. Analyzing discourse analysis: teachers' views of classroom discourse and student identity. *Linguistics and Education*, v. 35, p. 26-36, 2016. Disponível em: https://www.sciencedirect.com/science/article/abs/pii/S089858981630002X. Acesso em: 15 jul. 2020.

SÁ FILHO, Paulo de; LIMA, Cláudia Caetano Gonçalves Mendes; SANTIAGO, Léia Adriana da Silva; CARVALHO, Marco Antônio de Carvalho. Teoria Histórico-crítica: O caminho para uma Educação Profissional e tecnológica emancipadora. *Revista Prática Docente*. Mato

Grosso. v. 3, n. 2, p. 768-780, 2018. Disponível em: https://www.researchgate.net/publication/329929076_TEORIA_HISTORICO-CRITICA_O_CAMINHO_PARA_UMA_EDUCACAO_PROFISSIONAL_E_TECNOLOGICA_EMANCIPADORA. Acesso em: 20 jul. 2020.

SANTOS, Veronica Freitas dos. A produção do conhecimento acerca das teorias pedagógicas da educação física no Brasil. *In:* COLÓQUIO DE EPISTEMOLOGIA DA EDUCAÇÃO FÍSICA, 5., Maceió, 2010. *Anais [...]*. Maceió: Universidade Estadual de Alagoas, 2010. p. 1-16. Disponível em: http://congressos.cbce.org.br/index.php/cepistef/v_cepistef/paper/viewFile/2654/1132. Acesso em: 18 maio 2020.

SAVIANI, Dermeval. Formação de professores: aspectos históricos e teóricos do problema no contexto brasileiro. *Revista Brasileira de Educação*, Rio de Janeiro, v. 14, n. 40, p. 143-155, 2009. Disponível em: https://www.scielo.br/j/rbedu/a/45rkkPghMMjMv3DBX3mTBHm/?format=pdf&lang=pt. Acesso em: 15 maio 2020.

SCHÖN, Donald A. *Educando o Profissional Reflexivo:* um novo design para o ensino e a aprendizagem. 1. ed. Porto Alegre: Artmed, 2000.

SILVA, Jovânia Marques de Oliveira; LOPES, Regina Lúcia Mendonça; DINIZ, Normélia Maria Freire. Fenomenologia. *Revista Brasileira de Enfermagem*. Brasília, v. 61, n. 2, p. 254-257, 2008. Disponível em: https://www.scielo.br/j/reben/a/7y7W8mcJns5c4TY4hgGBqWg/?lang=pt. Acesso em: 20 jun. 2020.

SILVA, Paulo César Gondim da. *O conceito de liberdade em o ser e o nada de Jean-Paul Sartre.* 2010. 110 p. Dissertação (Mestrado em Filosofia) – Centro de Ciências Humanas, Letras e Artes, Universidade Federal do Rio Grande do Norte, Natal, 2010. Disponível em: http://www.cchla.ufrn.br/ppgfil/paginas/mestrado/dissertacao/PDF/paulo_cesar_gondim_da_silva.pdf. Acesso em: 15 jul. 2020.

STEINER, João E.; MALNIC, Gerhard. *Ensino superior:* conceito e dinâmica. 1. ed. São Paulo: Edusp, 2006.

SUART JÚNIOR, José Bento. *A vivência de ser cientista docente-pesquisador formador de professores na indissociabilidade do tripé universitário*: um estudo com físicos e químicos. 2016. 412 p. Tese (Doutorado em Educação para Ciências) – Faculdade de Ciências, Universidade Estadual Paulista, Bauru, 2016. Disponível em: https://repositorio.unesp.br/handle/11449/144373. Acesso em: 20 jun. 2020.

TARDIF, Maurice; LESSARD, Claude. *O trabalho docente*: elementos para uma teoria da docência como profissão de interações humanas. 9. ed. Petrópolis: Vozes, 2014.

TEIXEIRA, Adonay de Oliveira; MARTINS, Regiane Barreto; SANTOS, Bruno Ferreira dos. Questionamentos em aulas de química em uma pesquisa de intervenção. *In*: REUNIÃO ANUAL DA SOCIEDADE BRASILEIRA PARA O PROGRESSO DA CIÊNCIA, 69., Belo Horizonte, 2017. *Anais [...]*. Belo Horizonte: UFMG, 2017. p. 1-4. Disponível em: http://www.sbpcnet.org.br/livro/69ra/resumos/resumos/1646_13bb62bd0 4c9a70ab5cb933facfd2d835.pdf. Acesso em: 15 abr. 2020.

TEIXEIRA, Adonay de Oliveira *et al*. Questionamentos realizados pelo professor em aulas de química em uma pesquisa de intervenção. *In*: ENCONTRO NACIONAL DE ENSINO DE QUÍMICA, 18., Florianópolis, 2016. *Anais [...]*. Florianópolis: UFSC, 2016, p. 1. Disponível em: https://eneq2016.ufsc.br/anais/resumos/R0901-1.pdf. Acesso em: 20 abr. 2020.

TOMELIN, Nilton Bruno; RAUSCH, Rita Buzzi. Implicações da formação permanente de professores à educação libertadora e emancipatória. *Formação em Movimento*, v. 4, n. 8, p. 133-151, 2022. Disponível em: https://periodicos.ufrrj.br/index.php/formov/article/view/209. Acesso em: 20 maio 2023.

ZEICHNER, Kenneth M. *A formação Reflexiva de Professores*: Ideias e Práticas. 1. ed. Lisboa: Educa e Autor, 1993.

ZEICHNER, Kenneth M. Uma análise crítica sobre a "Reflexão" como conceito estruturante na formação docente. *Educação e Sociedade*,

Campinas, v. 29, n. 103, p. 535-554, 2008. Disponível em: https://www.scielo.br/j/es/a/bdDGnvvgjCzj336WkgYgSzq/?format=pdf&lang=pt. Acesso em: 15 set. 2020.

ZEICHNER, Kenneth M.; LISTON, Daniel Patrick. *Reflective teaching*: an introduction. New York: Routledge, 1996.

ZULIANI, Silvia Regina Quijadas Aro. *Prática de ensino de química e metodologia investigativa:* uma leitura fenomenológica a partir da semiótica social. 2006. 380 p. Tese (Doutorado em Educação) – Centro de Ciências Humanas, Universidade Federal de São Carlos, São Carlos, 2006. Disponível em: https://repositorio.ufscar.br/bitstream/handle/ufscar/2177/TeseSRQAZ.pdf?sequence=1&isAllowed=y. Acesso em: 20 set. 2020.

CAPÍTULO 10

A IDENTIDADE E AS NARRATIVAS DOS PROFESSORES DE ENGENHARIA

João Paulo Camargo de Lima[1]
Roberto Nardi[2]

A literatura recente tem destacado a importância da identidade no desenvolvimento profissional docente, assim como no entendimento a respeito da identidade do professor, dos conceitos e dos problemas relacionados a ela, enfatizando, ainda, que tais objetos podem ser considerados um desafio aos pesquisadores (BEAUCHAMP; THOMAS, 2009). Outro fenômeno destacado pela literatura nas últimas décadas é um crescente interesse pela temática identidade docente, além do seu desenvolvimento como uma área específica de investigação (AKKERMAN; MEIJER, 2011; BEIJAARD; MEIJER; VERLOOP, 2004; FLORES, 2015; RODRIGUES; MOGARRO, 2019). Segundo Flores (2012, p. 93), a identidade do professor se refere, "entre outras questões", de conhecer "de que forma" os professores relacionam compreensões "do que significa tornar-se e ser professor, com as suas experiências de aprendizagem" em contextos da formação profissional e "no contexto da prática de ensino", mas também com suas histórias de vida "e as formas de interação com os outros". As pesquisas têm revelado que a identidade do professor é um conceito complexo e esse conceito se localiza na fronteira de várias áreas das ciências sociais, como educação, filosofia e psicologia (AKKERMAN; MEIJER, 2011; BEAUCHAMP; THOMAS, 2009; RODRIGUES; MOGARRO, 2019).

---

1 *Professor Associado. Departamento de Educação, Faculdade de Ciências, Universidade Estadual Paulista, câmpus Bauru. Apoio: CNPq (Conselho Nacional de Desenvolvimento Científico e Tecnológico). E-mail: r.nardi@unesp.br*
2 *Professor Associado. Departamento Acadêmico de Física. Universidade Tecnológica Federal do Paraná, câmpus Londrina. Apoio: CNPq (Conselho Nacional de Desenvolvimento Científico e Tecnológico), por meio de Bolsa de Pós-doutorado Sênior. E-mail: joaopaulo@utfpr.edu.br*

Em termos de definição e conceituação a respeito do tema, vários autores apontam que a literatura frequentemente carece de uma definição clara a respeito da identidade e o conceito de identidade do professor tem assumido vários significados na literatura (AKKERMAN; MEIJER, 2011; BEAUCHAMP; THOMAS, 2009; BEIJAARD; MEIJER; VERLOOP, 2004; RODRIGUES; MOGARRO, 2019). Apesar das características destacadas anteriormente a respeito da identidade do professor, parece haver um consenso entre os pesquisadores de que a identidade é um fenômeno em evolução constante, podendo envolver a pessoa humana e seu contexto (BEIJAARD; MEIJER; VERLOOP, 2004), ou seja, não se trata de um atributo fixo de uma pessoa, mas um fenômeno relacional, também compreendido como um processo de "autocompreensão" e autoconhecimento dos professores em ambientes de experiências de aprendizagem, formação profissional e práticas de ensino (FLORES, 2015; RODRIGUES; MOGARRO, 2020).

Especificamente no Ensino Superior, de forma semelhante, vários autores têm apontado a natureza complexa e múltipla da identidade do professor, além de não haver um consenso a respeito do conceito e da definição dessa identidade (HENKEL, 2005; KAASILA *et al.*, 2021; KREBER, 2010; VAN LANKVELD *et al.*, 2017). Várias características dessa identidade do professor no Ensino Superior podem ser diferentes da identidade do professor nos Ensinos Fundamental e Médio, e, segundo alguns pesquisadores, isso ocorre devido às funções que o professor universitário desenvolve, pois combina funções de ensino, pesquisa e funções administrativas (KAASILA *et al.*, 2021; VAN LANKVELD *et al.*, 2017). Seja qual for o nível educacional de atuação dos professores (Ensino Fundamental, Médio ou Superior), o "sentido de identidade profissional constitui um elemento determinante no processo de tornar-se e de ser professor" (FLORES, 2012, p. 94).

Com base nos apontamentos descritos anteriormente, o objetivo principal da investigação apresentada neste capítulo é estudar a identidade de professores de Engenharia, tendo como pressupostos as narrativas e a história de vida de professores engenheiros. A análise de suas percepções do ser professor foi feita a partir de entrevistas e registros de campo referentes a seis professores de engenharia que fazem parte do corpo docente de uma Universidade Federal no Sul do Brasil. Nossa investigação se concentrou nas percepções dos professores de Engenharia a respeito da compreensão deles sobre o significado do ser professor, com suas experiências, histórias de vida e relações com os outros e consigo mesmos. Dessa forma, buscou-se identificar elementos ou fatores que pudessem caracterizar a identidade deles. Nesse sentido, buscamos organizar este capítulo de forma a apresentar com maior clareza possível os movimentos desenvolvidos no processo de investigação.

Os resultados aqui apresentados se referem à parte de uma pesquisa desenvolvida durante o estágio pós-doutoral realizado pelo primeiro autor. Na primeira seção deste capítulo, posicionaremos os estudos a respeito da literatura sobre a identidade do professor, apontando alguns aspectos que se alinham principalmente ao objetivo de nossa investigação. Posteriormente, considerações metodológicas da pesquisa serão apresentadas e, em seguida, os principais pontos resultantes do processo de análise serão apontados na seção de resultados, além de algumas discussões são apresentadas. Por fim, assinalamos algumas considerações sobre o estudo realizado.

IDENTIDADE DO PROFESSOR E AS NARRATIVAS

A identidade do professor tem assumido vários sentidos na literatura, assim como é descrita de várias maneiras a partir de pressupostos, ideias e pensamentos fundamentados nas mais variadas áreas do conhecimento, como apontam as investigações de vários autores (AKKERMAN; MEIJER, 2011; BEAUCHAMP; THOMAS, 2009; BEIJAARD; MEIJER; VERLOOP, 2004; RODRIGUES; MOGARRO, 2019).

Em uma revisão sistemática de literatura, Beijaard, Meijer e Verloop (2004) apontam alguns aspectos e características da identidade profissional dos professores a partir dos artigos estudados: 1) a identidade profissional do professor se trata de um processo contínuo, dinâmico e não estável, e não fixo; 2) envolve a pessoa e o contexto; 3) é um fenômeno multifacetado no qual integra um conjunto de subidentidades que podem estar mais ou menos em harmonia, relacionam-se com os diferentes contextos e relações dos professores; 4) apresenta a agência do professor como um elemento ativo no processo de desenvolvimento profissional docente. Por outro lado, Rodrigues e Mogarro (2019) em uma revisão sistemática mais recente, sublinham que a identidade docente tem uma natureza fragmentada, multidimensional, mutável e intersubjetiva, e, ainda, assinalam que muitos autores afirmam que a natureza da identidade profissional dos professores é simultaneamente estável e instável, unitária e múltipla, contínua e descontínua.

Apesar da diversidade de sentidos e da falta de uma definição clara, Akkerman e Meijer (2011, p. 308) assinalam que há várias caracterizações recorrentes da identidade do professor e sintetizam as características dessa identidade em três tipos: "a multiplicidade da identidade"; "descontinuidade da identidade"; "a natureza social da identidade". Nesse sentido, de forma semelhante, Day (2018) apresenta uma conceituação da identidade docente que pode sintetizar em parte, os vários sentidos, definições e descrições referentes à identidade docente. "As identidades são um amálgama da biografia pessoal, cultural, influência social e valores institucionais, que podem mudar de acordo com a função e a circunstância" (DAY, 2018, p. 71).

Em termos gerais, Rodrigues e Mogarro (2020, p. 3), com base em alguns autores, apontam três dimensões da identidade profissional docente:

> • uma dimensão narrativa, dado que se materializa sob a forma de histórias que as pessoas contam a si próprias e aos outros;
>
> • uma dimensão intrapessoal, que se desenvolve a partir da reflexão e se refere à percepção que o indivíduo tem de si próprio no contexto profissional; e
>
> • uma dimensão interpessoal, que se relaciona com o desenvolvimento, no âmbito da prática profissional, de competências e interiorização de normas, valores e cultura próprias da profissão.

Entre as dimensões da identidade apresentadas por Rodrigues e Mogarro (2020), as narrativas se revelam de fundamental importância ao estudo da identidade, pois as narrativas dos professores sobre si mesmos e suas práticas, assim como os discursos em que se envolvem, oferecem oportunidades para explorar e revelar aspectos do eu, assim como há um entendimento na literatura de que as histórias e as narrativas são uma maneira de expressar a identidade (BEAUCHAMP; THOMAS, 2009). Portanto, a identidade também pode ser pensada como o conjunto de histórias e narrativas que criam significados sobre si mesmos e os outros, ou seja, são "coleções de histórias sobre pessoas, [...] aquelas narrativas sobre indivíduos que são materializadoras, endossáveis e significativas" (SFARD; PRUSAK, 2005, p. 16). Intui-se, então, que narrativas e histórias são uma forma de manifestação que os professores revelam, constroem e reconstroem aspectos de suas identidades pessoais e profissionais em relação ao contexto, às experiências (pessoais e profissionais) e em relação a si mesmo e aos outros. Assim, "em outras palavras, pessoas constroem narrativas e narrativas constroem pessoas e nossas identidades emergem através desse processo" (WATSON, 2006, p. 510).

A importância da dimensão narrativa da identidade é também reconhecida no estudo da identidade docente no Ensino Superior (KAASILA et al., 2021; SHERIDAN, 2013), assim como as características evidenciadas nas investigações a respeito da identidade do professor em geral. As várias conceituações, os sentidos e a falta de uma definição clara do que é a identidade do professor também são observados nas pesquisas que envolvem a identidade do professor no Ensino Superior. Nesse nível educacional, a identidade do professor tem sido caracterizada por lutas e tensões entre ensino e pesquisa, assim como dentro de aspectos culturais e nas relações no ambiente de trabalho. A identidade do professor na universidade é identificada por vários pesquisadores como uma identidade múltipla, sendo construída em várias outras identidades, como, por exemplo, as identidades ligadas ao *background* profissional, a identidade de pesquisador, intelectual e a identidade administrativa (BROWNELL; TANNER, 2012; HENKEL, 2005; KREBER, 2010; LANE et al., 2019; SHERIDAN, 2013; TREDE, MACKLIN; BRIDGES, 2012; VAN LANKVELD et al., 2017). Kreber (2010) aponta que essa característica de identidade múltipla está associada às várias comunidades nas quais os professores no Ensino Superior interagem em seu contexto, seus departamentos, comunidades intelectuais e disciplinares, e nos diferentes níveis que essas comunidades se situam (local, nacional, internacional). De forma semelhante, Winberg (2008) aponta que a construção da identidade no Ensino Superior é complexa, "englobando múltiplas camadas de culturas disciplinares, departamentais e institucionais, locais, missões, colegas, estudantes, artefatos e tradições" (WINBERG, 2008, p. 354). Em geral, esses aspectos são confirmados no estudo realizado por van Lankveld *et al.* (2017) em uma revisão sistemática de literatura. Scartezini (2017, p. 12), a partir de vários autores, aponta que

> [...] a identidade profissional docente do professor universitário é tecida a partir de três dimensões: as representações e percepções que o professor possui acerca de seus papéis acadêmicos (MONEREO; WEISE; ÁLVAREZ, 2013); suas concepções sobre o que significa ensinar, aprender e avaliar a sua matéria na universidade (TRIGWELL; PROSSER, 2004); e os sentimentos relacionados às suas funções (SUTTON; WHEATLEY, 2003; VAN VEEN; SLEEGERS, 2009; VLOET, 2009).

Portanto, a identidade dos professores na Universidade é múltipla e complexa, sendo que seu desenvolvimento pode ser influenciado por vários elementos e fatores. Um dos fatores considerados importantes à identidade do professor no Ensino Superior é a relação entre ensino e pesquisa ou o nexo ensino-pesquisa (KAASILA *et al.*, 2021). O ensino e pesquisa são apontados como fundamentos principais das Instituições de Ensino Superior (HENKEL, 2005; WINBERG, 2008; YLIJOKI; URSIN, 2013). Nesse contexto, Sheridan (2013) destaca que a prática de ensinar e pesquisar fazem parte da história de vida do professor na universidade, assim como de uma série de experiências a serem contadas, e podem permitir "a expressão de uma voz que não está escondida atrás de uma fachada impessoal" (SHERIDAN, 2013, p. 572). Assim, destaca-se novamente o papel das narrativas e histórias na compreensão do desenvolvimento da identidade do professor e suas relações com as práticas de ensino e demais atividades profissionais desenvolvidas no âmbito do Ensino Superior (SHERIDAN, 2013).

> [...] a vida acadêmica de pesquisa e trabalho em uma instituição democrática são parte da história de mudança da vida de um indivíduo e tem implicações sobre como os acadêmicos se posicionam

em termos de pesquisa, ensino na relação do profissional com o eu privado e as histórias contadas no meio. (SHERIDAN, 2013, p. 577).

As histórias e a perspectiva narrativa são uma forma fundamental de compreensão por meio da qual os professores dão significado e sentido a si mesmos, assim como às próprias vidas, com suas experiências de aprendizagem no contexto de sua prática profissional na execução de suas funções e tarefas e, dessa forma, constroem e reconstroem suas identidades (FLORES, 2012; KAASILA *et al.*, 2021; SCHAEFER; CLANDININ, 2019; YLIJOKI; URSIN, 2013). A partir dessa perspectiva, nosso estudo se concentrou nas percepções de seis professores de Engenharia a respeito de suas compreensões do significado do ser professor, com suas histórias de vidas e suas relações com os outros e consigo mesmos.

CONSIDERAÇÕES METODOLÓGICAS DA PESQUISA

Esta pesquisa tem caráter qualitativo, no qual a característica de enfoque qualitativo procura compreender a perspectiva dos sujeitos de pesquisa (participantes) a respeito dos fenômenos no qual estão envolvidos, além de "[...] aprofundar em suas experiências, pontos de vista, opiniões e significados, isto é, a forma como os participantes percebem subjetivamente sua realidade" (SAMPIERI; COLLADO; LUCIO, 2013, p. 376). Dentro do enfoque qualitativo, o estudo se fundamentou na abordagem de investigação narrativa (CLANDININ; CONNELLY, 2000; CONNELLY; CLANDININ, 1990). Dessa forma, buscou-se explorar as histórias e experiências dos sujeitos da pesquisa, a partir de entrevistas não estruturadas e registros de campo. As narrativas investigam a experiência vivida por aqueles que narram suas experiências e por aquele que as interpreta, diante das questões e dos objetivos da investigação (CONNELLY; CLANDININ, 1990). A investigação narrativa tem como ponto fundamental a compreensão de experiências vividas, localizadas no tempo e no espaço e expressas por unidades narrativas, fragmentos de histórias vividas e relatadas. Portanto, a pesquisa narrativa é uma forma de entender a experiência vivida, uma maneira de pensar sobre a experiência por meio de uma colaboração entre pesquisadores e participantes, ao longo de um tempo, em um lugar ou série de lugares (CLANDININ; CONNELLY, 2000).

Dessa forma, exploramos as experiências e histórias vividas pelos sujeitos da pesquisa em um espaço tridimensional: temporalidade, pessoas/interação social e lugares (CLANDININ; CONNELLY, 2000). Com relação à tomada de dados, a pesquisa se fundamentou em entrevistas não estruturadas para coletar experiências históricas dos professores de Engenharia participantes em relação às suas percepções e aos entendimentos do significado do ser professor e sua prática profissional. As entrevistas não estruturadas foram realizadas e gravadas em áudio pelo primeiro autor, totalizando 481 minutos de gravação, e, posteriormente, transcritas e codificadas com cada participante recebendo um pseudônimo. Cinco entrevistas foram realizadas presencialmente e a última de forma remota síncrona, devido à pandemia do COVID-19. No início, as entrevistas tinham como foco as histórias de vida dos professores, explorando aspectos familiares, fases da vida (infância e adolescência), influências, valores e aspectos culturais. Com o desenvolvimento das entrevistas, o pesquisador buscou explorar eventos e situações durante a vida pessoal e profissional, a partir do diálogo entre pesquisador e participantes. Clandinin e Connelly ressaltam sobre o papel do entrevistador durante a realização da entrevista. "A maneira como um entrevistador age, questiona e responde em uma entrevista molda o relacionamento e, portanto, as maneiras como os participantes respondem e dão relatos de sua experiência" (CLANDININ; CONNELLY, 2000, p. 110).

Nesse aspecto, as entrevistas se revelam um bom instrumento para reunir dados dos participantes sobre seus conhecimentos, experiências, descrições, percepções e sentimentos sobre situações e eventos com suas próprias palavras, usados dessa forma para "ajudar a compreender as experiências que as pessoas têm e os significados que fazem delas" (ARY *et al.*, 2019, p. 426). Além das entrevistas, foram realizados registros de campo pelo pesquisador durante e após as entrevistas com o objetivo de descrever cenários com contextos e características físicas, como paredes de salas de aula e laboratórios, disposição de móveis e leiautes, de uma maneira que pudesse ajudar a narrativa na busca de compreensões e significados. Nesse sentido, os registros de campo foram um importante instrumento no processo de tomada de dados. Os participantes da investigação eram professores de diferentes áreas e departamentos da Engenharia, tinham entre 8 e 18 anos de carreira no Ensino Superior. Antes de atuarem no Ensino Superior, a maioria dos professores entrevistados trabalhou como engenheiros em diversas indústrias e empresas. Todos os professores desempenharam funções administrativas, de liderança e chefias em seus departamentos, além de participarem de atividades de desenvolvimento profissional oferecidos pela Universidade. Essas atividades eram cursos, *workshops* e palestras sobre temas como construção e desenvolvimento de currículos, metodologias de ensino, processos de avaliação e outros aspectos relacionados ao ensino e à aprendizagem. Algumas características dos professores estão apresentadas no Quadro 1.

Quadro 1 – Características dos professores participantes da investigação.

Pseudônimo	Tempo de carreira no Ensino Superior	Tempo de atuação na Universidade atual	Área de formação na Engenharia
Professor Andrew	8 anos	8 anos	Engenharia Ambiental
Professora Beth	8 anos	8 anos	Engenharia Agronômica
Professora Lisa	18 anos	12 anos	Engenharia Química
Professor Mozart	11 anos	8 anos	Engenharia de Materiais
Professor Robert	16 anos	11 anos	Engenharia Mecânica
Professora Yua	10 anos	5 anos	Engenharia de Materiais

Fonte: os autores.

Para o processo de interpretação das experiências vividas dos professores, buscou-se seguir três movimentos: alargamento, escavação e restruturação (CONNELLY; CLANDININ, 1990). No movimento de alargamento, buscamos aspectos gerais da vida dos professores, valores, relações sociais, modos de vida e contextos. Na escavação, exploramos pensamentos, sentimentos, opiniões e ações internas dos professores participantes em eventos e situações narradas. Na restruturação, retomamos alguns eventos e situações e indagamos os professores em busca do significado do evento às compreensões do que significa ser professor para eles em relação às suas experiências e práticas profissionais. Como resultado desse processo, foram identificados quatro temas principais que refletem suas identidades e percepções a respeito do ser professor, sendo eles: (a) lugares e cenas; (b) família, infância e curiosidade; (c) pessoas e momentos no caminho para a docência, e (d) sala de aula, ser professor e ser engenheiro. A seguir, apresentamos os temas resultantes do processo descrito.

RESULTADOS

Lugares e cenas

As descrições físicas e características dos ambientes podem assumir um papel importante para a descrição de uma cena e, consequentemente, contribuir para a narrativa. Connelly e Clandinin (1990) apontam que é menos habitual a descrição de características físicas dos ambientes e, a respeito disso, enfatizam: "Os registros de campo necessários para a construção da cena muitas vezes faltam no momento da escrita, pois a tendência é, durante a coleta de dados, focar nas pessoas ao invés das coisas" (CONNELLY; CLANDININ, 1990, p. 8).

Cada professor tem seu ambiente de trabalho, seu lugar, onde lá são desenvolvidas suas atividades. Cada um desses lugares representa e pode representar características das atividades desenvolvidas por eles individualmente no âmbito da Universidade. Seja em pequenas salas, dentro dos laboratórios de pesquisa e laboratórios mais amplos, laboratórios didáticos, locais com aspectos mais administrativos, salas coletivas de reuniões e compartilhamento de ideias com outras pessoas, salas individuais em seus departamentos, ou, ainda ambientes de atendimento aos estudantes. Esses lugares descritos podem nos ajudar a evidenciar cada um dos aspectos que compõem a identidade desse professor. Nesse sentido, cada momento do encontro para as entrevistas é caracterizado a partir de elementos observados pelo pesquisador, como o local escolhido pelo entrevistado para o encontro, descrições físicas do local, contextos, sentimentos e percepções manifestadas pelo entrevistado no instante da entrevista.

O local escolhido pelo professor para realização da entrevista pode ser um elemento revelador. O professor Andrew é coordenador de um curso de graduação em Engenharia, desenvolve a maioria das atividades em sua sala da coordenação. É um local pequeno, bem organizado e silencioso.

Mas, apesar de parecer o local ideal para a entrevista, o professor Andrew preferiu outro local, sua pequena sala no laboratório de pesquisa. Para chegar até a sala, subimos as escadas até o segundo andar do prédio; ao final das escadas, chegamos a um corredor e, ao final do corredor, dirigimo-nos a um pequeno *hall*. Logo à direita, chegamos a uma sala, era um laboratório de pesquisa, podia-se ver que havia outras pequenas salas dentro desse local maior, ou seja, uma parte do laboratório era dividido nessas pequenas salas. Para isso, havia paredes divisórias repartidas em várias formas e formatos de retângulos e quadrados. A sala maior era parte que ficava estrutura do laboratório com suas mesas, bancadas e cadeiras, equipamentos e objetos em geral. Logo depois à esquerda, via-se um corredor que chegava a pequenas salas em formato quadrado. Entramos em uma sala em que parte das paredes eram de vidro, como se fossem janelas, onde podia se ver o movimento de entrava e saída das pessoas daquele corredor, e, em outro lado, podia-se ver os estudantes trabalhando dentro do laboratório de pesquisa. A sala era pequena, havia uma pequena mesa, um armário, uma estante com alguns livros e alguns equipamentos, duas cadeiras e um computador. Este era um dos ambientes de trabalho e pesquisa do professor Andrew. Nesse lugar, o professor aparentava se sentir muito bem. Como se ali fosse o lugar dele. De maneira calma e descontraída, relatava sua vida desde a infância até esse momento. No decorrer da entrevista, Andrew confirmou essa admiração dele por esse ambiente, o laboratório de pesquisa. Durante a graduação, visitara laboratórios de um grupo de pesquisa a convite de um professor:

> *"Uma experiência maravilhosa [...], foi no grupo que eu acabei fazendo mestrado e doutorado, [...] fiz uma viagem para conhecer dois lugares, dois Laboratórios, [...] quando eu vi aquele monte de equipamentos, eu fiquei maravilhado, vários tipos de torres de destilação, um monte de coisas diferentes, tipos de reatores diferentes, dentro dos laboratórios, cromatografia gasosa, HPLC."*

Embora o professor Andrew, na maior parte do seu tempo em atuação na Universidade, tivesse que se dividir entre a sala de aula e desempenhar uma função administrativa, o laboratório de pesquisa aparenta ser o lugar dele, o seu ambiente.

A professora Yua também é coordenadora de um curso de graduação em Engenharia, mas, ao contrário do professor Andrew, preferiu realizar a entrevista em sua sala de trabalho administrativo na coordenação do curso. Uma sala pequena, muito bem organizada e silenciosa. Com duas mesas de trabalho, algumas cadeiras e armários. Uma das mesas estava com muitas pastas com documentos. A professora Yua tem a característica de ser uma profissional dinâmica. Suas pesquisas estão sempre relacionadas a problemas encontrados na indústria. Em sua carreira como engenheira e professora, atuou na organização, gestão e supervisão de trabalhos e pesquisas. Em sua atuação profissional, a característica mais marcante é sua habilidade administrativa e organizacional. Durante a entrevista, isso foi manifestado várias vezes em sua fala.

> *"Sabe por quê? Eu gosto, eu gosto mesmo, gosto da parte de coordenação (de cursos de graduação em engenharia) uma das coisas que eu vejo assim que as pessoas falam [...]"*

> *"[...] eu estava em contato direto com assistência técnica, coordenar projeto, ir lá e acertar. O que eu vejo, desde quando eu entrei na universidade, eu peguei coordenação de curso. Só que assim eu sou muito dinâmica e eu não ia ficar só em sala de aula."*

> *"[...] dentro da empresa eu estava na organização da área de desenvolvimento no controle de qualidade e desenvolvimento de produto e eu tinha essa vontade de melhorar produto."*

Com uma vasta experiência em indústrias multinacionais na área de materiais cerâmicos, a professora Yua sempre desenvolveu seu trabalho de forma dinâmica, interagindo com as pessoas em seu ambiente de trabalho na busca por soluções, atuando na gestão, organização e liderança. O ambiente de trabalho escolhido pela professora Yua para a entrevista reflete sua principal característica de organização administrativa. Sua sala de trabalho na coordenação do curso de graduação é o seu lugar. Nesse lugar, conversamos por mais de uma hora. Com detalhes, ela descrevia os principais momentos de sua vida profissional. Com desenvoltura, a fala dela era rica em particularidades e conhecimentos sobre sua área de atuação como engenheira e seus pensamentos e conhecimentos adquiridos ao longo do tempo como professora em sala de aula. A descrição desses ambientes e cenas em nossa percepção passaram a contribuir com o entendimento de contextos e significados proporcionados a partir desses lugares e cenas.

De forma similar, podemos descrever outras situações, contexto, lugares e cenas em que se realizaram as entrevistas. Como por exemplo, a entrevista com a professora Lisa. O lugar escolhido por ela tem diferenças quando comparado aos ambientes anteriormente descritos. A professora Lisa nos recebeu em uma sala compartilhada com outros professores. Era uma sala maior e bem iluminada onde havia várias mesas, cadeiras, armários e estantes com livros. Havia, também, no canto da sala, uma pequena mesa com biscoitos, bolachas, uma garrafa de café e outra garrafa com chá, assim como algumas xícaras. Vários professores utilizavam aquela sala para desenvolver suas atividades. No momento da entrevista, vários professores estavam presentes na sala e a professora Lisa não se importou com a presença de vários colegas. A entrevista da professora Lisa foi marcada pelo fator emocional. Em vários momentos, emocionou-se e lágrimas correram pela sua face. Em outros momentos, houve sorrisos e gargalhadas, compartilhando com os outros colegas presentes momentos engraçados que ocorreram na vida dela e muitos desses momentos também foram vividos por outros professores que estavam na sala. A professora Lisa também exerce uma função administrativa, desenvolve atividades na assessoria dos cursos de graduação e, na ausência do diretor de cursos de graduação do câmpus, assume essa função também de direção. Assim como outros professores de engenharia participantes desta investigação, Lisa também tem uma sala específica onde desenvolve atividades referentes a essa função administrativa. Mesmo assim, para a realização da entrevista, ela preferiu a sala coletiva compartilhada com outros professores. Ela se apresentou como uma pessoa autêntica, que gosta de falar sobre suas ideias, compartilhar seus pensamentos e opiniões com outros colegas. Aquela sala ampla com a presença de vários colegas de trabalho aparentava ser o lugar de Lisa. Onde ela podia falar, expor sua vida, sem se importar com a presença de outros professores. Lisa manifestou em sua entrevista seu amor pelo ensino. Descreveu sua trajetória até o momento atual, com emoção manifestando sua paixão por ser professora.

A cada professor, um ambiente, um lugar com características diferentes, mas em cada um desses lugares e cenas, algo é revelado sobre aspectos da identidade de cada um desses professores. Como o professor Mozart, que nos recebeu em uma pequena sala dentro de um laboratório didático. Uma pequena sala, não muito organizada, um pouco mais escura, com apenas uma mesa, duas cadeiras, um computador e um armário. Dentro e em cima do armário, havia livros e algumas peças de metal. O laboratório parecia reproduzir algum setor de uma fábrica ou indústria, com alguns equipamentos, tornos e outros instrumentos. O professor Mozart fez um relato detalhado, demonstrando um profundo conhecimento específico de sua área de atuação, tendo uma grande experiência profissional na área de Engenharia, assim como também como professor. É coeditor de revistas científicas internacionais na área de Engenharia. Tem um profundo conhecimento técnico e acadêmico que é reconhecido pelos colegas. Antes de atuar como professor em Universidades, trabalhou em vária empresas nacionais e internacionais. Mozart é chefe de departamento, desempenhando um papel de liderança entre os colegas de trabalho. A riqueza de detalhes durante a entrevista foi sua principal característica: ele nos contou sua história desde a infância até os dias de hoje. Também nos relatou inúmeras situações e eventos, sempre com minúcias. Aquele laboratório com semelhanças à indústria é o lugar dele. A cada evento, situação e histórias descritas, fazia questão de pegar uma peça ou instrumento para ilustrar e explicar algo sobre o fato. Nesse lugar, é como se o professor Mozart estivesse em sua própria casa.

Em outro laboratório didático, foi realizada a entrevista com o professor Robert, que recebeu em um laboratório onde ministra uma de suas disciplinas. Esse ambiente é como um laboratório usual, com mesas, bancadas, cadeiras, banquetas e um quadro branco na parede. Assim como outros professores, não nos recebeu em sua sala no departamento. Esse ambiente parece caracterizar esse momento específico na vida profissional de Robert. Em vários momentos da entrevista, observou-se um envolvimento mais denso com a sala de aula e as disciplinas que ensina na Universidade. O professor, assim como os outros professores, tem uma experiência profissional na área de engenharia, tendo trabalhado em várias grandes empresas. Em especial, empresas do setor automobilístico. Além dessa experiência como engenheiro, Robert também tem grande experiência em sala de aula como professor. Já desempenhou outras funções administrativas na Universidade e foi coordenador de um curso de graduação em Engenharia. Mas, nesse momento, a sala de aula e os laboratórios onde ensina na Universidade parecem ser o seu lugar, o ambiente que o caracteriza.

A entrevista com a professora Beth foi realizada de maneira *online* devido à pandemia. Ela estava na casa dela e, de maneira muito tranquila e alegre, nos descreveu sua história, sua trajetória até o momento atual. A partir da tela do computador, observamos que Beth estava em uma sala de sua casa. Havia, nesse ambiente, uma grande janela, um quadro na parede, alguns vasos de plantas e uma mesa onde estava o computador que ela se comunicava conosco. Em sua narrativa, Beth se concentrou principalmente em sua formação acadêmica e nas pesquisas desenvolvidas. Apesar de apontar seu envolvimento com a sala de aula, seu pensamento aparenta estar voltado à pesquisa. Beth manifestou que tem pouca experiência em sala de aula e descreveu mais aspectos relacionados à sua área de investigação. A característica principal dos lugares descritos por Beth em sua entrevista aparentava estar relacionada à pesquisa e à sua formação acadêmica.

Os lugares e cenas descritas podem nos indicar alguns aspectos da identidade desses professores engenheiros. Outros aspectos evidenciados serão descritos nos temas a seguir.

A infância, a família e a curiosidade

A família tem um papel chave na escolha da carreira de um indivíduo. Vários aspectos podem influenciar nesse complexo processo, sejam de ordem cognitiva, contextual ou pessoal, assim como várias fontes de apoio, que podem incluir as relações familiares em um ambiente de uma criança. Em especial, os pais e familiares mais próximos tendem a ser uma fonte primária nessa escolha, moldando, de alguma forma, as tomadas de decisão das crianças e os aspectos de suas identidades (EWING, 2021). A infância e a família se apresentam como um fator significativo na vida dos professores entrevistados, como se pode observar nos relatos a seguir.

> "[...] eu tinha vários tios, alguns trabalhavam e continuaram na área de eletrônica, trabalhando nessa questão de emissoras de televisão. Um trabalhava na TV B na manutenção de torres e antenas de TV[...]" (professor Andrew).

> "Na verdade, assim antes de entrar eu sabia que queria ser engenheira, porque meu pai é engenheiro, só que engenheiro civil, porque na verdade eu tinha muito mais perfil para engenharia civil, [...] mas eu queria na verdade ser mestre cervejeira, eu entrei na engenharia química para ser mestre cervejeira" (professora Lisa).

> "Acho que a primeira parte relevante da minha formação vem de criança porque meus pais são professores, minhas tias são professoras dos dois lados da família" (professor Mozart).

Na percepção dos professores participantes, os pais e os familiares próximos foram fundamentais para a carreira deles, e podemos intuir que também foram importantes para a identidade deles como professores engenheiros. A identidade pode ser pensada como um resultado de influências no indivíduo e um processo de interação contínua no desenvolvimento pessoal e profissional (SFARD; PRUSAK, 2005). Nesse caso específico dos professores engenheiros desta investigação, as influências dos pais e familiares próximos surgem com destaque na fala dos professores. Sejam os pais, como no caso dos professores Lisa e Mozart; os tios, como descrito por Andrew; ou a junção dos dois, pais e tias, como relatado pelo professor Mozart. Outro ponto de destaque em seus depoimentos é a curiosidade, principalmente a curiosidade ligada à fase da infância, como podemos observar na fala do professor Andrew.

> "Bom então eu acho que começa tudo lá na infância né então pelo que eu me lembro todos histórico de como eu cheguei na engenharia eu era o curioso, então vivia pegando rádio pegando e umas coisinhas de casa, desmontava [...]" (professor Andrew).

As crianças são naturalmente rodeadas por um conjunto de fenômenos que despertam sua curiosidade e já nascem com uma curiosidade natural, assim como parece haver uma motivação interna para questionar sobre o mundo ao seu redor. Há uma admiração genuína, um prazer também natural pelo conhecimento e questionamento a respeito das coisas do mundo (SPEKTOR-LEVY; BARUCH; MEVARECH, 2013). Essa fase aparenta ser significativa para os professores participantes da pesquisa. A curiosidade foi apontada em suas narrativas como um elemento-chave em suas percepções, identificando-a como a origem de suas profissões como engenheiros.

> *"[...] Eu nasci em 1958. Sempre tive que perguntar, sempre tive curiosidade. Sempre fui curioso desde pequeno. A primeira coisa que o Engenheiro precisa ter é curiosidade. Tem que ser um ser curioso. Procurar entender como as coisas funcionam." (professor Mozart).*

> *"Eu escolhi ser engenheiro desde criança mesmo, sempre gostei de desmontar e montar de novo. Tinha uma curiosidade muito grande por ver as coisas, desmontar um telefone consertar ele, instalar um telefone. Sempre tive essa curiosidade." (professor Robert)*

> *"Dessas características de querer ver por dentro, essa curiosidade de você montar uma coisa. Eu me lembro quando criança brincar de boneca que era uma coisa insuportável. Eu achava aquilo chato. [...] Eu gostava de montar casinha, então fazer as divisões... divisória tinha que ter janela, ver onde ia ter porta, desmontava, montava, fazia um fogão de papelão para todo mundo brincar. Então eu acho que desde criança, porque a criança já tem esse diferencial de buscar uma coisa nova ali. Isso, esse Engenheiro dentro dela [...]" (professora Lisa).*

A partir das narrativas, os professores participantes revelaram características de suas identidades, com as experiências pessoais em relação a si mesmos e aos outros, dentro de contextos específicos relacionados à infância e à família. Com base nos relatos dos professores, podemos observar como aspectos da identidade são influenciados pelo passado, pelas experiências vividas, pelos fatores históricos, sociológicos e culturais.

Pessoas e momentos no caminho para a docência

Dentro de suas biografias pessoais e experiências vividas, os professores manifestaram, a partir de seus relatos, momentos e pessoas que, de alguma maneira, estão presentes em suas memórias e nos quais se observa ter um significado dentro de sua trajetória como professores. Esses momentos e pessoas emergiram em suas narrativas como importantes no caminho percorrido para a docência.

> *"[...] a gente nunca para pra pensar como é que eu parei aqui e quem sou eu, mas eu acredito que na graduação, no momento em que eu precisei, eu tive alguns problemas financeiros na graduação, falência do meu pai e depois minha gravidez, que eu precisei fazer alguma coisa para conseguir me manter financeiramente na graduação, e essa alguma coisa foi dar aula particular e nesse momento eu descobri que aquilo era apaixonante." (Professora Lisa).*

> *"[...] um dia me ligaram falaram assim para mim: viu você tem interesse em pegar aula? Aula do quê? Aula para cerâmica. Processamento eu falei, [...] aí eu pensei nossa eu curti tanto cerâmica e agora vou sair da área, mas eu vou tentar ensinar para alguém o que eu sei." (professora Yua).*

> *"[...] eu vi que tinha muitos colegas que eram mais velhos do que eu, que tinham dificuldade em aprender algumas questões de conteúdo na parte matemática, na parte química e física. [...] entrava no grupo de estudo, o pessoal queria tirar dúvida, dúvida comigo. Então aí eu começava criar uma monitoria informal." (Professor Andrew).*

Os momentos descritos anteriormente pelos professores têm em comum oportunidades para se praticar o ensinar. Seja em um momento de dificuldade financeira, como o caso da professora Lisa, ou ensinando os colegas de turma em uma monitoria (professor Andrew), ou ainda o convite para ensinar em uma faculdade (professora Yua). Além dos momentos destacados dentro de suas histórias pessoais, que emergiram de suas narrativas, pessoas também são consideradas importantes nesse caminho para docência. Algumas das pessoas descritas nos relatos de alguma maneira despertaram e proporcionaram aos professores um momento de reflexão sobre suas capacidades para ensinar, como pode se observar nos relatos que seguem:

> "Mas eu explicar as coisas e não passava pela minha cabeça. Até que um colega meu ..., ele falou. Você tem talento. Você pode ser professor. Não pode? Eu pensei. Ah, pode, mas acho que não é isso que eu vou ser." (professor Andrew)

> "... ele olhou para mim e falou nossa você ensina muito bem. Aquilo ficou na minha cabeça e lá dentro do trabalho eu escutei várias vezes. Nossa!! 'Yua'! Como você explica bem! Agora eu entendo o que acontece lá dentro do forno. Porque a gente só pegava a amostra e não entendia." (professora Yua)

Outras pessoas se revelaram importantes aos professores pelo encorajamento, apoio e exemplo profissional para se tornarem docentes. Isso é observado nas narrativas dos professores Andrew e Robert. Robert relatou sobre como chefe da indústria que trabalhava o encoraja a começar a ensinar. Já Andrew relatou sua experiência em estágio de pesquisa no exterior e como seu supervisor nesse estágio se tornou um exemplo de professor na Universidade.

> "Eu tive um chefe que em um determinado momento ele me convidou a fazer um mestrado. Eu não me via nessa condição de docente. Ele disse, não, é para você aprender a pesquisar mesmo ... Esse mesmo chefe me convidou a começar a lecionar. Ele falou, olha você é um profissional bem-sucedido aqui na empresa, dar aula em pós-graduação você vai conseguir fazer uma boa renda ..." (professor Robert)

> "Então, com ele também foi uma aprendizagem muito bacana com a parte docente. Porque daí eu vi que um lado da docência que até então não tinha observado. Uma interação forte com os alunos, que até onde eu estava, ali no nosso mundo acadêmico, é muito restrito, muito fechado e eu não tinha essa interação forte com mais alunos e tudo mais." (professor Andrew)

As experiências vividas pelos professores e descritas em suas narrativas revelam como, na trajetória de suas vidas, momentos específicos e pessoas podem ser significativas no caminho para seguirem essa profissão.

A sala de aula, o ser professor e o ser engenheiro

A sala de aula se identifica como um local de manifestação da identidade do professor. As experiências de ensino são importantes para o entendimento que os professores atribuem ao significado do que é ser professor. Nesse aspecto, as experiências dos professores, localizadas no tempo e no espaço, combinadas com os contextos de seu ambiente profissional, moldam quem eles são e estão se tornando (SCHAEFER; CLANDININ, 2019). Os primeiros momentos de ensino em sala de aula, em geral, são caracterizados por desafios, expectativas, a busca por melhor formação, assim como um conjunto de sentimentos que emergem nessa fase (FLORES, 2004). Da mesma maneira ocorre no Ensino Superior, com os professores engenheiros participantes desta investigação. Em seus relatos, os primeiros momentos do ensino são marcados por nervosismo, inseguranças, preocupações com o gerenciamento da sala de aula e experimentações a respeito do desenvolvimento de atividades em sala de aula.

> *"No começo foi tudo muito nervoso porque era algo novo. Entre você tirar dúvidas de colegas, resolver um problema e você dominar uma classe. Dominar uma classe entre aspas. Você gerenciar tudo, os alunos, uma classe é diferente."* (professor Andrew).

> *"... as coisas aconteceram muito mais por experimentação e depois eu descobri que aquilo já era feita de alguma forma muito mais categorizada, técnica, tinha métodos. Mas eu já fazia alguma coisa naquele sentido porque eu sentia necessidade."* (professor Lisa).

A relação com os estudantes pode ser um fator positivo ou negativo nesse processo de ser e se tornar professor no Ensino Superior (VAN LANKVELD et al., 2017). Um ponto observado nas narrativas da maioria dos professores desta investigação é a queixa deles em relação às dificuldades com os estudantes no que se refere ao engajamento nas atividades propostas em sala de aula e responsabilidades não assumidas por esses estudantes.

> "... porque hoje você passa a atividade. Meu Deus! Parece que você está crucificando-os. Você tem que pedir pelo amor de Deus! Façam as atividades!" (professora Beth)

> "Então hoje os alunos não estão aguentando mais, ... eu sinto que tem uma parte que quer um pouco mais fácil. Um caminho mais fácil." (professora Yua)

> "Porque o aluno tem os dois lados da moeda. Ele tem o acesso fácil a informação. Mas também ele quer o caminho mais fácil. Ele não quer ter esforço para conseguir determinadas coisas." (professor Robert)

Por outro lado, alguns professores apontam a interação com os estudantes como algo positivo e necessário. Nesse caso, identificamos como um fator positivo ao desenvolvimento da identidade do professor. A busca pelo "brilho no olhar" do estudante durante as atividades em sala de aula e também por uma "forte interação professor-aluno" (Professor Andrew) são alguns dos fatores manifestados. A relação estudante-professor desempenha um papel importante que molda a identidade do professor no Ensino Superior (KAASILA et al., 2021; VAN LANKVELD et al., 2017).

> "... sempre observei os alunos, eles tinham tem um olhar diferente. Porque eu sou um profissional que pega a formação deles. É a mesma formação. Então eles questionam. Olha professor, mas será que isso aqui que nós estamos estudando, o que pode ser? Qual é o contexto disso aqui? Então mostramos para eles." (professor Andrew).

A sala de aula também é considerada um local de conflitos a respeito das concepções do que é ser professor com a experiências vividas e as relações com os outros em contextos em seu ambiente de trabalho. Nesse sentido, a identidade é influenciada pelas expectativas e as concepções sobre o que o professor deve saber e fazer (BEIJAARD; MEIJER; VERLOOP, 2004). Ao relatar suas trajetórias e as experiências de ensino, os professores fizeram uma reflexão sobre suas próprias concepções a respeito de suas ações em sala de aula e o vínculo com suas visões do que é ser professor. A partir dos relatos, é possível identificar alguns pontos de destaque na reflexão realizada por eles. Entre os pontos de destaque, temos a busca constante pelo aperfeiçoamento, qualificação em contraste com as dificuldades encontradas na execução de outras atividades exercidas pelos professores acadêmicos e a consequente falta de tempo para o ensino devido às outras atividades exercidas, e a compreensão dos processos para ser um melhor professor.

> "A aula ideal para mim seria aquela que tem uma interação muito forte, entre o professor e o aluno, aquela empatia..." (professor Andrew).

> "... tem que ter criatividade para criar um determinado problema, situação problema. Para que eles consigam enxergar essa situação problema no contexto da aula e na própria Engenharia. É conhecimento técnico do campo que o professor precisa saber e lógico, saber executar tudo isso." (professor Andrew).

> "... eu queria ter mais tempo. Porque eu acho que demanda muito tempo, ainda mais para quem é engenheiro que nunca vivenciou nada do que é uma formação de uma pessoa [...]." (professora Lisa).

> "... eu crio o problema e só medeio a situação dentro do desenvolvimento das atividades. Então, realmente eles seguem um método agora. Eles têm as etapas de início, desenvolvimento, conceito e término. Tenho a avaliação dentro do próprio módulo para que ele possa sair já capacitado." (professor Robert).

> "Eu também tenho a consciência de que eu poderia melhorar. Mas eu acho que essa busca é constante. [...] acho que eu posso melhorar aquilo que eu estou fazendo. Esse é o meu foco. Até essa questão de ser professora, hoje eu que gira em torno da minha vida." (professora Beth).

As percepções e visões a respeito do que é ser professor foram apontadas pelos professores entrevistados. Várias percepções foram identificadas a partir de suas narrativas. O professor como um mediador, aquele que instiga a criatividade e a curiosidade, ou desperta o estudante para realidade, ou um caminho, um instrumento, exemplo de postura profissional e cidadania, e aquele que transmite uma experiência.

> "Eu acho que o professor ele possibilita. Ele dá uma quantidade. Talvez de caminho ou flexibiliza passar o conhecimento para aluno. [...] que fora o conhecimento técnico, também o professor é a parte da Cidadania, de postura. Eu vejo um professor como aquele que é capaz por N caminhos e tentar passar o conteúdo para o aluno. Mas também eu acho que ele é a primeira visão do que o aluno tem do que é um profissional." (professora Yua).

> "Ser professor como eu poderia te falar. Eu acho que eu fico até emocionada. Eu acho que é um sacerdócio... Uma vocação. Eu acho que é... Eu gosto muito disso muito mesmo. Eu acho que é realmente fazer o que você ama. Para mim é isso." (professora Lisa).

> "Ele que está lá faz o levantamento. Claro eu como mediador estou lá. A temperatura e o tempo são importantes para capacidade? Depende. Pode ser que não. Portanto estamos ali para mediar esse tipo de situação." (professor Robert).

> "Ser professor. Tem a ver com formação. A primeira coisa na formação é acordar o aluno. Ainda mais agora. [...] tem essa parte que é de estímulo de despertar. Tem a parte que é de contexto. Porque eu quero passar uma informação que só faz sentido em um contexto [...]." (professor Mozart).

> "[...] é instigar. Sabe, acho que o primeiro princípio básico é instigar a curiosidade dos alunos. Eu acho que esse é o papel de um professor. [...] é passar uma experiência para indivíduo. Então acho que seria esse o papel do professor instigar a criatividade, mas também o senso de autonomia, autonomia do indivíduo." (professor Andrew).

> *"Eu acho que essa questão de você não só ensinar e sim você aprender também. Porque nós aprendemos com as aulas, com a dinâmica com o dia a dia. Eu aprendo muito como professora. Eu acho que isso é ser professora para mim hoje."* (Professor Beth).

A identidade dos professores acadêmicos incluí as visões de si mesmos como professores, assim como as emoções evocadas durante o ensino (HOCKINGS et al., 2009; KAASILA et al., 2021; TRAUTWEIN, 2018). O professor é aquele que aprende, instiga a curiosidade; é responsável por uma formação dentro de um contexto, ou ser professor é uma vocação, um sacerdócio, ou seja, muitas são as visões e percepções identificadas a partir das narrativas. Também é importante para a identidade desses professores engenheiros a visão do que é ser engenheiro. Alguns autores apontam que as disciplinas e áreas específicas tendem a ter culturas próprias de ensino, influenciando, dessa forma, a identidade do professor (KNIGHT; TROWLER, 2000; KREBER, 2010; WINBERG, 2008). A ideia do engenheiro como aquele profissional que soluciona problemas aparenta ser a principal concepção apontada a partir das narrativas dos professores.

> *"[...] é resolução de problemas de forma criativa."* (professor Andrew).

> *"Você tem que solucionar o problema. Então essa é uma parte. A outra parte que se tem que fazer isso, gastando mínimo para ter desempenho máximo. Ter uma solução que é mais barata em termos do desempenho que ela te dá."* (Professor Mozart).

> *"Eu acho que essa profissão é uma profissão muito direta e objetiva exatamente. Então eu associo esse aspecto da engenharia no que eu faço como professora hoje. Então tem essa praticidade. A engenharia como prática, nem sei exatamente, como algo prático"* (professora Beth).

> *"Ser engenheiro é ser prático. Eu acho que é isso. Eu percebo isso quando a gente está falando de outras áreas. O pensamento é um pensamento um pouco diferente. Realmente nós somos muito práticos e aplicados."* (professora Lisa).

"Bom, para mim, ser engenheiro acho que é do jeito que eu aprendi na faculdade é propor solução para ontem. A engenharia é aquela pressão a engenharia. Pelo menos assim nos setores que eu trabalhei. [...] Ser engenheiro é saber trabalhar sobre pressão, é saber chegar nos resultados mais rápido possível" (professora Yua).

A engenharia e o engenheiro estão identificados na fala dos professores como algo ligado à prática e à aplicação, assim como profissional que atua na resolução de problemas. A característica de ser prático é apontada como positivo, mas também como um aspecto negativo para alguns professores, em relação à aplicação de metodologias de ensino e às ações em sala de aula.

"[...] isso do engenheiro é muito bom para docência. Mas tem hora que é muito ruim. O ser muito prático é muito bom porque você traz a prática e não só a fala em sala de aula. Agora é essa coisa da gente fazer muito intuitivamente o pensamento muito rápido é difícil passar isso para o outro. Sabe esse lado do Engenheiro de ser tão prático. [...] às vezes é tão óbvio que é difícil passar isso por uma outra pessoa [...]." (professora Lisa).

"Na hora de executar o engenheiro ele acha que aquilo ali é desnecessário. Um sujeito que é desenvolvido sistematicamente a pensar concatenado. Na hora de aplicar, ele acha que aquilo[...] ele pensa que não é importante [...]." (professor Robert).

Outro aspecto observado se refere à interação entre ensino, pesquisa e a experiência técnica profissional no desenvolvimento suas práticas de ensino em sala de aula. Em alguns professores, isso é fortemente observado a partir de suas falas e, em outros professores, é menos observado. Nesses professores em que há essa forte interação, temos a percepção de uma identidade formada em uma espécie de amálgama do conjunto de características relacionadas ao conhecimento técnico da profissão de engenheiro, de aspectos de pesquisador e conhecimentos a respeito do ensino, além de conhecimentos práticos do professor. O papel da relação entre ensino e pesquisa é considerado fundamental à identidade do professor acadêmico.

A integração ensino-pesquisa molda fortemente a identidade do professor no Ensino Superior (KAASILA *et al.*, 2021).

> *"[...] o que eu sinto hoje é que eu não consigo fazer muito trabalho científico daqueles assim que eu não vejo uma aplicação. Eu quero saber o que que é indústria sofre, para mim poder dar o retorno. Isso, sempre foi uma característica minha."* (professora Yua).

> *"'MG', eles fazem há de mais de 25 anos que tem um cliente que produzem elevadores. Eles fazem aquelas polias para os cabos de aço. Tiveram que mudar a composição. Tiveram que pôr molibdênio e deu problema na fundição. Peguei o meu carro e levei uns alunos. Ele olhou para as polias ele falou e agora? O diretor da empresa falou. Nós estamos com um cliente há 25 anos. Vamos assinar um contrato. Eu falei para o diretor da empresa. Não estou dando a solução para você. Mas podemos estudar, [...] eu não perco esse vínculo."* (professora Yua).

A fala da professora Yua, apresentada anteriormente, mostra essa característica de tentar uma integração entre a pesquisa aplicada à solução de problemas relacionados à indústria e à sala de aula. A preocupação em aproximar a sala de aula com o ambiente real é outro fator manifestado nas narrativas.

> *"Ele tem que saber fazer. Não adianta só apenas na teoria. Isso é feito assim na prática! Na prática é assim que realmente que funciona! Não é assim que funciona um setor empresarial! As coisas trabalham com uma dinâmica diferente."* (professor Andrew).

As visões de si mesmos em relação à identidade relacionada à pesquisa e ao ensino são manifestadas pelos professores participantes do estudo.

> *"Me sinto professor pesquisador. Contudo, o pesquisador está meio afastado, pois, desde que assumi a coordenação, este tópico acabou ficando em segundo plano. O ritmo (de pesquisa) diminuiu muito."* (professor Andrew).

> "[...] eu me sinto mais pesquisadora que professora. Mas talvez porque me realizo mais na pesquisa que no ensino [...] um pouco disso é também devido ao desinteresse dessa leva de alunos que me desanima um pouco." (professora Beth).

> "Me sinto mais uma professora pesquisadora. Mesmo tendo iniciado minha carreira como Pesquisadora!" (professora Yua).

> "[...] então eu fui para fazer mestrado, eu entrei na graduação não com essa paixão pela pesquisa. Eu fui para o mestrado para conseguir fazer parte da docência. Eu já consegui o mestrado com esse pensamento. Eu queria ser docente e depois, claro que me envolvi e me comprometi com a pesquisa. Isso foi no doutorado." (professora Lisa).

Cada um dos professores apontou, em suas narrativas, suas identificações com a pesquisa e o ensino. Alguns se aproximaram mais da pesquisa, outros do ensino e outros manifestaram se sentirem professores pesquisadores que procuram integrar o ensino e a pesquisa em suas atividades. As experiências vividas pelos professores em sala de aula vinculadas às suas percepções sobre o que é ser professor, suas trajetórias e interações com outros, moldam suas identidades, trazendo características únicas para cada um deles. Mas, ao mesmo tempo, foi possível identificar fatores comuns relacionados a essas identidades. As relações entre professor e estudante, entre ensino e pesquisa, assim como as visões do que é ser professor e suas percepções sobre suas práticas profissionais em sala de aula podem desempenhar um papel fundamental na identidade do professor.

DISCUSSÕES

A partir dos procedimentos metodológicos, obteve-se como resultado cinco temas que refletem a identidade e as percepções do que significa ser professor para os professores engenheiros participantes desta pesquisa. Nesses campos temáticos identificados, foi possível evidenciar elementos ou fatores que caracterizam a identidade dos professores engenheiros. Em lugares e cenas, (a) aspectos importantes foram revelados que caracterizaram algumas das características das identidades dos professores engenheiros. Os ambientes de trabalho e ambientes onde foram realizadas as entrevistas evidenciaram elementos e aspectos importantes para a identidade. Características como a identificação com a pesquisa (professor Andrew, Professora Beth); perfis mais associados à função administrativa como fatores relacionados à liderança, organização e chefia (professora Yua); forte relação com a carreira de engenheiro e funções desenvolvidas na indústria (professor Mozart); além de perfis com identificação com a sala de aula, como aspectos pedagógicos, fatores emocionais e sua relação com o ensino (professora Lisa e professor Robert). Em geral, os ambientes refletiram características específicas de cada professor. Os fatores evidenciados nesse tema são confirmados em maior ou menor incidência nas narrativas descritas nos temas seguintes. Os elementos identificados apontaram para a multiplicidade da identidade do professor, corroborando com estudos anteriores (HENKEL, 2005; KAASILA *et al.*, 2021; KREBER, 2010; VAN LANKVELD *et al.*, 2017).

Em infância, família e curiosidade (b), as narrativas evidenciaram o papel dos pais e parentes próximos na decisão da carreira, além da identidade dos professores. Fora esses elementos, a curiosidade, principalmente na fase da infância, é considerada um elemento importante, segundo a fala dos professores. Em suas narrativas, eles associaram a curiosidade como a origem de suas carreiras como engenheiros. Os elementos identificados podem ser considerados importantes em suas decisões para a carreira e suas identidades, assim como outros fatores relacionados à família e a essa fase da infância, como experiências, interesses, incentivo e orientações pessoais (EWING, 2021; HAWKS; SPADE, 1998).

No tema momentos e pessoas no caminho para docência (c), os professores manifestaram em suas narrativas momentos e pessoas que, na trajetória de suas vidas, podem ser consideradas significativas no caminho para se tornarem professores. Entre os elementos identificados nesse tema, destacam-se momentos em que surgiram oportunidades para iniciar e praticar o ensino, pessoas que oportunizaram a reflexão sobre suas habilidades para ensinar, e pessoas que incentivaram a um caminho da docência, assim como pessoas que se tornaram um exemplo profissional de professor no Ensino Superior. A identidade do professor é construída a partir da interpretação das experiências com outras pessoas em suas comunidades e, dessa forma, vão desenvolvendo suas identidades ao longo do tempo (ZOTOS, MOON; SHULTZ, 2019).

O último tema resultante do processo metodológico e interpretativo se referiu à sala de aula, o ser professor e o ser engenheiro (d). As experiências de ensino na sala de aula foram consideradas fundamentais no processo de ser e se tornar professor podendo "moldar" o significado atribuído do que é ser professor e a identidade dos professores, sejam da escola ou acadêmicos (KAASILA *et al.*, 2021; SACHS, 2005; SCHAEFER; CLANDININ, 2019). Entre os fatores evidenciados nas narrativas dos professores engenheiros, destacam-se os conflitos e os desafios iniciais na prática de ensino; o papel da relação com os estudantes; as percepções e as visões de si mesmos como professores e a sala de aula; suas visões a respeito do que é engenharia e ser engenheiro e a relação com a sala de aula e a relação entre ensino e pesquisa. O papel da relação com estudantes tem sido apontado por vários autores como fundamental ao desenvolvimento da identidade do professor no Ensino Superior. Os relatos dos professores engenheiros indicam que a relação com estudantes pode assumir tanto um papel positivo (professor Andrew), como um papel negativo (professora Beth) para a identidade, confirmando as pesquisas sobre a identidade dos professores acadêmicos (KAASILA *et al.*, 2021; VAN LANKVELD *et al.*, 2017). A literatura a respeito da identidade do professor ressalta o papel das concepções de si mesmos como professores e as relações com as práticas em sala de aula (BEAUCHAMP; THOMAS, 2009; FLORES, 2012; KAASILA *et al.*, 2021; SCHULTZ; RAVITCH, 2013). As narrativas dos professores engenheiros manifestaram suas percepções do que é ser professor vinculado a um processo de reflexão sobre suas práticas em sala de aula a partir das experiências de ensino vivenciadas. Pode-se observar que esse movimento nos indica perfis específicos de cada professor em relação a suas identidades. As características observadas encontram consonância com as pesquisas realizadas a respeito da identidade do professor. Nesse sentido, as relações entre as visões de si mesmos como professores, os processos cognitivos e emocionais evocados durante o ensino e as relações com os outros dentro da sala de aula moldam o que os professores são e estão se tornando (HOCKINGS *et al.*, 2009; KAASILA *et al.*, 2021; SCHAEFER; CLANDININ, 2019; TRAUTWEIN, 2018). Dentro da natureza múltipla da identidade do professor no Ensino Superior, o papel da cultura disciplinar é considerado um elemento importante à compreensão da identidade (KNIGHT; TROWLER, 2000; KREBER, 2010; WINBERG, 2008). Nesses aspectos, as visões do que é Engenharia e do que é ser engenheiro se revela essencial ao entendimento da identidade dos professores engenheiros. Em seus relatos, eles apontaram que suas visões a respeito da Engenharia e do engenheiro estão relacionadas à resolução de problemas, à aplicação e à prática. Essas narrativas vão ao encontro dos estudos apontados na literatura (PAWLEY, 2009). Em suas narrativas, alguns professores manifestaram que essas características atuam como fatores positivos ao desenvolvimento das atividades em sala de aula, mas também podem atuar como fatores negativos, sendo uma barreira ao desenvolvimento de atividades de ensino. Alguns estudos sobre a identidade do professor de ciências no Ensino Superior apontaram que as características da cultura específica da disciplina de ensino podem atrapalhar no desenvolvimento da identidade (BROWNELL; TANNER, 2012; LANE et al., 2019). Em relação a professores engenheiros no Ensino Superior, há poucos artigos que abordam essa relação entre a cultura da disciplina de ensino e o desenvolvimento da identidade do professor (WINBERG, 2008), demonstrando, dessa forma, a necessidade de investigações a respeito desse tema. Para finalizar, outro elemento considerado fundamental à identidade dos professores acadêmicos é o nexo ensino-pesquisa (KAASILA et al., 2021). A partir das falas dos professores, evidencia-se uma maior ou menor identificação deles com o ensino e a pesquisa. Alguns manifestaram se sentirem como professores-pesquisadores, que integram bem as duas funções (professora Yua e professor Andrew), mas outros relataram estar mais predispostos à função de professor, além de apresentarem, ao longo de suas narrativas, uma identificação maior com a sala de aula (professora Lisa e professor Robert). A identificação maior com a função de pesquisador também foi manifestada pela professora Beth. No caso dela, essa identificação está relacionada à realização pessoal e à relação com os estudantes, sendo que tal relação atuou como fator negativo à identidade de professor (KAASILA et al., 2021; VAN LANKVELD et al., 2017). A integração ensino-pesquisa e sua importância na relação com aspectos na sala de aula foi evidenciada nos relatos da professora Yua. Esse aspecto foi apontado na literatura como um elemento que molda fortemente a identidade dos professores universitários (KAASILA *et al.*, 2021).

CONSIDERAÇÕES FINAIS

A partir das narrativas e histórias dos professores de Engenharia, identificamos quatro temas que representam a identidade dos professores participantes desta pesquisa, sendo eles: (a) lugares e cenas; (b) família, infância e curiosidade; (c) pessoas e momentos no caminho para a docência, e (d) a sala de aula, ser professor e ser engenheiro Dentro dos temas identificados, evidenciaram-se elementos ou fatores que caracterizam a identidade e o ser professor, e as relações com a sala de aula a partir das percepções dos professores. Os elementos ou fatores identificados corroboram com as pesquisas anteriores a respeito da identidade do professor, apontando para uma natureza múltipla, complexa, que leva em conta aspectos sociais, históricos, culturais e psicológicos, assim como as experiências de ensino e as percepções e visões a respeito da profissão. As visões do que é Engenharia e do que é ser engenheiro podem atuar como fatores positivos ou negativos ao desenvolvimento da identidade e das atividades em sala de aula. Esses estudos iniciais evidenciam a necessidade de pesquisas a respeito da relação entre a cultura disciplinar (Engenharia) e a identidade do professor. As características evidenciadas por meio das percepções dos professores engenheiros representados nos temas identificados apontaram alguns fatores ou elementos constituintes dessas identidades. Dada a natureza de pequena escala dessa investigação, somos cautelosos em generalizar os resultados a outros professores engenheiros no Ensino Superior. Devido à carência de pesquisas a respeito da identidade do professor de Engenharia, destacamos, a partir desses estudos iniciais, a necessidade de aprofundar a pesquisa a respeito dessa identidade. Em suma, podemos intuir que as narrativas e histórias são uma forma de manifestação que os professores revelam, constroem e reconstroem aspectos de suas identidades pessoais e profissionais em relação ao contexto, experiências (pessoais e profissionais) e em relação a si mesmo e aos outros.

REFERÊNCIAS

AKKERMAN, F. S.; MEIJER, P. C. A dialogical approach to conceptualizing teacher identity. *Teaching and Teacher Education*, v. 27 p. 308-319, 2011.

ARY, D.; JACOBS, L. C.; IRVINE, S. C. K.; WALKER, D. A. *Introduction to Research in Education*. 10. ed., Independence, KY: Cengage Learning, 2019.

BEAUCHAMP, C.; THOMAS, L. Understanding teacher identity: an overview of issues in the literature and implications for teacher education, *Cambridge Journal of Education*, [s. l.], v. 39, p. 175-189, 2009.

BEIJAARD, D.; MEIJER, P.; VERLOOP, N. Reconsidering research on teachers' professional identity. *Teaching and Teacher Education*, v. 20, p. 107-128, 2004.

BROWNELL, S. E.; TANNER, K. D. Barriers to faculty pedagogical change: Lack of training, time, incentives, and... tensions with professional identity? *CBE-Life Sciences Education*, v. 11, n. 4, p. 339-346, 2012.

CLANDININ, D. J.; CONNELLY, F. M. *Narrative Inquiry. Experience and Story in Qualitative Research*. San Francisco: John Wiley & Sons, 2000.

CONNELLY, F.M.; CLANDININ, D.J. Stories of experience and narrative inquiry. *Educational Researcher*, v. 19, n. 5, p. 2-14, 1990.

DAY, C. *Pasión Por Enseñar*. La identidad personal y profesional del docente y sus valores. Madrid: Narcea, 2018.

EWING, L. Affari di familglia: identity, shared values and tradition in a family of teachers. *Teachers and Teaching: Theory and Practice*. v. 27, n. 1, p. 1-16, 2021.

FLORES, M. A. A formação de professores e a construção da identidade profissional. *In*: VEIGA SIMÃO, A. M.; FRISON, L. M.; ABRAHÃO, M. H. (Eds.)., *Autorregulação da aprendizagem e narrativas autobiográficas*: epistemologia e práticas. Porto Alegre: EDIPUCRS, p. 93-113, 2012.

FLORES, M. A. Formação docente e identidade profissional: tensões e (des)continuidades. *Educação*, Porto Alegre, v. 38, n. 1, p. 138-146, 2015.

FLORES, M. A. *The early years of teaching*: issues of learning, development and change. Porto: Rés, 2004.

HAWKS, B. K.; SPADE, J. Z. Women and Men Engineering Students: Anticipation of Family and Work Roles. *Journal of Engineering Education*, v. 87, n. 3, p. 249-256, 1998.

HENKEL, M. Academic identity and autonomy in a changing policy environment. *Higher Education*, v. 49, n. 1-2, p. 155-176, 2005.

HOCKINGS, C.; COOKE, S.; YAMASHITA, H.; MCGINTY, S.; BOWL, M. 'I'm neither entertaining nor charismatic...' Negotiating university teacher identity within diverse student groups. *Teaching in Higher Education*, v. 14, n. 5, p. 483-494, 2009.

KAASILA, R; LUTOVAC, S.; KOMULAINEN, J.; MAIKKOLA, M. From fragmented toward relational academic teacher. *Higher Education*, v. 82, p. 583-598, 2021.

KNIGHT, P.; TROWLER, P. Department-level cultures and the improvement of learning and teaching. *Studies in Higher Education*, v. 25, p. 69-83, 2000.

KREBER, C. Academics' teacher identities, authenticity and pedagogy. *Studies in Higher Education*, v. 35, n. 2, p. 171-194, 2010.

LANE, A. K.; HARDISON, C.; SIMON, A.; ANDREWS, T. C. A model of the factors influencing teaching identity among life sciences doctoral students. *Journal Research Science Teaching*, v. 56, p. 141-162, 2019.

PAWLEY, A. L. Universalized Narratives: Patterns in How Faculty Members Define "Engineering". *Journal of Engineering Education*, v. 98, n. 4, p. 309-319, 2009.

RODRIGUES, F.; MOGARRO, M. J. Imagens de identidade profissional de futuros professores. *Revista Brasileira de Educação*, v. 25, e250004, p. 1-21, 2020.

RODRIGUES, F.; MOGARRO, M. J. Student teachers' professional identity: a review of research contributions. *Educational Research Review*, v. 28, p. 100286, 2019.

SACHS, J. Teacher education and the development of professional identity: Learning to be a teacher. *In*: DENICOLO, P.; KOMPF, M. (Eds.). *Connecting policy and practice*: Challenges for teaching and learning in schools and universities. Oxford: Routledge, 2005, p. 5-21.

SAMPIERI, R. H.; COLLADO, C. F.; LUCIO, M. D. P. B. *Metodologia da Pesquisa*. Porto Alegre: Penso Editora, 2013.

SCARTEZINI, R. A. Formação de Professores do Ensino Superior e Identidade Profissional Docente. *In*: REUNIÃO NACIONAL DA ANPED, 38., 2017, São Luiz. *Anais [...]*. São Luiz: ANPED, 2017.

SCHAEFER, L.; CLANDININ, J. Sustaining teachers' stories to live by: implications for teacher education, *Teachers and Teaching*: Theory and Practice, v. 25:1, p. 54-68, 2019.

SCHULTZ, K.; RAVITCH, S. M. Narratives of Learning to Teach: Taking on Professional Identities. *Journal of Teacher Education*, v. 64, n. 1, p. 35-46, 2013.

SFARD, A.; PRUSAK, A. Telling identities: In search of an analytic tool for investigating learning as a culturally shaped activity. *Educational Researcher*, v. 34, n. 4, p. 14-22, 2005.

SHERIDAN, V. A risky mingling: academic identity in relation to stories of the personal and professional self, *Reflective Practice*, v. 14:4, p. 568-579, 2013.

SPEKTOR-LEVY, O.; BARUCH, Y. K.; MEVARECH, Z. Science and Scientific Curiosity in Pre-school – The teacher's point of view, *International Journal of Science Education*, v. 35, n. 13, p. 2.226-2.253, 2013.

TRAUTWEIN, C. Academics' identity development as teachers. *Teaching in Higher Education*, v. 23, n. 8, p. 995-1010, 2018.

TREDE, F.; MACKLIN, R.; BRIDGES, D. Professional identity development: A review of the higher education literature. *Studies in Higher Education*, v. 37, p. 365-384, 2012.

VAN LANKVELD, T.; SCHOONENBOOM, J.; VOLMAN, M., CROISET, G.; BEISHUIZEN, J. Developing a teacher identity in the university context: a systematic review of the literature. *Higher Education Research and Development*, v. 36, n. 2, 325-342, 2017.

WATSON, C. Narratives of practice and the construction of identity in teaching. *Teachers and Teaching: Theory and Practice*, v. 12, n. 5, p. 509-526, 2006.

WINBERG, C. Teaching engineering/engineering teaching: Interdisciplinary collaboration and the construction of academic identities. *Teaching in Higher Education*, v. 13, n. 3, p. 353-367, 2008.

YLIJOKI, O.-H.; URSIN, J. The construction of academic identity in the changes of Finnish higher education. *Studies in higher education*, v. 38, n. 8, p. 1135-1149, 2013.

ZOTOS, E. K.; MOON, A. C.; SHULTZ, G. V. Investigation of chemistry graduate teaching assistants' teacher knowledge and teacher identity. *Journal of Research Science Teaching*, v. 57, p. 943-967, 2020.

CAPÍTULO 11

"CHEGOU ELA!": NARRATIVAS DE PROFESSORAS DE CIÊNCIAS SOBRE SE TORNAREM MESTRAS E REGRESSAREM AO CAMPO DE TRABALHO[1]

Regiane Barreto Martins[2]
Talamira Taita Rodrigues Brito[3]

> "Olha a mestre! Chegou a mestre". Poxa, para quem não sabe que eu estava num mestrado vai me colocar naquela situação chata: "Oh, ela é mestre!", um negócio chato."[4]

Após quase três décadas de construção de aparatos legais[5] para assegurar a formação de professores em nível superior por meio dos cursos de licenciaturas e, também, construir meios para que a formação continuada se fizesse presente na condição de viver a profissão professor, mesmo que ainda em condições bastante controversas, professoras(es), em suas

---

1 O Título se encontra no feminino porque apenas pessoas (auto)identificadas do gênero feminino participaram da pesquisa. Este capítulo é a atualização de um artigo publicado na revista Linhas, Florianópolis, v. 20, n. 43, p. 132-160, maio/ago. 2019.

2 Mestra em Educação Científica e Formação de Professores pela Universidade Estadual do Sudoeste da Bahia. Professora da Educação Básica do Estado da Bahia. E-mail: regianex@hotmail.com

3 Doutora em Educação. Professora do Programa de Pós-graduação em Educação Científica e Formação de Professores da Universidade Estadual do Sudoeste da Bahia. E-mail: talamira@uesb.edu.br

4 Fragmento de narrativa de uma das professoras colaboradas da pesquisa.

5 Aparatos Legais: entende-se por constituição do expediente de Legislações: LDB 9494/96, Resoluções – Ex.: 01; 02/2002; Diretrizes Nacionais de Formação de Professores e Profissionais da Educação Ex.: 02/2015.

variadas áreas, conseguiram construir caminhos para realizar especializações (para além das formações oferecidas pelo Estado) e também passaram a ingressar em cursos *Stricto sensu*.

Em especial, na última década deste século, podemos notar um pequeno percentual de aumento de professores da Educação Básica acedendo a esse nível de formação e mudando o cenário lentamente de qualificação para atuar nas salas de aula de tal nível[6].

Embora, saibamos, naturalmente, o quanto a formação (seja ela qual for) estabelece níveis cada vez mais sofisticados de implicação do profissional professor(a) com sua área, sua escola e sua condição como trabalhador(a) da educação, é também curioso entender como essas mudanças provocam a escola (Estado) a pensar sobre este(a) professor(a) que, depois de se ausentar por dois ou mais anos, retorna para atuar novamente em sua classe, sua disciplina, (re)unir-se com seus pares e "costurar" novamente sua realidade juntando os novos conhecimentos (em sentido lato) à realidade da vida cotidiana de uma escola "pública".

Foi a partir dessas reflexões que iniciamos alguns estudos sobre a vida de professores de ciências que atuam no Ensino Médio. Em 2017, elaboramos uma pesquisa de mestrado que, dois anos depois, foi apresentada na defesa de dissertação com reflexões sobre como os(as) professores(as) de Ciências se percebem nessa condição de portarem o título de mestrado e retornarem para seu ambiente de trabalho[7].

Tal pesquisa teve como colaboradores professores que lecionam Ciências (Química, Física, BIOLOGIA) em escolas públicas da cidade de Jequié-BA. A participação na pesquisa se deu por convites para a adesão a partir de uma lista de egressos do Programa de Pós-graduação em Educação Científica e Formação de Professores da Universidade Estadual do Sudoeste da Bahia (PPGECFP-UESB) e os *e-mails* constantes naquela lista. Para a pesquisa, "compreender as implicações deste processo formativo

---

6 No estudo apresentado por Locatteli (2021): "Com base nas Sinopses Estatísticas da Educação Básica – 2017" (BRASIL, 2018b), podemos perceber que é extremamente baixo o percentual dos professores da educação básica que têm mestrado ou doutorado: 2,42% tinham mestrado e 0,43% doutorado em 2017. [...] o aumento representa 1,3% ao ano.

7 Título da dissertação: "Tornar-se mestre e regressar ao campo de trabalho: narrativas de professores de ciências", apresentada na Linha 1 – de formação de professores do Programa de Pós-graduação em Educação Científica e Formação de Professores.

para a profissionalização e prática dos professores de Ciências foi o objetivo maior que a sustentou" (MARTINS, 2019). Ancorada nas histórias de vida e formação, o estudo das narrativas produzidas a partir de roteiros semiestruturados conduziu à produção de interações com as histórias de vida-formação-trabalho das colaboradoras da pesquisa, desdobrando-se em um conjunto de relatos sobre como a realidade vem sendo tecida à luz de tais processos formativos e enfrentamentos com as condições físicas, materiais e humanas que muitas vezes não correspondem às expectativas de quem retorna ao trabalho – os egressos do mestrado.

Para este capítulo, apresentaremos especialmente uma reflexão sobre "o pensar o(a) professor(a) de Ciências e a formação continuada no Brasil", o "como ocorreram os movimentos de retorno das professoras mestras à escola", na expectativa de atualizarmos tais reflexões com demandas já apresentadas no plano atual das discussões sobre tal temática – já que tal pesquisa se desdobra agora em tese de doutorado[8].

Por fim, construímos uma reflexão sobre tal condição docente na expectativa de nos juntarmos às vozes que se anunciaram nesta pesquisa, abordando um tema que, certamente, ainda precisará de mais conversas, debates e lutas da categoria de professores(as) da Educação Básica para serem acolhidas em seus direitos trabalhistas e de classe.

Pensando o professor de Ciências e a formação continuada no Brasil

A construção da política de formação de professores no Brasil encontra na Resolução CNE de 02/2015 (BRASIL, 2015): "Define as Diretrizes Curriculares Nacionais para a formação inicial em nível superior (cursos de licenciatura, cursos de formação pedagógica para graduados e cursos de segunda licenciatura) e para a formação continuada" sua culminância. Tal resolução define alguns lugares de partida à consolidação de caminhos institucionais a serem construídos em prol da vida formativa dos docentes. A Formação Continuada, compreendida por nós como um destaque, já que

---

[8] A pesquisa de Tese iniciada em 2022 tem como pretensão a construção da relação histórica e política do Governo da Bahia através do Instituto Anísio Teixeira (IAT) com a formação de professores de ciências.

trata dos espaços que devem ser construídos por políticas públicas e também pelo movimento docente à luz de suas necessidades diárias na relação construída no cotidiano da docência.

Embora tenhamos a compreensão de que a formação inicial é a chave para a construção de um longo ciclo de vida docente, pois é por meio dela que alicerçamos a licença para viver a profissão de professor, é na formação continuada que outras dimensões são construídas, pois as condições de trabalho, a vida na escola, os desafios pedagógicos, as demandas da categoria profissional passam a fazer parte de sua realidade e passam a provocar necessidades formativas que ajudam o(a) decente a enfrentar seu dia a dia. Para Chimentão (2009), as exigências que recaem sobre a profissão docente requerem desses profissionais uma bagagem de conhecimentos sempre atualizados a respeito dos conteúdos específicos e, também, em relação às mudanças sociais, o que vai além do espaço da sala de aula, mas que incidem sobre o processo formativo dos alunos.

A formação continuada é compreendida, por Chimentão (2009), como um processo cujos saberes inerentes à atuação do professor, obtidos com a formação inicial, são aperfeiçoados, melhorados, e podem resultar em práticas que promovam a melhoria da qualidade de ensino, e, consequentemente, a mudança do educador sobre suas práticas a partir da reflexão de seu percurso formativo e no campo de trabalho. Essa autora complementa dizendo que:

> Fica mais difícil de o professor mudar seu modo de pensar o fazer pedagógico se ele não tiver a oportunidade de vivenciar novas experiências, novas pesquisas, novas formas de ver e pensar a escola. [...] para aqueles profissionais que já estão atuando, há pouco ou muito tempo, ela se faz relevante, uma vez que o avanço dos conhecimentos, tecnologias e as novas exigências do meio social e político impõem ao profissional, à escola e às instituições formadoras, a continuidade, o aperfeiçoamento da formação profissional. (CHIMENTÃO, 2009, p. 6).

Por sua vez, a formação continuada para professores ganha destaque no cenário educacional brasileiro no final da década de 1990 e início dos anos 2000, em virtude do aumento e direcionamento de cursos que buscavam promover a formação aos professores que já estão no campo de trabalho, em acolhimento à LDB n.º 9.394/96.

No ano de 2004, uma rede de aperfeiçoamento foi lançada pelo Governo Federal com o intuito de garantir o acesso dos professores da rede pública de ensino, e sem a formação em nível superior, em cursos de licenciatura, para que esses obtivessem graduação em suas áreas de atuação. Essa rede também contemplou cursos de formação continuada como especialização e mestrado (BRASIL, 2006). Gatti e Barreto (2009) corroboram afirmando que:

> A proposta é "organizarem regime de colaboração entre União, os Estados, o Distrito Federal e os Municípios, a formação inicial e continuada dos profissionais do magistério para as redes públicas da educação básica" (art. 1º). Enseja apoiar "a oferta e a expansão de cursos de formação inicial e continuada a profissionais do magistério pelas instituições públicas de educação superior". E equalizar nacionalmente as "oportunidades de formação inicial e continuada dos profissionais do magistério" (art. 3.º, incisos II e III). (GATTI; BARRETO, 2009, p. 51).

Gatti (2008, p. 60) salienta que:

> Assim, problemas concretos das redes inspiraram iniciativas chamadas de continuada, especialmente na área pública, pela constatação, por vários meios (pesquisas, públicos, avaliações), de que os cursos formação básica dos professores não vinham (e vêm) propiciando adequada base para sua atuação profissional. Muitas das iniciativas públicas de continuada no setor educacional adquiriram, então, a feição de programas compensatórios e propriamente de atualização e aprofundamento avanços do conhecimento, sendo realizados com finalidade de suprir aspectos da má-formação alterando o propósito inicial dessa educação posto nas discussões internacionais –, que seria aprimoramento de profissionais nos avanços, renovações e inovações de suas áreas, dando sustentação à sua criatividade pessoal e

à de grupos profissionais, em função dos rearranjos nas produções científicas, técnicas e culturais.

Em 2001, o Plano Nacional de Educação (PNE 2001-2010[9]) foi elaborado e implementado pelo Ministério da Educação e Cultura (MEC), sendo reestruturado em 2010 e, posteriormente, em 2015. Esse documento destaca e relaciona a carência de professores de Ciências **à** qualidade de ensino, sendo esse fator de entrave no funcionamento e expansão do sistema educacional então vigente. Assinala ainda a necessidade de fomentar a formação de professores nessa área de conhecimento, além da adequação de espaços destinados a aulas de ciências, laboratórios, nas unidades de ensino médio (BRASIL, 2001).

Nesse sentido, o documento propõe o fomento à formação inicial e continuada de professores para a alfabetização de crianças, a ampliação a programas de iniciação à docência de estudantes dos cursos de licenciatura, para que estes possam aprimorar a formação daqueles, que atua**rão** na Educação Básica, bem como buscam reestruturar os cursos de licenciatura:

> Art. 1.º
>
> A carga horária dos cursos de Formação de Professores da Educação c comuns:
>
> I – 400 (quatrocentas) horas de prática como componente curricular, vivenciadas ao longo do curso;
>
> II – 400 (quatrocentas) horas de estágio curricular supervisionado a partir do início da segunda metade do curso;
>
> III – 1.800 (mil e oitocentas) horas de aulas para os conteúdos curriculares de natureza científico-cultural;
>
> IV – 200 (duzentas) horas para outras formas de atividades acadêmico-científico-culturais.
>
> Parágrafo único. Os alunos que exerçam atividade docente regular na educação básica poderão ter redução da carga horária do estágio

---

9 *Disponível em: http://portal.mec.gov.br/arquivos/pdf/L10172.pdf. Acesso em: 27 jun. 2023*

curricular supervisionado até o máximo de 200 (duzentas) horas. (BRASIL, 2000, p. 1).

A formação inicial de professores que atuam fora de sua área de graduação foi contemplada em programas como o Plano Nacional de Formação de Professores da Educação Básica (PARFOR), criado a partir do decreto n.º 6.755, de 29 de janeiro de 2009, e tem por objetivo "[...] organizar as demandas e ofertas dos cursos de formação inicial e continuada do país até o ano de 2014, tendo como meta alcançar os 600 mil professores das redes públicas que não têm formação adequada[...]." (MORORÓ, 2012, p. 3.510).

Urzetta e Cunha (2013) destacam que, nesse tipo de formação, as práticas de sala de aula e as atividades diárias das escolas são relacionadas aos conhecimentos teóricos, e essa associação entre o teórico e o prático pode auxiliar, de modo significativo, o desenvolvimento profissional dos professores. Desse modo, Imbernón (2006, p. 17) destaca que:

> A formação do professor deve estar ligada a tarefas de desenvolvimento curricular, planejamento de programas e, em geral, melhoria da instituição educativa, e nelas implicar-se, tratando de resolver situações problemáticas ou específicas relacionadas ao ensino em seu contexto.

O PNE foi reformulado em 2015, e sua vigência passou a ser de 2015-2025, mas as preocupações em relação à formação dos professores permanecem no programa, por meio de parcerias entre Instituições de Educação de Ensino Superior, públicas e privadas, de forma orgânica e articulada às políticas de formação dos Estados, do Distrito Federal e dos Municípios propostos (BRASIL, 2015).

Diante dessa demanda, ocorreu o crescimento considerável de cursos de curta duração no Brasil, em grande parte com caráter tecnicista, oferecidos por instituições particulares e públicas para os docentes que já estavam atuando em sala de aula. Gatti (2008, p. 3) salienta que:

> O surgimento de tantos tipos de formação não é gratuito. Tem base histórica em condições emergentes na sociedade contemporânea,

nos desafios colocados aos currículos e ao ensino, nos desafios postos aos sistemas pelo acolhimento cada vez maior de crianças e jovens, nas dificuldades do dia-a-dia nos sistemas de ensino, anunciadas e enfrentadas por gestores e professores e constatadas e analisadas por pesquisas. Criaram-se o discurso da atualização e o discurso da necessidade de renovação.

A formação em nível *Lato sensu* (especializações) também está inserida nessa perspectiva, na modalidade presencial ou a distância, promovida pelas parecerias com governos Estaduais, Municipais e Federal. Gatti (2008) complementa afirmando que:

> Seria uma formação dos professores em exercício propiciando-lhes a titulação adequada a seu cargo, que deveria ser dada nos cursos regulares, mas que lhe é oferecida como um complemento de sua formação, uma que já está trabalhando na rede. São projetos elaborados sob a coordenação do poder público, dentro especificações bem definidas. Citemos alguns desses projetos, com grande volume de participantes. (GATTI, 2008, p. 71).

As Diretrizes Curriculares Nacionais para formação de professores de 2015 (CNE/CP 02/2015)[10] ressalta, em seu texto, a importância da formação continuada de professores em todos os níveis de atuação docente e apresenta, no capítulo VI, Art. 16, o seguinte entendimento para essa formação:

> A formação continuada compreende dimensões coletivas, organizacionais e profissionais, bem como o repensar do processo pedagógico, dos saberes e valores, e envolve atividades de extensão, grupos de estudos, reuniões pedagógicas, cursos, programas e ações para além da formação mínima exigida ao exercício do magistério na educação básica, tendo como principal finalidade a reflexão sobre a prática educacional e a busca de aperfeiçoamento técnico, pedagógico, ético e político do profissional docente. (BRASIL, 2015, p. 13).

---

10 *Disponível em:* http://portal.mec.gov.br/docman/agosto-2017-pdf/70431-res-cne-cp-002-03072015-pdf/file. Acesso em: 27 jun. 2023.

Essa formação, segundo tal diretriz, deve, entre outras coisas, estimular o desenvolvimento profissional dos professores que estão na Educação Básica; promover a aquisição de novos saberes e competências que possam auxiliar esses profissionais na resolução de problemas e desafios vivenciados em suas unidades de ensino; promover uma formação que permita um ensino que contemple as ciências e as tecnologias presentes na sociedade atual, por meio de práticas mais reflexivas e críticas, pautadas na compreensão da autonomia e protagonismo, próprios da atuação docente. A formação continuada, ainda deve buscar a melhoria das ações didáticas, por meio de parcerias em seu ambiente escolar, além de outras instâncias educativas e articular o ensino e a pesquisa (BRASIL, 2015, p. 14).

Esse documento também apresenta as atividades e/ou cursos que podem ser entendidos como formação continuada para professores, os quais se diferem em suas intencionalidades, carga horária e instituições às quais devem estar atrelados. Os cursos de aperfeiçoamento e atualização ocorrem de modo mais rápido e direto, quase sempre voltados a um treinamento, de um novo recurso ou metodologia. Têm duração média de 20 h – 120 h e são, muitas vezes, oferecidos pelos próprios órgãos educacionais, ou em parceria com instituições privadas (BRASIL, 2015, p. 14).

As atividades ou cursos de extensão ocorrem por meio de Instituição de Educação Superior, sendo esse tipo de formação interligada ao ensino e à pesquisa desenvolvidos pelas universidades, por meio de grupos de estudos, congressos, encontros, simpósios e atividades diversas, em uma carga horária mais flutuante. Os cursos de aperfeiçoamento têm por objetivo promover uma melhoria na atuação do profissional dos professores que estão em plena atividade em sala de aula.

A formação em nível de especialização, ou *lato sensu*, deve ter carga horária mínima de 360 h. O mestrado e o doutorado, assim como a especialização, também devem ser oferecidos por universidades formadoras, que possibilitam a obtenção da titulação de especialista, mestre(a) e/ou doutor(a).

O *Stricto sensu* contempla a formação nos mestrados e doutorados – profissionais e acadêmicos, sendo que os acadêmicos são voltados para o "[...] desenvolvimento da produção intelectual comprometida com o avanço do conhecimento e de suas interfaces com o bem econômico, a cultura, a inclusão social e o bem-estar da sociedade [...]" (BRASIL, 2017, p. 4). Já o mestrado profissional tem por objetivo uma formação mais técnica, onde se promova uma qualificação e capacitação "[...] mediante o estudo de técnicas, processos, ou temáticas [...] voltados para um campo de conhecimento e atuação em específico" (BRASIL, 2014, p. 1). Ribeiro (2005) ressalta ainda que:

> A principal diferença entre o mestrado acadêmico (MA) e o MP é o produto, isto é, o resultado almejado. No MA, pretende-se, pela imersão na pesquisa, formar, a longo prazo, um pesquisador. No MP, também deve ocorrer a imersão na pesquisa, mas o objetivo é formar alguém que, no mundo profissional externo à academia, saiba localizar, reconhecer, identificar e, sobretudo, utilizar a pesquisa de modo a agregar valor a suas atividades, sejam essas de interesse mais pessoal ou mais social. Com tais características, o MP aponta para uma clara diferença no perfil do candidato a esse mestrado e do candidato ao mestrado acadêmico. (RIBEIRO, 2005, p. 8).

Segundo a Capes, em sua última avaliação de 2017, no Brasil, foi registrado um total de 4.564 programas de Pós-graduação, devidamente reconhecidos e avaliados, que estão distribuídos entre Mestrado Acadêmico, Mestrado Profissional e Doutorado, com as maiores concentrações na região Sudeste, Sul, Nordeste, Centro-Oeste e Norte. O quadro a seguir ilustra essa distribuição.

Quadro 1 – Programas de pós-graduação avaliados e reconhecidos pela Capes

Total de Programas de Pós-graduação							
Região	Total	ME	DO	MP	DP	ME/DO	MP/DP
CENTRO-OESTE	397	147	7	64	1	176	2
NORDESTE	960	384	16	162	1	387	10
NORTE	283	127	7	54	0	89	6
SUDESTE	1.979	370	36	374	1	1.175	23
SUL	974	278	11	145	0	526	14
Totais	4.593	1.306	77	799	3	2.353	55
Total de cursos de Pós-graduação							
Região	Total	ME	DO	MP	DP		
CENTRO-OESTE	548	310	180	58	0		

NORDESTE	1.304	755	384	165	4
NORTE	358	211	91	56	3
SUDESTE	3.153	1.557	1.204	392	11
SUL	1.492	803	522	167	6
Totais	**6.879**	**3.636**	**2.381**	**838**	**24**

Total de Programas de Pós-graduação (UF)						
UF	Total	ME	DO	MP	DP	ME/DO	MP/DP
BA	208	72	5	44	1	86	0

Total de Programas de cursos de Pós-graduação (UF)				
UF	Total	ME	DO	MP	DP
BA	293	157	91	44	1

Legenda: ME: Mestrado Acadêmico; DO: Doutorado Acadêmico; MP: Mestrado Profissional; DP: Doutorado Profissional; ME/DO: Mestrado Acadêmico e Doutorado Acadêmico; MP/DP: Mestrado Profissional e Doutorado Profissional.

Fonte: Elaborado pela autora, com base na Plataforma Sucupira[11], atualizado até 2022.

Os dados obtidos no último levantamento chamam a atenção para o aumento dos cursos, principalmente para os mestrados acadêmicos e profissionais na área de Educação, em torno de 25% (2011-2022). Os mestrados profissionais (MP) nessa área da educação buscam propiciar uma formação de professores a partir das práticas de ensino e com os mestrandos inseridos no campo de atuação.

André (2017) afirma que o MP foi iniciado tardiamente, em 2009, no campo educacional brasileiro, pois sempre foi visto com estranhamento, uma vez que seu caráter mais prático e aplicável sugeria que ele não privilegiava a pesquisa, com rigor científico, e não possibilitaria mudanças nas concepções sobre o ensino e a prática docente dos professores pesquisadores. Entretanto, a autora complementa que essa modalidade de mestrado apresenta como vantagem o fato de estar diretamente voltado à realidade escolar, podendo auxiliar na produção de novas e mais eficientes possibilidades para a superação de problemas próprios da educação básica. Já o MA constrói investigações que nem sempre estão bem alinhadas com as questões dos contextos das escolas. Ela ainda afirma que, no

---

11 *Disponível em: https://sucupira.capes.gov.br/sucupira/public/consultas/coleta/programa/quantitativos/quantitativoRegiao.jsf;jsessionid=IpC19tcuSCVdbQWNHKsjYjWE.sucupira-213. Acesso em: 27 jun. 2023.*

que tange à estruturação e ao desenvolvimento, ao rigor científico, planejamento e aos estudos dentro da pesquisa, esses mestrados se aproximam significativamente.

A Bahia registra 208 Programas de Pós-Graduação, dos quais 165 são acadêmicos (85 possuem doutorado) e 43 mestrados profissionais. A Uesb possui atualmente 06 Programas de Mestrados Profissionais, 18 Programas Acadêmicos, dos quais 09 oferecem mestrado e doutorado. Desses, temos um programa na área de Educação e 02 programas na área de Ensino. Um deles, Educação Científica e Formação de Professores (PPGECFP) é o nosso ambiente de pesquisa. Na época de nossa coleta (2018), o programa oferecia apenas o mestrado acadêmico; desde 2021, oferece também o doutorado acadêmico.

Os planos de carreira do magistério, sejam nas instâncias federais, estaduais ou municipais, em consonância com a LDB 9.394/1996, vinculam a obtenção dessas formações continuadas (especialização, mestrado e doutorado) a promoções na carreira, quase sempre traduzidos em ganhos financeiros, incorporados aos salários dos professores, que podem variar em suas porcentagens de uma classe para outra[12]. Ainda segundo essa legislação, além dos documentos oficiais que regem a carreira do professor, é garantido o direito de afastamento para a realização de cursos de aperfeiçoamento profissional.

Singularmente, em 2016, o Governo do Estado da Bahia promulgou o decreto n.º 16.417, de 16 de novembro de 2015, sendo suspensa a concessão de licenças aos servidores públicos estaduais para a realização de cursos de qualificação, com base na lei da responsabilidade fiscal e contenção de despesas. Contudo, as condições de melhoria salarial continuaram atreladas, entre outras coisas, à mudança de nível e classe/padrão do professor, que só é possível se obter por meio da participação em cursos – especialmente nesses dois níveis.

Daquele ano para cá, os professores desse Estado vêm atravessando caminhos difíceis para a garantia de seus direitos estatuários, afastamento

---

12 *Os professores efetivos, em alguns Estados, são categorizados em "Padrões" que correspondem ao tempo de exercício na rede de ensino. Quanto maior o tempo em atividade, mais elevado é o padrão, que incide diretamente sobre o salário base e as gratificações oriundas de cursos de aperfeiçoamento, ou, até mesmo, mudança de nível de formação.*

pleno de suas funções com direito a substituições correspondentes ao período, ou reconhecimento do título traduzido em ganhos salariais reais. Depreende-se, portanto, que estamos diante de uma situação complexa que afeta diretamente a relação de trabalho com o Governo e constrói uma reação em cadeia entre direitos coletivos de categoria negados (não reconhecidos); falta de reconhecimento pelos pares desse direito; falta de acolhimento da escola como um todo, e até mesmo esse processo interfere no autorreconhecimento do professor que, desejando estudar, se percebe em condições subalternizadas e/ou até mesmo de menos prestígio no rol do seu coletivo de pares de profissão.

Sob nosso ponto de vista, tais reflexões se fazem necessárias para que possamos promover uma análise mais próxima dos sentidos apresentados pelas professoras participantes da pesquisa em suas narrativas a respeito de seus processos de formação inicial, encontro com a docência, permanência na profissão e a busca para superar os desafios de seus cotidianos, por meio de formação continuada, que se materializa no mestrado/doutorado para um possível regresso à sala de aula nutrido de outros saberes e olhares sobre a vida e a profissão professor(a).

Chegou ela! Como ocorreram os movimentos de retorno das professoras à escola?[13]

Esta seção tem por finalidade aproximar os diálogos travados com as participantes da pesquisa e as questões conceituais que atravessam os lugares do direito, reconhecimento pelos pares e autorreconhecimento como categoria profissional, como pessoa, como mulher.

Participaram da pesquisa cinco professoras de ciências que concluíram seus mestrados antes de 2017. Os convites foram enviados por *e-mail* a egressas e egressos e a adesão foi espontânea e tivemos um grupo de mulheres construindo uma narrativa sobre sua relação com o magistério e suas implicações com a formação inicial e continuada (em especial). Nota-se, para efeito de reflexão, que, no último censo da Educação Superior de

---

[13] Os nomes que a partir de agora serão apresentados conforme narrativas são fictícios para preservação das colaboradoras.

2021[14], 75% das/os estudantes de graduação em licenciatura são do sexo feminino – mesmo considerando que, em áreas como matemática, não tenhamos essa mesma realidade. Por sua vez, as matrículas/permanências na pós-graduação também seguem na mesma proporcionalidade, segundo os dados encontrados no portal da Coordenação de Aperfeiçoamento de Pessoal de Nível Superior (Capes)[15], e isso opera também na condição de bolsistas. No PPGECFP, ambiente da pesquisa realizada, a maioria também é constituída pelo gênero feminino.

A caraterização histórica do magistério como ambiente ocupado por mulheres não pode ser deslocada da discussão sobre direitos trabalhistas e reconhecimento social/material deste capítulo. Na esteira da construção das profissões, coube a nós, mulheres, a permissão patriarcal para ocupar lugares da ordem do cuidado (REIS, 2011). A nossa emancipação e a luta pela construção de pautas a favor da categoria docente foras assentadas/sustentadas a partir também dessa lógica.

Por sua vez, o que cada professora nos apresenta nas linhas a seguir é também um enfrentamento político sobre a lógica do patriarcado, das eleições pelas profissões de prestígios sociais que invisibilizam a condição de viver a docência como potência plena de transformação social e melhoria da qualidade de vida intelectual do professorado.

Quando lemos as transcrições das entrevistas narrativas, encontramos falas que evidenciam momentos e sentimentos de angústia, desilusão e estranhamento com a profissão, associados a algumas condições de trabalho que lhes são apresentadas no momento do regresso. Algumas professoras explicitaram acreditar que, ao retornar, poderiam auxiliar suas unidades escolares por meio de uma atuação de orientação, com os colegas e gestão. No entanto, elas tiveram que se adequar a novas rotinas e lecionar disciplinas fora de suas áreas de formação, aliadas ao enfrentamento de problemas sociais que se agravaram no ambiente escolar durante o período de afastamento.

---

14 *Disponível em: https://download.inep.gov.br/educacao_superior/censo_superior/documentos/2021/apresentacao_censo_da_educacao_superior_2021.pdf. Acesso em: 27 jun. 2023.*

15 *Disponível em: https://www.gov.br/capes/pt-br/assuntos/noticias/mulheres-permanecem-como-maioria-na-pos-graduacao-brasileira. Acesso em: 27 jun. 2023.*

É interessante observar que cada professora descreveu esse momento de modo muito particular, no qual as narrativas sobre o regresso à escola e à sala de aula apresentam elementos diferenciados, diretamente associados às identidades e às subjetividades das professoras.

> [...] meu choque maior talvez tenha sido em relação à sala de aula, porque você fica fora por dois anos, e quando você retorna, você acredita que você vai encontrar algo diferente. Mas você não encontra, você encontra seus alunos em versões pioradas, em termos de disciplina, e às vezes a gente fica assim, sem saber o que fazer, porque são questões que estão fora de seu alcance [...] Em relação ao retorno depois do mestrado eu tomei um choque muito grande de realidade [...] no município quando retornei, eu tive que enfrentar uma situação que eu não queria. Porque, quando eu saí, para o mestrado, eu ensinava ciências, quando eu retornei eu tive que lecionar Educação para a Sexualidade. [...] no mestrado a gente viu uma disciplina com o prof. "A", onde a gente viu um pouco dessa questão da sexualidade. Então, procurei outras alternativas de trabalhar, e no mesmo momento fui convidada a participar de uma pesquisa nesta área de conhecimento, junto ao mestrado, como colaboradora. E aí eu tive muito suporte, tive o contato com muitos materiais, e realmente eu comecei a gostar, não tive o que reclamar, tanto que terminei o ano de 2016 solicitando à direção da escola que no ano de 2017 eu continuasse lecionando a disciplina Educação para a Sexualidade. [...] você sai com mil ideias. Você vai fazer o projeto tal. Você vai fazer publicação. Você vai escrever artigo, participar de eventos. Mas quando você volta para a rotina de professor de Educação Básica, e você tem que estar 7 horas na sala de aula, sair 11 horas, entrar na outra às 13 horas, sair 17:30 horas, com vários planejamentos para você fazer não é possível. Ainda que eu só ensine no nível médio e na minha disciplina, eu tenho que correr atrás! Porque tem questões de Enem, de atualidades, que eu tenho que buscar. Então, assim, você não acha tempo para academia, porque o tempo que você tem para academia é o tempo que você tem para estar em casa para sua família, então você tem que escolher[...] (Excerto da narrativa de Anita)

[...] Mas aos poucos eu estou retomando isso aí, porque assim, a gente também tem uma instabilidade estadual, um ano você trabalha com uma disciplina, no outro você não sabe se você vai ficar com aquela disciplina, por conta de número de alunos que diminui, ou coisa desse tipo. E ano passado eu comecei a trabalhar à noite em outra escola, justamente por conta de ter ficado excedente na escola que eu estava. Eu estou trabalhando com EJA, matemática e física. Então, realidades diferentes, então estou bastante sobrecarregada este ano. De manhã trabalho com ensino fundamental, à tarde com ensino técnico e à noite com ensino do EJA. Então, eu estou com esses três segmentos e preciso dar conta de tudo de alguma forma, eu preciso dar conta. [...] (Excerto da narrativa de Viviane)

[...] quando eu cheguei no colégio, obviamente eu tive uma certa rejeição dos alunos, porque no meu lugar tinha um professor bonitão, lindão, e que paquerava todas as meninas. Ele obviamente não esperava sair até o final do ano, quando ele soube que eu ia voltar, ele não gostou. E aí eu senti por parte dos meninos, principalmente do primeiro e segundo ano, uma certa rejeição, porque trocou o professor lindo, maravilhoso, principalmente as meninas, inclusive até um aluno foi expulso, porque ele chegou nas redes sociais, ele não se referiu a mim, ele se referiu à direção do colégio, que a direção era um monte de ....., porque estava retirando o professor dele.[...] Com relação à escola obviamente a direção me abraçou, muito bem, me acolheu muito bem, colega de todo mundo, uma nova mestra que chegou, que coisa maravilhosa, isso é muito bom. Na outra escola da mesma forma [...]. Mas, também no outro colégio, "D", meu retorno foi bem caloroso por todos os colegas. Também fui muito bem recebida depois do mestrado, primeiro porque eles (colégio "D") acham que você vai trazer coisas diferentes, vai melhorar a educação. Inclusive lá no colégio "E" eu só trabalhava com ensino médio, isso também com o fato de fazer mestrado, mas fui bem acolhida (Excerto da narrativa de Bertha)

[...] Quando eu terminei o mestrado eu me dei conta de que eu vivia em um mundo, o mundo acadêmico. E é lindo. Vivia no mundo que não tinha muita correlação como o trabalho. Após o mestrado eu fiquei desempregada, eu fiquei desempregada uns 6 meses. Eu fiquei procurando trabalho, e nisso eu fui atuar em uma escola pública, eu consegui um contrato pelo Estado, fiquei acho que uns oito meses. Na época não foi nem REDA, foi PST (Prestação de Serviço Temporário). Porque você saí de um campo, em que você tem bolsa, você tem incentivo, tem financiamento para estudar tranquilo. Mas isso acaba, e quando você não tem algo fixo, como a questão do concurso, você vai procurar algo para fazer, e na época não tive, não teve nenhum concurso de nível superior, aqui na UESB. [...] (Excerto da narrativa de Ruth)

[...] o regresso também é complicado! Porque mais uma vez é um envolvimento psicológico da pessoa. O que eu vou te contar agora, partiu, acho, que mais de mim, do que dos outros. [...] Quando eu voltei eu tinha uma sensação que eu tinha ficado de fora de tudo durante um ano, e eu cheguei ali no meio do ano sabe, e caí de paraquedas. O mais agravante foi que eu tinha acabado de voltar nessa escola, eu tinha sido removida no início de 2015. Só estive nesta escola cinco meses construindo relações. Em cinco meses você não constrói nada muito sólido. Aí fiquei um ano fora. Quando retornei, teve aquela questão de conversa: "Oh, fulano saiu para um mestrado.". Tem isso né?! Tem um olhar sobre isso também. Não sei se de repente alguém pensa assim: "Tá de licença, tá em casa!" Não sei. Quando eu voltei, eu senti, e por isso que eu falei que o sentimento é meu, mas eu senti que eu estava isolada. Tipo, todo mundo estava bem amigo, tinha chegado professor novo, e eu não tinha construído relações muito sólidas. Passei poucos meses antes de sair de licença. Uma professora que chegou depois de mim e já estava toda enturmada sabe, eu me senti deslocada, aí eu me fechei no meu mundo ali. Então, juntou o sofrimento de lidar com os alunos, estava me sentindo insegura, e o sofrimento em me sentir uma estranha ali, que todo mundo estava unido. Na hora do intervalo e todo mundo conversando, aquela algazarra, não sei o que, não sei o que... e eu ficava meio assim né, cheia de dedos. Aí piorava quando algum colega falava: "Olha a mestre! Chegou a mestre". Poxa, para quem não sabe que eu estava num mestrado vai me colocar naquela situação chata: "Oh, ela é mestre!", um negócio chato. Você fica naquela coisa, assim, parecendo que você está num nível maior que os outros, entendeu? E quem fala assim não pensa assim, está fazendo com brincadeira. É teu amigo, mas os outros podem olhar desse jeito. Eu ficava com medo do outro olhar para mim. [...] (Excerto da narrativa de Simone)

As professoras Anita, Viviane, Bertha e Simone, narram sobre o sentimento de deslocamento em relação à realidade escolar e a falta de estabilidade em relação às condições para o exercício da profissão, na qual temos desde alterações em carga horária, disciplinas, ambiente escolar, processos de rejeição por parte de alunos e colegas de trabalho. No entanto, também relataram que buscaram alternativas para se adequar a tais situações e superá-las por meio de suas novas bagagens teóricas adquiridas no curso do mestrado, e desse modo, realizarem uma autuação que lhes permitam estar e permanecer na profissão de modo satisfatório, sem que a qualidade de ensino fosse deixada em segundo plano.

Anita teve, em seu retorno, que ministrar aulas de educação para a sexualidade e, o que a princípio foi um problema, foi superado por meio dos conhecimentos discutidos no mestrado. As relações entre os colegas em suas unidades escolares não se alteraram, esta professora relatou que algumas novas parcerias se estabeleceram nas escolas. A formação no mestrado pode ter promovido disposição para trabalhos em grupo, de modo mais consolidado, como apontam Carvalho e Pérez (2003), em que uma formação adequada incide na melhoria do ensino realizado pelos professores.

[...] Em relação aos colegas não houve muita mudança não. [...] rolava alguns comentários: "A mestre chegou!". Coisas desse tipo assim. Não houve muitas mudanças em relação a isso. Aí quando a gente volta do mestrado as pessoas acham assim... quando você tem um grau a mais em relação a muitos os comentários são assim... que você tem um conhecimento maior em determinados momentos, que você pode expor sobre algum conteúdo. Aí, quando temos alguma reunião e te pedem para falar, te abordam assim: "Fala aí, mestre!". Coisa desse tipo. De comentários assim. Tipo como se você tivesse um conhecimento maior em relação aos outros que não têm o mestrado. Mas, é só os comentários iniciais, mas também não influenciou muito não [...] (Excerto da narrativa de Viviane).

[...] Eu percebi um reconhecimento da escola, mas valorização você não percebe. Não. Eu não percebo [...] eles querem professores com formação na escola. Também é o objetivo da escola ter pessoas com formações. Uma coisa é que eles gostam de ter professores com um bom currículo, mas assim (longa pausa), não me fizeram muitas cobranças. Não posso dizer que fizeram muitas cobranças. (pausa pequena) Até então não, não com muitas expectativas, muitas cobranças. No estado buscaram me colocar em outras funções, que acharam que eu poderia com minha formação, estar ajudando ainda mais a escola. Já no município a única coisa que eu percebo, realmente, é quando anunciam no começo do ano para falar aos professores iniciam assim: "Nós temos uma professora que é mestra aqui.". Só isso. Mais nada. [...] (Excerto da narrativa de Anita)

[...] No início, quando eu voltei, achei que as relações pioraram, tanto que me isolei. Agora, se você pensar a maneira como você vem depois do mestrado, em relação à formação, o ser professora, por estar naquele ambiente ali, e servir àquela comunidade, acho que isso melhorou muito o entendimento que eu tinha do que era docência num papel ali, aí sim mudou de novo, mudou de novo porque a relação com esta menina mesmo mudou, depois que ela fez esse, esse texto para mim, mas esse texto só veio porque eu mudei, é isso, eu mudei depois do mestrado. Não que eu não fizesse, mas o que eu fazia era muito mais focado para minha disciplina, sempre fiz [...] (Excerto da narrativa de Bertha)

As professoras relataram não haver grandes considerações por parte da comunidade escolar em relação ao retorno, não lhes foi questionado nada sobre o processo, ou se, de algum modo, a formação poderia contribuir com as práticas docentes do professor, com a atuação dos colegas, com a gestão, ou às relações existentes na comunidade escolar.

Nóvoa (2009) aponta que são justamente nessas interações, no ambiente escolar, entre os educadores, que se forjam o sentimento de pertença, a identidade do professor e o que leva esses profissionais a atuarem com mais comprometimento. Na fala da professora Bertha, que leciona em uma escola com regime diferenciado (militar), fica evidente que a rotina e as normas de trabalho são tidas como imutáveis, denotando nessa fala um sentimento de absoluta conformação ao que está posto. Essas condições de trabalho não promovem uma autonomia no fazer docente, contrapondo-se à intencionalidade inicial da formação continuada – mestrado acadêmico, com perspectiva de atuação voltada ao ensino, e, neste caso, especificamente o ensino de Ciências, permitindo a professores e alunos uma atuação mais efetiva e crítica em sociedade. (BRASIL, 2017).

[...] Eu, de jeito nenhum esperava nada, sabia que ia encontrar da mesma forma. Na escola tem os projetos. A gente sabe que o colégio tem um caminhar. Você é quem tem que se moldar. Lógico que se você tiver algum trabalho interessante, algum trabalho inovador, o colégio vai abraçar sim. Mas com relação à forma como o colégio iria me receber após o mestrado, não houve diferença. O colégio vai continuar com o seu sistema, é um sistema, hoje em dia a gente vê a escola como uma empresa. [...] Então ela segue seu curso, independente. Como eu falei, não importa se eu faço mestrado ou doutorado. Eles me veem como uma professora que nunca falta, uma professora responsável, que está sempre ali, que está sempre disposta a ajudá-los. É assim que eles me veem [...] (Excerto da narrativa de Bertha)

[...] É muito difícil, muito raro, você vê pós-doutores vindo concorrer aqui em Jequié, para você ver que são questões que perpassam a política, não tem para onde correr, você não tem oportunidades, entendeu, e aí eu fiquei sem essas oportunidades, aí o que é que você vai fazer, vai fazer aquilo que aparece né, você vai ficar sem trabalhar? "Ah, porque eu sou mestre, eu não quero trabalhar em escola"... então (risos), as contas vencem né, a gente precisa sobreviver, " ah, porque eu sou mestre, sou mestre e não posso trabalhar na educação básica, porque eu tenho um título" (risos), isso não conta na hora de pagar as contas, né assim?! Então, isso é a realidade, então você sai de um mundo, que é o mundo acadêmico, e vai para um mundo do trabalho, que nem sempre tem as oportunidades que você espera, e no meu caso não teve, entendeu, então o que foi que eu fiz, eu fui trabalhar em escola pública com educação básica, aí fiquei... acho que uns oito meses, no ano acho que de 2015, 2015, no ano de 2016 eu fui convidada por uma escola particular. [...] (Excerto da narrativa de Ruth)

Para a professora Ruth ingressar na formação do mestrado, teve que pedir desligamento da rede de ensino estadual, na qual atuava em sistema Regime Especial de Direito Administrativo (REDA), o qual é valido por dois anos e seis meses, podendo ser renovado por mais dois anos. Após o término do processo formativo, ela não conseguiu de imediato espaço no mercado, e o vínculo obtido foi o regime Prestação de Serviço Temporário (PST), seis meses após a conclusão do mestrado. Esses dois regimes se diferenciam muito em relação a condições de trabalho e valores de remuneração, sendo este segundo um vínculo que oferece condições ainda mais precárias à atuação docente. Essa colaboradora se direcionou para a rede privada de ensino. O relato dela nos causou extrema indignação, pois descreveu situações que vivenciou, e ainda, segundo ela, situações de assédio sexual e moral por parte de um dos gestores da unidade escolar. Ainda completou afirmando que vem sofrendo nos últimos dois anos nesse ambiente, mas que até o momento da coleta de sua narrativa, esse vínculo era a única opção para o exercício da profissão nas redes de ensino na cidade de Jequié.

> [...] porque uma situação dessa é muito constrangedora. É aí que você vê que parece que tudo o que você aprendeu, tudo o que você estudou, não vale muito a pena entendeu?! É uma questão difícil, e até semana passada ele me chamou, e falou que não sabia se eu ia continuar na escola, e eu falei tudo bem (pausa) porque o que ele quer uma relação íntima comigo... então tudo isso a gente passa na educação, pode ter sido só eu. Mas, também, muitas podem ter passado por isso também né. E você pode colocar, porque isso acontece, eu faço questão que você coloque, eu faço questão. E isso em uma escola privada. Então a educação é uma ferramenta de interesse, entende, infelizmente isso acontece. No setor público a gente pode ter sim, uma valorização financeira, um campo de trabalho maior, um incentivo. [...] (Excerto da narrativa de Ruth)

Sobre encontros e desencontros no retorno, a professora Simone relatou um estranhamento que resultou em um processo de adoecimento, que foi diagnosticado e tratado. Segundo a professora, esse processo foi também resultado da atuação que passou a desenvolver no primeiro ano do mestrado, quando teve que conciliar trabalho com a formação. Ela utiliza o termo "[...] a formação me deformou [...]" para descrever um processo de descolamento com a profissão, no qual passou a atuar de modo mais técnico. Em seu retorno, vivenciou a rejeição de alunos, que se opuseram ao afastamento da professora que a substituiu no período de afastamento para o mestrado.

Ela descreveu que, atualmente, tal dificuldade está sendo superada por meio de medicamentos e terapia.

> [...] Aí eu fiquei um ano de licença. Volto para sala de aula em junho de 2016, parecia que eu nunca tinha dado uma aula. Entrei na sala, minha perna não tremia não, ela balançava assim, ó (risos e demonstração). Um medo. Uma coisa que eu não sei o que era. Insegurança! E eu entrei. A primeira aula que eu dei, eu não esqueço, foi numa sala de nono ano, oitava série. Uns meninos enormes. E eu tinha ido de sapatilha (risos). Hoje, analisando né, essa ideia de eu estar pequena, e eles estarem grandes. Eu estava com medo, me sentindo pequena, em outro sentido, que loucura! Aí eu fiquei. Menina, eu demorei um tempo bom para me recuperar. [...] Eu procurei o médico. Fiz algumas consultas e tal. Aí ele chegou à conclusão do que eu já sabia, né! Que eu estava com um TOC e transtorno de ansiedade. E várias outras coisas juntas, misturadas, estava piorando esse quadro de insegurança, entendeu?! E por isso esse retorno foi tão difícil depois do mestrado [...] parece que... eu desaprendi. Desaprendi [...] eu estava com medo, entendeu?! E eu não sou uma pessoa de ter medo de nada. Eu sou super... sabe?! Bem resolvida com tudo. E passei por isso. Eu aprendi a ser professora de novo, duas vezes. Lá no início e agora, no retorno. Depois desse retorno parece que comecei de novo. É, eu nunca pensei nisso. É. Realmente. Você chega com uma bagagem diferente [...]. (Excerto da narrativa de Simone).

Essa fala nos permite inferir que essa professora vivenciou um processo de desconstrução de práticas pedagógicas que faziam parte de sua atuação. Esse processo fomentou sentimentos de incertezas, insegurança, inquietações, receios, mas, como ela mesmo narrou, após um período para acomodação dos novos saberes, construiu uma nova possibilidade de ensino com os conhecimentos que foram apreendidos na formação *Stricto sensu*.

Ao narrarem sobre o retorno para o campo do trabalho, as professoras apontaram alguns aspectos tais como a instabilidade nas condições de trabalho no retorno. Algumas professoras foram realocadas, sendo remanejadas em novas unidades escolares, em cursos técnicos. Em outros casos, não há garantias no retorno de lecionar dentro da área de conhecimento. Em algumas falas, registrou-se um sentimento de frustração para com as lembranças do retorno às escolas, à sala de aula.

Discorreram, também, que quase não há qualquer tipo de valorização ou reconhecimento por parte de seus pares, da gestão da Unidade Escolar ou mesmo dos órgãos aos quais elas estão vinculadas, sobre a titulação alcançada, voltada à aplicabilidade dos novos saberes dessas professoras, mas há um reconhecimento sobre o esforço, a dedicação delas para a obtenção do título. Elas argumentaram que não criaram expectativas para o processo de retorno, mas, ao mesmo tempo, descreveram que esperavam poder contribuir de algum modo com a rotina da escola, com as atividades desenvolvidas, e até mesmo em desenvolverem uma formação para seus pares. Percebemos, nessas falas, que a valorização do estudado, do tempo de formação e dos "novos saberes" conquistados em seus mestrados são pouco explorados pelos pares, pela escola e isso nos faz refletir sobre "como" essa formação tem sido entendida e aproveitada enquanto potência de ajuda na superação de desafios enfrentados no ambiente escolar.

De nossas reflexões

Afirmamos na Introdução que este capítulo é derivado de estudos uma pesquisa de mestrado, que atualmente continua sendo investigado em uma tese de doutorado.

"Olha a mestre! Chegou a mestre". Poxa, para quem não sabe que eu estava num mestrado vai me colocar naquela situação chata: "Oh, ela é mestre!", um negócio chato."[16]

Ao observarmos a vida-formação-trabalho de professoras que atuam no ensino de ciências e tomaram como decisão realizar o mestrado por diversas razões objetivadas e subjetivadas na esteira da construção da relação escola/docente/formação, a questão do reconhecimento, ou a falta dele, por parte dos pares, chega de forma muito intensa, à luz do comentário anterior, que, sob nossos olhos, algumas situações podem ser associadas: a) ao não questionamento do próprio Estado sobre o que ele deseja ao receber professores com *Stricto sensu* – o que, a nosso ver, é algo que certamente precisa ser respondido; b) à forma como a comunidade escolar entende a formação nesse nível de escolarização e sua importância para a escola; c) à preparação, por sua vez, da escola e de seus pares para receber o(a) professor(a) que ficou ausente em processo formativo – criação de ambientes solidários para dialogar com eles(as); d) à falta de prestígio econômico/social da formação como sinônimo de um não reconhecimento pelo esforço de quem passou pela formação.

Dito isso, a formação continuada de professores da Educação Básica em nível *Stricto sensu* permanece como demanda para maiores estudos, investigações e apresentação de tais resultados. O efeito dessas ações deve povoar, provocar e trazer à cena a necessidade de escuta e edificações de políticas de mais reconhecimento e valorização de tal categoria profissional. A manutenção e/ou atualização dos estatutos que sustentam a profissão professor não pode acontecer para deslegitimar direitos conquistados a duras penas.

Por outro lado, percebemos professoras que reconhecem a melhoria da qualidade de sua formação, o reconhecimento e a importância da formação continuada ao exercício de sua docência, a demanda de luta por valorização profissional e de sua formação. Elas também projetam sobre a necessidade de promover um ensino de qualidade, mas que não esteja centrado apenas nos professores, mas nas necessidades reais de seus alunos,

---

16 *Fragmento de narrativa de uma das professoras colaboradoras da pesquisa.*

a partir do que eles trazem consigo, por meio de metodologias que dialoguem melhor com as demandas do processo de ensinar-aprender.

Por fim, é consenso entre as professoras que o Programa de Pós-graduação em Educação Cientifica e Formação de Professores (PPGECFP), do qual são egressas, elevou o entendimento sobre a escola pública, originando sentimentos de compromisso, responsabilidade, proximidade, identificação, pertença, inclusão, em relação aos alunos, à escola e, principalmente, para com o ensino público.

Referências

ANDRÉ, M. E. D. A. Mestrado profissional e mestrado acadêmico: aproximações e diferenças. *Revista Diálogo Educacional*, Curitiba, v. 17, n. 53, p. 823-841, 2017. Disponível em: https://periodicos.pucpr.br/dialogoeducacional/article/view/8459. Acesso em: 14 mar. 2017.

BRASIL. Conselho Nacional de Educação. Define as *Diretrizes Curriculares Nacionais para a formação inicial em nível superior (cursos de licenciatura, cursos de formação pedagógica para graduados e cursos de segunda licenciatura) e para a formação continuada*. Resolução CNE/CP n. 02/2015, de 1.º de julho de 2015. Brasília, Diário Oficial [da] República Federativa do Brasil, seção 1, n. 124, p. 8-12, Brasília, DF, 2 de julho de 2015. Disponível em: http://portal.mec.gov.br/docman/agosto-2017-pdf/70431-res-cne-cp-002-03072015-pdf/file. Acesso em: 26 set. 2017.

BRASIL. Conselho Nacional de Educação. *Resolução n.º 7, de 11 de dezembro de 2017*. Estabelece normas para o funcionamento de cursos de pós-graduação *Stricto sensu*. Brasília, 2017. Disponível em: http://portal.mec.gov.br/docman/dezembro-2017-pdf/78281-rces007-17-pdf/file. Acesso em: 28 dez. 2017.

BRASIL. Lei n.º 13.005, de 25 de junho de 2014. *Aprova o Plano Nacional de Educação (PNE) e dá outras providências*. 2. ed. Brasília: Câmara dos Deputados, Edição Câmara, Brasília, DF, 2015. Disponível em: http://pne.mec.gov.br/18-planos-subnacionais-de-educacao/543-plano-nacional-de-educacao-lei-n-13-005-2014. Acesso em: 19 out. 2017.

BRASIL. *Orientações Gerais*. Ministério da Educação- Secretaria de Educação Básica, Brasília, DF, 2006. Disponível em: http://portal.mec.gov.br/seb/arquivos/pdf/Rede/catalg_rede_06.pdf. Acesso em: 25 jun. 2016.

BRASIL. Parecer CNE/CP 009/2001. *Diretrizes Curriculares Nacionais para a Formação de Professores da Educação Básica, em nível superior, curso de licenciatura, de graduação plena*. Brasília, DF, 2001. Disponível em: http://portal.mec.gov.br/cne/arquivos/pdf/rcp01_02.pdf. Acesso em: 26 jun. 2017.

BRASIL. MEC. *Propostas de Diretrizes para Formação Inicial de Professores da Educação Básica em Cursos de Nível Superior*, Brasília, DF, 2000. Disponível em: http://portal.mec.gov.br/cne/arquivos/pdf/basica.pdf. Acesso em: 20 set. 2016.

CARVALHO, A. M. P. GIL-PÉREZ, D. *Formação de professores de ciências*: tendências e inovações. 7 ed. São Paulo: Cortez, 2003.

CHIMENTÃO, L. K. O significado da Formação Continuada Docente. Universidade Estadual de Londrina. *In*: CONGRESSO NORTE PARANAENSE DE EDUCAÇÃO FÍSICA ESCOLAR, 4., Londrina, 2009. *Anais [...]*. Londrina: UEL, 2009. Disponível em: http://www.uel.br/eventos/conpef/conpef4/trabalhos/comunicacaooralartigo/artigocomoral2.pdf. Acesso em: 14 set. 2017.

GATTI, B. Análise da política pública para formação continuada no Brasil, na última década. *Revista Brasileira de Educação*, Rio de Janeiro, Anped; v. 13, n. 37, p. 57-70, jan./abr. 2008.

GATTI, B. A.; BARRETO, E. S. S. *Professores*: aspectos de sua profissionalização, formação e valorização social. Brasília, DF: UNESCO, 2009.

IMBERNÓN, F. *Formação continuada de professores*. Porto Alegre: Artmed, 2010.

LOCATELLI, C. A pós-graduação para os professores da educação básica: um estudo a partir dos planos estaduais de educação. *Educar em Revista*, Curitiba, v. 37, e70684, 2021. Disponível em: https://www.scielo.br/j/er/a/NkqsgwjnnGbqmStDxqDmGGS/. Acesso em: 15 jun.2023.

MARTINS, R. B. *Torna-se mestre e regressar ao campo de trabalho: narrativas de professores de ciências*. Dissertação (Mestrado Acadêmico em Educação Científica e Formação de Professores) – Universidade Estadual do Sudoeste da Bahia, Jequié, 2018.

MORORÓ, L. P. *A formação de professores em serviço*: o PARFOR na Bahia. In: ENCONTRO NACIONAL DE DIDÁTICA E PRÁTICAS DE ENSINO, 16., Campinas, 2012. *Anais [...]*. Campinas: Unicamp/Ed. Junqueira & Marin, p. 3509-3521, 2012. Disponível em: http://posgrad.fae.ufmg.br/posgrad/viienpec/pdfs/644.pdf. Acesso em: 28 mar. 2017.

NOVOA, A. *Professores*: Imagens do futuro presente. Lisboa: Educa, 2009.

RIBEIRO, R. J. *O Mestrado Profissional na Política Atual da Capes*. Revista Brasileira de Pós-graduação, v. 2, n. 4, p.8-15, jul. 2005.

REIS, G. L. *O gênero e a docência*: uma análise de questões de gênero na formação de professores do instituto de educação Euclides Dantas. Dissertação (Mestrado Acadêmico em Estudos Interdisciplinares sobre Mulheres, Gênero e Feminismo) – Universidade Federal da Bahia, Faculdade de Filosofia e Ciências Humanas, Salvador, 2011.

URZETTA, F. C.; CUNHA, A. M.O. Análise de uma proposta colaborativa de formação continuada de professores de ciências na perspectiva do desenvolvimento profissional docente. *Ciênc. educ. (Bauru)* [online], v. 19, n. 4, p. 841-858, 2013. Disponível em: https://www.scielo.br/j/ciedu/a/8fb87xt4k7R4CYHs4JYL5XS/?lang=pt. Acesso em: 20 jul. 2017.

CAPÍTULO 12

OBSERVATÓRIO DIDÁTICO DE ASTRONOMIA DA UNESP: CONTRIBUIÇÕES PARA A PESQUISA, O ENSINO, A EXTENSÃO E A DIVULGAÇÃO CIENTÍFICA[1]

Rodolfo Langhi[2]
Lucas Guimarães Barros[3]

O Observatório Didático de Astronomia "Lionel José Andriatto" é um espaço dedicado ao ensino e à divulgação da Astronomia na cidade de Bauru-SP e região. A origem dele remonta a meados do ano de 2004, com o surgimento de projetos voltados à construção de telescópios artesanais, resultando na criação do grupo de estudos de Astronomia local, no ano seguinte.

Nesse contexto, a criação do Observatório foi motivada pelos próprios estudantes do curso de Licenciatura em Física da Faculdade de Ciências do mesmo câmpus, que manifestaram interesse com o estudo de conteúdos de astronomia básica, resultando na formação de um Grupo de Estudos, em que cada membro procura formação complementar na área por meio de estudos e discussões regulares (LANGHI; SCALVI, 2013).

A partir de um projeto de extensão universitária, com recursos aprovados pela Pró-Reitoria de Extensão Universitária da Unesp (Proex) e a Fundação para o Desenvolvimento da Unesp (Fundunesp), que objetivava

---

1 Esta pesquisa recebeu apoio do Programa Procad/Capes, convênio 162.227.
2 Docente da Universidade Estadual Paulista (Unesp), Bauru; Observatório Didático de Astronomia; Programa de Pós-graduação em Educação para a Ciência; Grupo de Pesquisa em Ensino de Ciências (GPEC/Unesp). E-mail: rodolfo.langhi@unesp.br
3 Docente da Universidade Federal do Oeste da Bahia (UFOB), Centro das Ciências Exatas e das Tecnologias (CCET); membro do Grupo de Pesquisa em Ensino de Ciências (GPEC/Unesp). E-mail: lucas.barros@ufob.edu.br.

a construção de telescópios refletores e refratores de forma totalmente artesanal, o grupo envolvido procurou viabilizar a construção de um observatório astronômico, onde fosse possível atender, com estrutura minimamente adequada, estudantes e população geral interessados em aprender, discutir e refletir acerca dos assuntos relacionados à Astronomia.

A concretização da instalação do observatório ocorreu por meio de uma parceria com o Instituto de Pesquisas Meteorológicas da Unesp (IPMet), com a cessão de um prédio ocioso (anteriormente usado para lançamentos de balões meteorológicos) que foi parcialmente adaptado para abrigar o Observatório. Assim, com recursos obtidos junto ao Conselho Nacional de Desenvolvimento Científico e Tecnológico (CNPq), em edital voltado à popularização e à divulgação de ciências, o Observatório se tornou fisicamente possível. Ele se localiza em um ponto considerado de fácil acesso à população, ao mesmo tempo em que se encontra em uma das áreas mais elevadas da cidade e com baixa luminosidade urbana, podendo ser reduzida no local durante as noites de observações do céu.

Embora as atividades de ensino e divulgação já estivessem ocorrendo por meio das ações desenvolvidas pelo grupo de estudos, a inauguração oficial do Observatório ocorreu em 4 de agosto de 2009 e ele passou a se chamar Observatório Didático de Astronomia "Lionel José Andriatto", procurando caracterizá-lo como um espaço de ensino e divulgação, no qual professores e alunos pudessem utilizar sua estrutura, não só do ponto de vista informal, com simples visitas, mas também como um espaço onde atividades relacionadas ao ensino de Astronomia e Ciências afins fossem desenvolvidas de forma mais abrangente, por meio de cursos, oficinas, palestras, eventos e encontros. Além disso, procurou-se reconhecer o esforço e o trabalho dedicados à concretização do Observatório, homenageando o nome do construtor amador de telescópios, Sr. Lionel José Andriatto, um dentre algumas poucas dezenas de experientes construtores de telescópios amadores no Brasil[4].

O Observatório promove diversas atividades relacionadas ao ensino e à divulgação da Astronomia, desenvolvidas no contexto dos atendimentos realizados com escolas, universidades e demais instituições, além dos

---

4 *Sigla em inglês: ATM – Amateur Telescope Making, mundialmente conhecida.*

chamados atendimentos ao público, nos quais, uma vez por mês, no mínimo, o Observatório organiza diversas ações de divulgação da Astronomia com o público visitante da cidade de Bauru e circunvizinhança. Face à amplitude das atividades, o Observatório tem se tornado pioneiro na região, quanto ao ensino e à divulgação da Astronomia (LANGHI; SCALVI, 2013).

Os membros da equipe incluem essencialmente alunos do câmpus da Unesp de Bauru, provenientes do curso de Licenciatura em Física e de outras graduações, alunos do curso de pós-graduação em Ciência e Tecnologia de Materiais e da pós-graduação em Educação para Ciência, além de professores atuantes nos Ensinos Fundamental e Médio, alguns dos quais tiveram sua formação inicial nessa mesma Universidade.

Em se tratando dos equipamentos, quase todos foram construídos artesanalmente, incluindo um telescópio newtoniano de 250 mm de diâmetro[5]. Um dos diferenciais desse Observatório em relação aos demais observatórios do Brasil é que ele tem uma oficina pública de construção de espelhos, lentes e montagens de telescópios. Além dos telescópios, o Observatório tem um acervo de equipamentos de exposição, materiais didáticos, livros, bâneres, astrofotografias, pôsteres e outros instrumentos de interesse do público.

---

5 *À época desta publicação, o Observatório finalizava a construção de um espelho de 500 mm de diâmetro, para ser utilizado em um telescópio maior e mais potente.*

Figura 1 – Alguns dos telescópios do Observatório artesanalmente construídos com técnicas ATM.

Fonte: arquivo interno do Observatório.

Atualmente, o Observatório se enquadra como um Projeto de Extensão, anualmente submetido à Pró-reitoria de Extensão da Unesp (Proex/Unesp). Desde o início, o Observatório foi diversificando as atividades desenvolvidas, aumentando a visibilidade entre a comunidade acadêmica local e público geral na cidade de Bauru e região. Com frequência, são recebidas ligações de escolas, grupos, instituições, mídia e pessoas da comunidade, perguntando sobre as atividades do Observatório.

Figura 2 – Exposição de painéis astronômicos (esquerda) e instrumentos astronômicos e maquetes (direita).

Fonte: arquivo interno do Observatório.

Após as atividades, normalmente é feita uma rápida pesquisa com o público visitante, a fim de levantar informações relacionadas à visita, aos conteúdos apresentados e possíveis sugestões para melhoria das atividades do Observatório. Por exemplo, em uma das pesquisas, dos 202 visitantes que responderam ao questionário, 134 (66%) disseram nunca ter observado o céu com telescópio, tendo essa oportunidade propiciada a primeira vez pelo Observatório. Várias experiências do público se referem à observação inédita dos astros (a olho nu ou pelo telescópio), além do fascínio demonstrado pelos conhecimentos astronômicos outrora desconhecidos.

Os visitantes também mencionam a atenção que os monitores dão ao público, o bom atendimento e o empenho ao esclarecer informações. Os monitores são descritos, sobretudo, como pessoas atenciosas, dispostas a auxiliar os visitantes com informações e orientações. Ainda assim, alguns visitantes sugerem melhorias e relatam problemas durante os atendimentos, levando-nos a querer melhorar cada vez mais nosso trabalho.

O Observatório está sediado em um prédio de dois andares, onde estão divididas diversas salas. No térreo, estão localizados a sala de estudos, a oficina de óptica, o espaço para materiais didáticos, a sala dos monitores, a sala dos telescópios e o laboratório didático. Já no primeiro andar, localiza-se um pequeno auditório e uma sala de administração. No auditório, estão abrigados diversos objetos e instrumentos astronômicos de exposição, sendo equipado com cadeiras e projetor multimídia para recepção do público em palestras, sessões de filmes e reuniões. Por fim, no andar superior, encontra-se o terraço da cúpula. Nesse local, estão localizados alguns dos telescópios utilizados nas atividades de divulgação. Atualmente, a acessibilidade é garantida porque são disponibilizados telescópios e outros equipamentos no térreo. Vale destacar também a carreta do Observatório Móvel de Astronomia, destinada a atividades itinerantes de divulgação em um raio de 100 km.

Figura 3 – Palestra da noite do eclipse (27 de setembro de 2015) com o professor Roberto Bockzo (IAG/USP)

Fonte: Arquivo interno do Observatório.

Figura 4 – Oficina de lunetas realizada no SESC-Bauru (2015)

Fonte: Arquivo interno do Observatório.

Figura 5 – Vista do prédio do Observatório durante atendimento escolar

Fonte: Arquivo interno do Observatório.

Figura 6 – Vista externa do prédio do Observatório

Fonte: Arquivo interno do Observatório.

Figura 7 – Vista interna da Sala Antares, com os materiais de exposição e tela de projeção para palestras

Fonte: Arquivo interno do Observatório.

Figura 8 – Vista interna da oficina ótica de construção de espelhos e lentes de telescópios

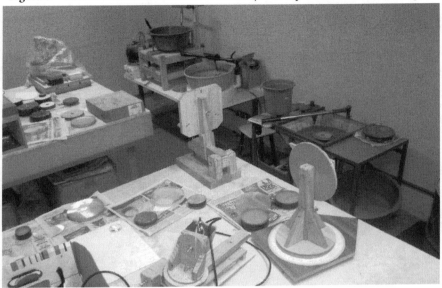

Fonte: Arquivo interno do Observatório.

Figura 9 – Vista interna da cúpula

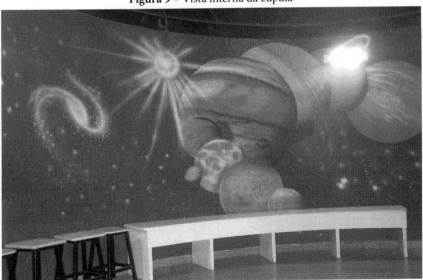

Fonte: Arquivo interno do Observatório.

Figura 10 – Palestrante da NASA via *Skype* (ex-aluno da Unesp) em um evento do Observatório no auditório "Adriana Chaves", no câmpus Bauru

Fonte: Arquivo interno do Observatório.

Figura 11 – Oficina infantil de modelagem de asteroide no evento internacional *Asteroid Day*

Fonte: Arquivo interno do Observatório.

Figura 12 – À esquerda: Astronomia na Praça Vitória Régia, em Bauru. À direita: Atividades em evento público no Aeroclube de Bauru. Abaixo: fila para observação da Superlua no câmpus da Unesp.

Fonte: Arquivo interno do Observatório.

Figura 13 – Observatório Móvel de Astronomia (carreta)

Fonte: Arquivo interno do Observatório.

Em agosto de 2016, o projeto de extensão do Observatório foi colocado à disposição do Departamento de Física pela anterior coordenadoria. Este, por sua vez, encaminhou-o à Diretoria da Faculdade de Ciências (FC), a qual recomendou o autor principal deste texto como coordenador do Observatório a partir de setembro de 2016, quando foi solicitada uma reforma do prédio à FC devido à necessidade de adequações de segurança e acessibilidade. Devido a essa reforma, o prédio ficou sem condições de uso até os meses iniciais de 2018, mas as atividades não foram paralisadas, sendo realizadas externamente ao prédio.

Apesar da atual situação financeira, desfavorável e limitada, a equipe do Observatório continua voluntariamente com suas atividades de extensão, pesquisa, ensino e divulgação, buscando apoio e parcerias para manutenção das suas atividades de popularização da ciência.

A pesquisa sobre o ensino de Astronomia

Os observatórios astronômicos se constituem em locais destinados à pesquisa científica (observatórios profissionais), ao ensino e à divulgação (observatórios públicos, didáticos ou os ligados a universidades), e à prática amadora ou *hobbysta* (observatórios particulares e de astrônomos amadores). Normalmente, são construídos em locais de maiores altitudes e afastados dos grandes centros urbanos, amenizando a poluição luminosa e ganhando campo de visão do céu. Suas atividades observacionais na luz visível dependem das condições atmosféricas locais, mas, geralmente, há trabalhos alternativos durante noites totalmente nubladas ou chuvosas. A maioria dos observatórios públicos e de universidades oferece cursos de curta duração em astronomia e abrem suas dependências para visitações, além de desenvolver trabalhos na área da astronomia observacional visando à relação entre astrônomos amadores e astrônomos profissionais (LANGHI; NARDI, 2012).

Incentivando a visita nesses espaços não escolares e visando a um aprendizado prático do conteúdo em astronomia, os documentos oficiais da educação brasileira do MEC (Ministério da Educação) salientam a necessidade de atividades práticas e visitas preparadas a observatórios, planetários, clubes e associações de astrônomos amadores, museus de astronomia e de astronáutica (BRASIL, 1999). Além disso, a partir da Base Nacional Comum Curricular (BNCC), a astronomia aparece como eixo específico (Terra e Universo) desde os anos iniciais (BRASIL, 2018), reforçando, dessa forma, o papel dos espaços educacionais além da escola no processo de alfabetização científica do público. Nesse sentido, Delizoicov e colaboradores (2002) alertam que esses espaços não devem ser encarados só como oportunidades de atividades educativas complementares ou de lazer, mas devem fazer parte do processo de ensino/aprendizagem de forma planejada, sistemática e articulada. Apontamos para a necessidade de esses estabelecimentos, tal como o Observatório local, desenvolverem propostas educacionais para diferentes públicos, não permanecendo apenas como locais para "passeio" (SANTANA, 2017).

Quanto às pesquisas referentes ao ensino e à divulgação nesses locais, ainda podem ser consideradas escassas em nosso país, apesar de a quantidade ter aumentado sensivelmente (MARANDINO, 2003). De fato, são raros os estudos nacionais diretamente relacionados à Educação em Astronomia que consideram as atividades de popularização, educação informal e não formal de estabelecimentos tais como planetários, observatórios e clubes de astronomia, dentre eles, os trabalhos de Silva (1999), Baptista (2003), Elias (2006) e Marques e Freitas (2015). As pesquisas nesses espaços não escolares vêm ocorrendo principalmente em uma abordagem do ensino informal, com resultados que apontam esses centros como contribuintes para alterações do procedimento e atitude, mas não tanto no sentido conceitual. Porém, outras pesquisas sobre aprendizagem especificamente em planetários, embora em número bastante reduzido no Brasil, demonstram que os conteúdos conceituais também podem ser trabalhados (BARRIO, 2007).

No âmbito da pesquisa sobre formação de monitores, um levantamento realizado por Barros (2017) apontou para alguns aspectos que um monitor poderia desenvolver para seu perfil profissional e pessoal, conduzindo à elaboração de um Programa de Formação de Monitores, o qual está em utilização até hoje no Observatório. Esse tema ainda é escasso na literatura de pesquisa quando comparado a outras temáticas pesquisadas no Ensino de Ciências, embora se note um crescimento de estudos datados dos últimos dez anos que efetuaram mapeamento da formação de monitores (concepções, saberes, dificuldades, formação vivenciada etc.).

O sensível aumento das pesquisas na área de ensino não formal se deve ao crescimento do movimento de divulgação científica nos últimos anos, inclusive no Brasil, que vem contribuindo para a alfabetização científica, segundo Marandino (2003). Por isso, a autora alerta para a necessidade de se discutir as formas e as estratégias pelas quais a divulgação científica vem ocorrendo fora do espaço escolar, o que tem produzido um crescimento no volume de pesquisas sobre atividades extracurriculares na área de educação em ciências. Museus de ciências e locais semelhantes (incluindo planetários e observatórios astronômicos) têm sido *locus* importante para investigações no campo do ensino de ciências e vários trabalhos têm procurado discutir os aspectos educativos desenvolvidos nesses espaços, incluindo fundamentações teóricas da área de formação de professores (JACOBUCCI, 2006).

Nesse sentido, o Observatório Didático de Astronomia da Unesp se configura como um campo em potencial ao desenvolvimento de trabalhos associados aos cursos de Licenciaturas e outros cursos de interesse. De acordo com o documento intitulado *Diretrizes Curriculares Nacionais para a Formação Inicial e Continuada dos Profissionais do Magistério da Educação Básica*, as atividades dos futuros professores "também compreendem a atuação e participação na organização e gestão de sistemas de educação básica e suas instituições de ensino", englobando o "planejamento, desenvolvimento, coordenação, acompanhamento e avaliação de projetos, do ensino, das dinâmicas pedagógicas e experiências educativas", além da "produção e difusão do conhecimento científico-tecnológico das áreas específicas e do campo educacional" (BRASIL, 2015, p. 28).

O fato de o Observatório atender milhares de visitantes a cada ano (público, comunidade, professores e alunos) faz desse local uma rica "experiência educativa" (BRASIL, 2015, p. 28) ainda pouco explorado pelos alunos da licenciatura. No âmbito da "produção e difusão do conhecimento científico-tecnológico" (BRASIL, 2015, p. 28), os licenciandos e pós-graduandos têm à disposição deles o Observatório para atuar na coleta de dados para o planejamento, desenvolvimento, coordenação, acompanhamento e avaliação de projetos na área de ensino e divulgação científica, ampliando as pesquisas essencialmente sobre Educação em Astronomia e Ciências afins, por meio de ICs, TCCs, dissertações e teses.

Compreendendo que a *prática*, enquanto componente curricular, deve ser efetivada ao longo do processo formativo do licenciando e, lembrando que essa *prática* não é a mesma que o estágio supervisionado (BRASIL, 2015, p.32), o Observatório se torna um local propício ao desenvolvimento dessa prática profissional dos futuros professores, especialmente no que tange ao trabalho docente em espaços não formais de ensino, já que entendemos que a prática "é o conjunto de atividades formativas que proporcionam experiências de aplicação de conhecimentos ou de desenvolvimento de procedimentos próprios ao exercício da docência" (BRASIL, 2015, p. 32).

Além disso, outras atividades de desenvolvimento profissional e projetos acadêmicos de pesquisa, não apenas em ensino de Física e Astronomia, mas em outras áreas interdisciplinares, podem ser desenvolvidos no

Observatório pelos alunos de outros cursos, tais como: IC, TCC, artigos científicos, trabalhos para congressos, etc. Tais atividades, entendemos, vão além de um simples atendimento monitorado por alunos da universidade, pois:

- Articularão "o saber acadêmico, a pesquisa, a extensão e a prática educativa" (BRASIL, 2015, p. 29);

- Realizarão "investigações sobre processos educativos" (BRASIL, 2015, p. 29);

- Poderão desenvolver competências e habilidades para a "avaliação, criação e uso de textos, materiais didáticos, procedimentos e processos de aprendizagem" (BRASIL, 2015, p. 29);

- Participarão "em projetos de iniciação científica [...], monitoria e extensão" (BRASIL, 2015, p. 30);

- Vivenciarão "diferentes áreas do campo educacional, assegurando aprofundamento e diversificação de estudos, experiências e utilização de recursos pedagógicos" (BRASIL, 2015, p. 30);

- Poderão desenvolver sua "comunicação e expressão visando à aquisição e à apropriação de recursos de linguagem capazes de comunicar" (BRASIL, 2015, p. 30).

Portanto, diante do exposto, conforme fundamentado nas Novas Diretrizes e nas pesquisas da área de Ensino de Ciências, reforçamos fortemente a importância do Observatório Didático de Astronomia da Unesp atuar como *locus* de formação inicial e continuada de professores e de graduandos dessa Universidade, provenientes de diferentes cursos, sobre temas a ele associados. Uma situação ideal seria esse espaço atuar na estrutura definitiva e institucional que não seja exclusivamente e apenas um projeto de extensão, que ora se apresenta com fragilidades institucionais sazonais. Além disso, esse espaço precisa ter um documento da Unesp que oficialize sua existência e criação, item até o momento não providenciado pela Universidade.

Nos itens a seguir deste capítulo, apresentamos as importantes parcerias nacionais e internacionais conquistadas pelo Observatório, as organizações nacionais, internacionais e mundiais nas quais o Observatório está reconhecidamente cadastrado e registrado, a caracterização dos membros da equipe atual e seus graus de envolvimento nas atividades do Observatório, uma relação de todas as atividades de atendimento desenvolvidas, além das atividades internas de formação e planejamento, a quantidade de pessoas que assinaram o livro de visitas do Observatório desde 2012, as estatísticas gerais das atividades, alguns dos comentários do público registrados em nossas redes sociais, notícias, produções acadêmicas da equipe, os meios de financiamento do Observatório e as aquisições e doações gentilmente recebidas.

Princípios, missão, visão e atividades gerais

Os princípios do Observatório estão fundamentados na literatura da área e consistem em: a) divulgar, popularizar, construir e preservar o saber científico da Astronomia por meio da indissociabilidade do seu ensino, pesquisa e extensão universitária; b) oferecer atendimento público gratuito e de qualidade; c) formar cidadãos capacitados para o exercício da competência e responsabilidade social voltada à divulgação científica e pesquisa em Educação em Astronomia; d) respeitar a liberdade intelectual, o pluralismo das ideias, defendendo e promovendo a cidadania dos membros da equipe do Observatório e do público visitante.

Sendo assim, a missão do Observatório inclui exercer sua função social por meio do ensino, da pesquisa e da extensão com atividades relacionadas à Astronomia, orientadas por princípios éticos e humanísticos; promover a formação profissional, pessoal e cidadã dos membros da equipe, compromissada com a qualidade do ensino e da divulgação científica da Astronomia; gerar, difundir e fomentar o conhecimento científico, contribuindo para o esclarecimento social acerca da Astronomia; manter o Observatório financeiramente, visando à execução ininterrupta das atividades.

Como visão, o Observatório pretende ser referência regional e nacional de Educação em Astronomia, com excelência no ensino, na pesquisa e na extensão universitária, destinado a formar profissionais e pesquisadores na área de ensino formal e não formal de Astronomia, contribuindo, assim, para a formação continuada e inicial de professores e para o letramento científico em seu entorno.

As atividades gerais do Observatório incluem: atendimento por agendamento (escolas e grupos), atendimento em escolas e com observatório móvel (carreta), atendimento público (uma vez por mês, no mínimo), oficina de construção de telescópios, exposições fixas e itinerantes, astrofotografias, desenvolvimento de projetos e materiais didáticos, pesquisas de iniciação científica, mestrado e doutorado, cursos de extensão, formação de professores, manutenção de um acervo de publicações de Astronomia, organização de eventos, tais como a anual Semana de Imersão Total em Astronomia (SeITA), o Curso de Férias de Práticas de Astronomia Interdisciplinar (PAI), a Exposição de Projetos do Observatório Didático de Astronomia (ExPrODA), a Noite de Observações Internas para Treinamento da Equipe (NOITE), além da realização de reuniões quinzenais da equipe (formação e planejamento) e de um Programa de Formação de Monitores.

A fim de manter essas atividades dentro dos alinhamentos mundiais da divulgação científica, o Observatório de Astronomia da Unesp atua com importantes parcerias nacionais e internacionais e está cadastrado: (1) no Diretório da International Astronomical Union (IAU Directory for World Astronomy), sob o n.º 474; (2) no Museum Alliance NASA, sob o n.º 3283; (3) na Associação Brasileira de Centros e Museus de Ciência (ABCMC), no Guia de Centros e Museus de Ciência da América Latina e do Caribe de 2015, p. 260; (4) nos Mapas Culturais, antigo Sistema Nacional de Informações e Indicadores Culturais (SNIIC) do então Ministério da Cultura, sob o n.º SNIIC: SP-15617; (5) no Diretório da OBA (Olimpíada de Astronomia e Astronáutica), sob o n.º 321 e; (6) no IAU Dark Skies Ambassador, sob o n.º 159282.

Destacam-se também os parceiros que apoiam as atividades do Observatório: Secretaria Municipal de Educação (SME) de Bauru; Diretoria de Ensino Regional de Bauru (DER); NASE IAU – Network for Astronomy School Education of International Astronomical Union; Programa Municipal de Educação Ambiental (PMEA) de Bauru (que inclui um roteiro de visitação escolar também em outros espaços não formais de ensino, como o Museu do Café (Piratininga), Museu Ferroviário, Zoológico, Jardim Botânico, Estação de Tratamento de Água), CTI (Colégio Técnico Industrial) da Unesp, AMSAT-BR (Radio Amateur Satellite Corporation, grupo do Brasil), Museu do Café de Piratininga, Procad Capes, Grupo de Pesquisa em Ensino de Ciências da Pós Graduação em Educação para a Ciência da Unesp Bauru, Departamento de Física de la Facultad de Ciencias Exactas y Naturales de la Universidad de Buenos Aires, BRAMON (Brazilian Meteor Observation Network), Comissão de Ensino e Divulgação (ComED) da Sociedade Astronômica Brasileira (SAB), TV Unesp e TV Futura, com o programa AstroLab, Rádio Unesp, com o programa Mundo Astronômico.

Observatório: um espaço de ensino, pesquisa e extensão

As atividades de ensino que ocorrem no Observatório estão diretamente ligadas às disciplinas de graduação (Instrumentação para o ensino de Física, Astronomia: Terra e Universo, e a optativa Astronomia: Técnicas Observacionais e Atividades Práticas) e de pós-graduação (Educação em Astronomia: fundamentos e métodos; Investigações sobre Educação em Astronomia). Há também a interatividade com escolas e professores da região em atendimentos e eventos, como a Semana de Astronomia; o Encontro Regional de Educação em Astronomia (EREA), apoiado pela Fapesp e teve uma edição organizada em Bauru; os eventos anuais da Semana de Imersão Total em Astronomia (SeITA) e Curso de Férias em Astronomia da Pós-graduação em Educação para a Ciência. Sendo assim, o Observatório é usado constantemente como espaço para a formação continuada de professores, formação de monitores e realização de estágios de ensino não formal de alguns cursos de graduação do câmpus. As parcerias com a Diretoria de Ensino Regional de Bauru e a Secretaria Estadual de Educação possibilitam a elaboração de atividades voltadas à formação continuada de professores, sendo o Observatório membro do Projeto

"Lugares de Aprender", da Fundação para o Desenvolvimento da Educação do Estado de São Paulo.

Eventualmente, o Observatório organiza para seus monitores algumas viagens didáticas para alguns dos estabelecimentos não formais de ensino de Astronomia, tais como outros observatórios, planetários, museus de ciências e outros. Além disso, há atividades internas para ensino e aprendizagem com palestrantes convidados, leituras e discussões de textos da área e atualizações diversas (boletins, efemérides e notícias). Alguns monitores participam periodicamente em cursos de férias de Astronomia em outras instituições (ON, INPE, IAG/USP, etc.).

As atividades de pesquisa realizadas no Observatório se relacionam com projetos de mestrado, doutorado, TCCs e IC. Por exemplo, há projetos financiados pelo CNPq, submetidos pelo primeiro autor deste texto, além das pesquisas de mestrado e doutorado do Programa de Pós-graduação em Ensino de Ciências Unesp Bauru, na linha de divulgação científica, espaços não formais de ensino e formação de professores. Ocorrem também no ambiente do Observatório investigações de IC e TCC na linha de Educação em Astronomia e Formação de Professores, com o trabalho de orientandos de diversas graduações do campus.

Outros projetos colaborativos de pesquisa em Astronomia (no âmbito da colaboração ativa PRO-AM, astronomia amadora e profissional, e astronomia cidadã) estão sendo conduzidos pelo Observatório, tais como a construção de um radiotelescópio, automação de telescópio, investigação das propriedades de corpos menores do Sistema Solar e planetas anões mediante observações de ocultações estelares (apoio: CNPq), projeto IASC (International Astronomical Search Collaboration), especificamente relacionado à busca de asteroides por meio de análise de imagens feitas por alunos do Ensino Médio e de graduação; projeto "Patrulhamento Investigativo do Céu por Imageamento Automático de Meteoros e suas aplicações" para o ensino de Astronomia na Educação Básica. Como resultado dessas pesquisas, os membros do Observatório têm diversas publicações de artigos em periódicos e trabalhos em anais de eventos.

Por fim, as atividades de extensão abrangem o projeto do Observatório Móvel (carreta), com telescópios e sala de projeção que atende cidades em um raio de 100 quilômetros: o Projeto Eratóstenes Brasil, desde 2010 com parcerias internacionais; o Projeto Analema, também com parcerias internacionais; o Projeto Educação em Astronomia: ações nacionais (apoiado pela Fundunesp): Maratona da Via Láctea, Observando estrelas variáveis, Astrônomo por um mês e IODA – *Informativo do Observatório Didático de Astronomia* (ISSN 2317-0948).

Além dos projetos, o Observatório ministra diversos cursos de extensão, tais como as oficinas de construção de telescópios; o Curso de Extensão em Astronomia Básica (com astrônomos profissionais convidados); o Curso do Equinócio para professores; as oficinas da IAU-NASE (professores convidados da Espanha); cursos de formação continuada para professores; cursos ministrados no SESC, em escolas e eventos.

Mas, talvez sejam pelos atendimentos escolares e públicos que o Observatório seja mais conhecido pela comunidade regional, pois esses atendimentos incluem escolas públicas e particulares (na média de quatro atendimentos escolares semanais incluindo turmas de Educação Infantil, Ensino Fundamental, Ensino Médio, graduações e pós-graduações), grupos especiais de amigos, comunidade, população de cidades vizinhas com o observatório móvel, palestras externas, telescópios na rua e nas praças, eventos de divulgação científica no Observatório e em outros locais e as semanas nacionais. Há, ainda, as ações especiais durante fenômenos astronômicos notáveis: eclipses, ocultações, solstícios, equinócios, Superlua, chuvas de meteoros etc., e as atividades internacionais: International Observe the Moon Night (InOMN); Globe at Night; Sun-Earth Day (NASA); Asteroid Day; Yuri's Day. Além dos eventos já mencionados, o Observatório tem sediado outras programações importantes como: Semana da Astronomia da Unesp, Hora do Planeta, Dia do Astronauta Brasileiro e Dia Mundial da Astronomia.

A popularização da Astronomia é bem expressiva também nas exposições fixas e itinerantes de astrofotografias (já expostas em mais de 40 cidades e dez Estados) e do Jardim Astronômico ao lado do prédio do Observatório, além das entrevistas e matérias notificadas na mídia local e nacional (por exemplo, em 2019, foi possível identificar pelo menos 136 publicações, envolvendo entrevistas, notícias e matérias sobre o Observatório divulgadas em jornais, revistas, canais de TV, *sites* de notícias, *podcasts*) e da manutenção do *site* próprio do Observatório e suas redes sociais com informações sempre atualizadas.

Algumas das produções bibliográficas do Observatório incluem publicações em anais de eventos sobre suas ações de extensão e divulgação científica: Enast (Encontro Nacional de Astronomia), SNEA (Simpósio Nacional de Educação em Astronomia), SNEF (Simpósio Nacional de Ensino de Física), EPEF (Encontro de Pesquisa em Ensino de Física), Enpec (Encontro Nacional de Pesquisa em Educação em Ciências), Reuniões da ABP (Associação Brasileira de Planetários), Reuniões Anuais da SAB (Sociedade Astronômica Brasileira), Encontro Regional da IAU (XIV LARIM, Latin American Regional IAU Meeting). Além dos congressos, suas atividades de extensão também já foram publicadas em artigos em periódicos da área de Ensino, por exemplo: RELEA (*Revista Latino Americana de Educação em Astronomia*); RBEF (*Revista Brasileira de Ensino de Física*); revista *Ciência & Educação*; revista *Instrumento*; revista *Ensaio: Pesquisa em Educação em Ciências*.

Tabela 1 – Dados de visitação do público ao Observatório (2012-2019)

Ano	Alunos de escolas	Atendimento ao público	Observatório Móvel (carreta)	Total
2012	1.952	1.614	0	3.566
2013	1.995	1.206	0	3.201
2014	1.402	1.504	69	2.975
2015	1.700	1.700	0	3.400
2016	519	2.061	0	2.580
2017	387	2.672	1.172	4.231
2018	1.514	4.036	823	6.373
2019	2.793	6.128	1.500	10.421
Total	12.262	20.921	3.564	36.647
Média anual: 4.593 pessoas				

Fonte: Arquivo interno do Observatório

Por exemplo, em 2019, o Observatório atendeu uma média de 74 pessoas em cada um dos seus 141 atendimentos, resultando em aproximadamente 14 atividades em cada mês, com uma equipe de trabalho de 31 monitores voluntários (apenas um atuou como bolsista de extensão). Das

10.421 pessoas atendidas em 2019, 2.793 eram escolares, 244 de grupos especiais de amigos, 2.991 do público da comunidade, 1.500 foram atendidas com a carreta, 2.558 atendidas em eventos externos ao Observatório e 335 em atividade de diversos, como cursos e oficinas. Os visitantes eram provenientes de quatro Estados diferentes do país e de 57 cidades.

Quanto à produção acadêmica, em 2019, o Observatório abrigou sete projetos em andamento, oito pesquisas de Mestrado e Doutorado, oito pesquisas de TCC e IC, três artigos em periódicos, um, livro, três capítulos de livro, dez trabalhos apresentados em eventos, 11 apresentações de palestras e mesas redondas, 13 programas de rádio e TV e sete organizações de eventos acadêmicos e cursos.

Financiamento

Sendo caracterizado como um projeto de extensão, o Observatório tem como principal fonte de verbas da Proex/Unesp, para a compra de materiais de consumo e bolsas de extensão. Tem contado, também, com o apoio de outras instituições, doações de equipamentos, livros e materiais por pessoas da comunidade e professores, de outros setores da Unesp (PROPe, Pós-graduação em Educação para a Ciência, Departamento de Física da Unesp, Diretoria da Faculdade de Ciências, IPMet), e outras fontes de fomento, tais como projetos da Capes (Procad/PrInt) e do Conselho Nacional de Desenvolvimento Científico e Tecnológico (CNPq).

Algumas Considerações

Embora o Observatório seja um projeto de extensão, suas atividades atingiram uma abrangência muito mais ampla, sendo notavelmente vivenciadas e bem aproveitadas pela comunidade e população, que estão sempre em constante contato com esse espaço, confiando em seus trabalhos, questionando, fazendo perguntas, colaborando, incentivando, doando livros, equipamentos, materiais. Além de usar o espaço, esses participantes apoiam suas atividades, as quais são sempre realizadas com presteza, dedicação e iniciativa dos membros que formam a coesa equipe de monitores, composta por alunos da graduação, pós-graduação, docentes, servidores técnicos da Unesp, professores da educação básica e outros colaboradores externos. Quase todos eles atuando voluntariamente para o ensino e a divulgação científica em Astronomia (pois não há funcionários registrados no Observatório), ao mesmo tempo em que esse espaço serve de rica fonte de aprendizado e contínua formação para a própria equipe, na medida em que ele vem se tornando cada vez mais referência no âmbito da pesquisa em Educação em Astronomia no país.

Referências

BAPTISTA, G. C. S. A importância da reflexão sobre a prática de ensino para a formação docente inicial em ciências biológicas. *Revista Ensaio*, Belo Horizonte, v. 5, n. 2, p. 85-93, outubro, 2003.

BARRIO, J. B. M. Planetários recuperam as noites urbanas. *Astronomy Brasil*, São Paulo, v. 2, n. 14, p. 68-69, junho, 2007.

BARROS, L. G. *Um estudo sobre a formação de monitores em espaços de divulgação da Astronomia*. Dissertação de Mestrado. Bauru: Unesp, 2017.

BRASIL. Ministério da Educação. Conselho Nacional de Educação. *Base Nacional Comum Curricular*, Ensino Fundamental. Brasília: MEC, 2018.

BRASIL. Ministério da Educação. Conselho Nacional de Educação. *Diretrizes Curriculares Nacionais para a Formação Inicial e Continuada dos Profissionais do Magistério da Educação Básica*. Parecer CNE/CP n.º 2/2015. Brasília: MEC, 2015.

BRASIL. Secretaria de Educação Média e Tecnologia. *Parâmetros Curriculares Nacionais: Ciências da natureza, matemática e suas tecnologias*. Brasília: MEC/SEMTEC, 1999.

DELIZOICOV, D. et al. *Ensino de ciências*: fundamentos e métodos. São Paulo: Cortez, 2002.

ELIAS, D. C. N. *Um projeto de intervenção nos espaços de exposições do planetário do parque Ibirapuera*. Dissertação (Mestrado Profissionalizante em Ensino de Ciências e Matemática) – Universidade Cruzeiro do Sul, São Paulo, 2006.

JACOBUCCI, D. F. C. *A formação continuada de professores em centros e museus de ciências no Brasil.* 2006. 251 f. Tese (Doutorado em Educação) – Faculdade de Educação, Universidade Estadual de Campinas, Campinas, 2006.

LANGHI, R.; NARDI, R. *Educação em Astronomia:* repensando a formação de professores. São Paulo, SP: Escrituras, 2012.

LANGHI, R.; SCALVI, R. M. F. Aproximações entre as comunidades científica, amadora e escolar: estudando as potencialidades de observatórios astronômicos para a educação em astronomia. *Revista Instrumento: Revista de Estudo e Pesquisa em Educação.* Juiz de Fora, v. 15, n. 1, jan./jun. 2013.

MARANDINO, M. A Prática de Ensino nas Licenciaturas e a Pesquisa em Ensino de Ciências: Questões Atuais. *Caderno Brasileiro de Ensino de Física.* v. 20, n. 2. p. 168-193, 2003.

MARQUES, J. B. V.; FREITAS, D. Instituições de educação não-formal de astronomia no Brasil e sua distribuição no território nacional. *Revista Latino-Americana de Educação em Astronomia,* n. 20, p. 37-58, 2015.

OBSERVATÓRIO DIDÁTICO. *Apresentação.* Apresenta informações sobre as atividades do observatório. Disponível em: http://www.fc.unesp.br/observatorio. Acesso em: 8 ago. 2015.

SANTANA, A. R. *Concepções dos professores sobre a utilização dos Espaços Não formais para o ensino de Astronomia.* 2017. 172 f. Dissertação (Mestrado em Educação para a Ciência) – Faculdade de Ciências, Universidade Estadual Paulista, Bauru, 2017.

SILVA, D. F. *Padrões de interação e aprendizagem em Museus de Ciências.* 1999. 277 f. Dissertação (Mestrado em Educação, Gestão e Difusão em Biociências) – Instituto de Ciências Biomédicas, Universidade Federal do Rio de Janeiro, 1999.

SOBRE OS AUTORES

Adjane da Costa Tourinho e Silva

Licenciada em Química (1989) e Mestra em Educação pela Universidade Federal de Sergipe (2000). Doutora em Educação pela Universidade Federal de Minas Gerais, na linha de Ensino de Ciências (2008), com período sanduíche na Pennsylvania State University (2007). Estágio de pós-doutoramento na Universidade Estadual Paulista (2016-2017). Atualmente, é Professora Titular aposentada da Universidade Federal de Sergipe, atuando no Núcleo de Pós-graduação em Ensino de Ciência e Matemática – Programa de Pós-graduação em Ensino de Ciência e Matemática e na Rede Nordeste de Ensino (Renoen). Tem experiência na área de Educação, com ênfase em Ensino de Ciências, atuando principalmente nos seguintes temas: interações discursivas e argumentação, aspectos epistêmicos das salas de aula de ciências, ensino e aprendizagem de ciências e formação de professores de ciências da natureza.

Adonay de Oliveira Teixeira

Licenciado em Química pela Universidade Estadual do Sudoeste da Bahia (UESB/ câmpus Jequié). Integrante do GEPEQS (Grupo de Estudos e Pesquisa em Ensino de Química e Sociedade). Atuou como pesquisador bolsista de Iniciação Científica CNPq/UESB no projeto de pesquisa: "Ensino de Química: interações discursivas nas definições de tarefas em diferentes contextos sociais" (2018/2019) e em Iniciação Científica, no Projeto Procad/Capes intitulado "Formação de educadores em ciências e matemática: estreitando as relações entre ensino e pesquisa".

Augusto Cesar Araujo Lima

Doutorando e Mestre no Programa de Pós-graduação em Educação para a Ciência da Universidade Estadual Paulista (Unesp) e Licenciado em Física pela Faculdade de Ciências da Unesp, câmpus de Bauru. Membro do Grupo de Pesquisa em Ensino de Ciências (GPEC/CNPq). Investiga indicadores da formação inicial de professores relacionados ao desenvolvimento da práxis docente e sua relação com a formação didático-pedagógica crítica.

Beatriz dos Santos Santana

Professora Assistente da Universidade Estadual de Feira de Santana – Departamento de Ciências Exatas. Doutoranda no Programa de Pós-graduação em Educação Científica e Formação de Professores da UESB. Mestra em Ensino de Ciências e Matemática pela UESB (2017), e Licenciada em Química pela mesma Universidade (2014). Membro do Grupo de Estudos e Pesquisa Ensino de Química e Sociedade (GEPEQS). Pesquisadora assistente do projeto de pesquisa "A trajetória dos professores de química: um estudo sociológico para escolha e a permanência dos egressos na docência" (2022).

Bruno Ferreira dos Santos

Bacharel (1994) e Mestre em Química pela Universidade Federal da Bahia (1997). Doutor em Ciências Sociais e Humanas pela Universidad Nacional de Quilmes (2010). Pós-doutor pela Faculdade de Educação na Universidade Federal de Minas Gerais (2017). Professor Pleno do Departamento de Ciências e Tecnologias da Universidade Estadual do Sudoeste da Bahia. Coordena o Programa de Pós-graduação em Educação Científica e Formação de Professores (UESB). Secretário Adjunto da Associação Brasileira de Pesquisa em Educação em Ciências (Abrapec) (2021-2023). Líder do Grupo de Estudos e Pesquisa Ensino de Química e Sociedade (GEPEQS). Bolsista de Produtividade Científica 2 – CNPq.

Eanes dos Santos Correia

Doutor em Educação pela Universidade Federal de Sergipe (UFS, 2022). Mestre em Ensino de Ciências e Matemática – PPGECIMA/UFS (2017). Graduado em Educação Física – Licenciatura pela Unit (2011) e Pedagogia Licenciatura pelo Claretiano (2022). Professor Adjunto do curso de Pedagogia da Universidade Estadual do Maranhão Campus de Pinheiro. Estudante do Grupo de Estudo e Pesquisa Educação e Contemporaneidade – Educon/UFS/CNPq nas linhas de pesquisa Relação com o Saber; Ensino de Ciência e Matemática. Atua nas áreas de ensino de Ciências e Matemática e Educação.

Eder Pires de Camargo

Livre Docente em Ensino de Física pela Unesp. Doutor em Educação pela Faculdade de Educação da Universidade Estadual de Campinas (Unicamp). Concluiu pós-doutorado, mestrado em Educação para a Ciência e licenciatura em Física pela Unesp, câmpus de Bauru. É Professor Associado do Departamento de Física e Química da Unesp de Ilha Solteira (FEIS) e do Programa de Pós-graduação em Educação para a Ciência (PG/FC) da Unesp de Bauru. Coordena o grupo de pesquisa Ensino de Ciências e Inclusão Escolar (Encine/CNPq).

Fernanda Cátia Bozelli

Licenciada em Física (2002), Mestra (2005) e Doutora (2010) em Educação para a Ciência pela Unesp – câmpus de Bauru. Professora Doutora Assistente do Departamento de Física e Química, Faculdade de Engenharia (FEIS) da Unesp, câmpus de Ilha Solteira. Atuou como Coordenadora de área do Pibid, do Curso de Licenciatura em Física, da Unesp – câmpus de Ilha Solteira (2011-2020) e, desde 2020, tem participado como professora voluntária. Foi Coordenadora de Projetos do Núcleo de Ensino em parcerias com escolas de educação básica promovidos pela Pró-reitoria de Graduação da Unesp; Coordenadora do Programa de Licenciatura Internacional (PLI) Capes – França entre a Unesp e a Université Pierre et Marie Curie, Paris. Coordenadora institucional pela Unesp do Programa Life (Laboratório Interdisciplinar de Formação de Educadores) da Capes. Atuou também como membro da Comissão de Área de Pesquisa em Ensino de Física da Sociedade Brasileira de Física (SBF) e na equipe técnica da revista *Ciência & Educação*. É docente no Programa de Pós-graduação em Educação para a Ciência, Unesp, câmpus de Bauru. É pesquisadora na área de Ensino de Física e Ciências, com ênfase em Formação de Professores e Linguagem e Discurso.

Fernanda dos Santos

Mestra em Ensino de Ciências e Matemática (2020) e Licenciada em Química (2015) pela Universidade Federal de Sergipe (UFS). Especialista em Novas Tecnologias aplicadas à Educação (Faveni). Professora da Rede Pública de Ensino do Estado da Bahia. Foi bolsista (2012-2014) do Programa Institucional de Bolsas de Iniciação à Docência (Pibid/Capes), estagiária do Instituto Tecnológico e de Pesquisa de Sergipe (2012-2014) e da Arte Galênica Farmácia de Manipulação Ltda. (201-2016). Participante do Grupo de Estudos em Educação Química (GEQ/UFS). Voluntária (2013) no Projeto de extensão Química Itinerante (Fapitec/SE).

Fernando Bastos

Graduado em Ciências Biológicas, Mestre e Doutor em Educação pela Universidade de São Paulo (USP). É Professor Assistente Doutor no Departamento de Educação e no Programa de Pós-graduação em Educação para a Ciência da Unesp e um dos líderes do Grupo de Pesquisa em Ensino de Ciências (GPEC/CNPq). Desenvolve atividades de pesquisa, docência e extensão dentro das seguintes áreas temáticas, com foco na educação em ciências: formação de professores, atividades práticas e abordagens investigativas no ensino escolar, conteúdos de história da ciência no ensino escolar.

Giuliano dos Reis

Doutor em Educação Científica pela University of Victoria, Canadá (2007). Mestre em Educação pela Universidade de Brasília (UnB). Professor da Faculdade de Educação na University of Ottawa, Canadá. Pesquisador na área de Educação, com ênfase em Educação Científica e Ambiental em todos os níveis de ensino e contextos (formal, não formal e informal).

Guadalupe Edilma Licona de Macedo

Licenciada em Ciências Biológicas pela Universidade Federal da Bahia (1979), Mestra em Educação: História, Política, Sociedade pela Pontifícia Universidade Católica de São Paulo (PUC-SP) (2000) e Doutora em Botânica pela Universidade Federal Rural de Pernambuco (UFRPE) (2007). Atua como pesquisadora em florística e fitossociologia. Desde 1988, é professora do curso de graduação em Ciências Biológicas (licenciatura e bacharelado) no Departamento de Ciências da Universidade Estadual do Sudoeste de Bahia e, desde 2010, no Programa de Pós-graduação em Educação Científica e Formação de Professores (PPECFP) da UESB, orientando dissertações e teses nas linhas de pesquisa: Formação de professores e Currículo e Processos de Ensino e Aprendizagem. É Líder do Grupo de estudos e pesquisas em ensino-aprendizagem de Botânica (GPENABOT) e do Grupo de Estudos e Pesquisa em Florística e Fitossociologia (GPFLOR). Desenvolve e Coordena Projetos de Pesquisa e Extensão voltados à formação de professores e ao processo ensino-aprendizagem de Ciências e Biologia. Atualmente, é curadora do herbário HUESB.

Jéssica dos Reis Belíssimo

Doutoranda e Mestra pelo Programa de Pós-graduação em Educação para a Ciência da Unesp, Faculdade de Ciências, câmpus de Bauru. Licenciada em Física pela Unesp. Membro do Grupo de Pesquisa em Ensino de Ciências (GPEC) desde 2015. Bolsista de Iniciação Científica do CNPq durante a graduação. É bolsista Capes/Proex. Desenvolve pesquisa relacionada à constituição da identidade profissional docente e à formação inicial e continuada de professore(a)s de Física. Pertence ao Corpo Técnico da revista *Ciência & Educação* (Unesp).

João Paulo Camargo de Lima

Graduado (1996) e Mestre (2000) em Física pela Universidade Estadual de Londrina (UEL). Doutor em Física (2006) pela Universidade Federal de São Carlos (UFSCar). Professor Associado da Universidade Tecnológica Federal do Paraná (UTFPE – câmpus Londrina). Tem experiência na área de Física, com ênfase em Óptica Quântica, Mecânica Quântica e Física Estatística, atuando principalmente nos seguintes temas: sistemas quânticos abertos e álgebras de Heisenberg-Weyl. Realizou estágio de Pós-doutoramento no Programa de Pós-graduação em Ensino de Ciências e Educação Matemática da UEL (2008-2009 e 2013-2014) e no Programa de Pós-graduação Educação para Ciência da Unesp, câmpus Bauru (2019-2020). Foi *visiting scholar* na Graduate School of Education – Rutgers University, em New Brunswick (NJ), Estados Unidos (2018). Atualmente, tem desenvolvido pesquisas na área de Ensino de Ciências com ênfase em Formação de Professores de Ciências e Ensino e Aprendizagem em Ciências, atuando principalmente nos seguintes temas: Identidade do Professor, Relação com o Saber, Ensino por Investigação, Práticas Científicas e ISLE (*Investigative Science Learning Environment*).

Júlia Chiti Pinheiro

Licenciada em Ciências Biológicas, Mestra e Doutoranda em Educação para a Ciência pela Unesp, câmpus de Bauru. Bolsista Capes pelo Programa de Doutorado Sanduíche na Universidade de Ottawa, Canadá (Capes/PrInt/Unesp). Membro do Grupo de Pesquisa em Ensino de Ciência (GPEC/CNPq). Atuou como Professora da Rede Básica de Ensino, foi bolsista de Iniciação Científica pela Fapesp. Participou do Projeto de Extensão Cursinho Pré-Universitário Ferradura, da Faculdade de Ciências da Unesp, câmpus Bauru, durante a graduação.

Lucas da Conceição dos Santos

Doutor em Educação para a Ciência pela Unesp, câmpus Bauru. Graduado em Ciências Biológicas e Mestre em Ensino de Ciências e Matemática pela UESB. Atualmente, é coordenador da linha *Metodologia da Pesquisa Científica* do Grupo de Estudos e Pesquisa em Educação Ciências, Saúde e Diversidade; Coordenador da Escola de Pesquisadores da UESB; Coordenador do Grupo de Estudos sobre Metodologia da Pesquisa Científica (Gempec/UESB); Colaborador no Grupo de Pesquisa em Educação Ambiental para Sociedades Sustentáveis (Gepeas/UESB) e Membro do Grupo de Pesquisa Formação e Ação de Professores de Ciências e Educadores Ambientais (Unesp). Atua como parecerista da *Revista de Iniciação à Docência* (RID/UESB). Tem experiência na área de Educação Ambiental e Formação de Professores, com ênfase na temática *Identidade* (pessoal, profissional e social).

Lucas Guimarães Barros

Licenciado em Física pela Universidade Federal do Recôncavo da Bahia (2014), Mestre (2017) e Doutor em Educação para a Ciência pela Unesp, câmpus Bauru (2020). Professor da Universidade Federal do Oeste da Bahia (UFOB), Centro das Ciências Exatas e das Tecnologias (CCET) e membro do Grupo de Pesquisa em Ensino de Ciências (GPEC) da Unesp, câmpus Bauru. Atua na área de Ensino de Física/Ciências, nos seguintes temas: Ensino de Astronomia; Ensino de Ciências em espaços não formais e Divulgação Científica; História e Filosofia da Ciência no Ensino, e Avaliação no Ensino de Ciências.

Márcia Martins Ornelas

Doutoranda pelo Programa de Botânica da Universidade Estadual de Feira de Santana (UEFS). Mestra em Educação em Ciências e Matemática, pela UESB, câmpus Jequié (2021). Licenciada em Ciências Biológicas pela UESB, câmpus Jequié (2018). Membro do Grupo de Estudos e Pesquisas em ensino-aprendizagem de Botânica (GPENABOT).

Moisés Nascimento Soares

Licenciado e Bacharel em Ciências Biológicas pela Universidade Federal de Viçosa (2004). Mestre (2009) e Doutor (2012) em Educação para a Ciência pela Unesp, câmpus Bauru). Professor Titular do Departamento de Ciências Naturais (DCN) da UESB, câmpus de Vitória da Conquista). Está vinculado ao Programa de Pós-graduação em Educação Científica e Formação de Professores (UESB). Atua na área de Educação em Ciências nas seguintes temáticas: Formação de Professores, Ensino de Biologia, Educação CTS, Interfaces entre Ciência, Arte e Prática Pedagógica.

Renato Eugênio da Silva Diniz

Licenciado em Ciências Biológicas pela UFSCar (1985), Mestre em Educação pela UFSCar (1992) e Doutor em Educação pela USP (1998). Livre-docente em Didática pela Unesp (2005). Professor Adjunto da Unesp junto ao Instituto de Biociências de Botucatu e ao Programa de Pós-graduação em Educação para a Ciência de Bauru. Líder do Grupo de Pesquisa Formação e Ação de Professores de Ciências e Educadores Ambientais.

Regiane Barreto Martins

Doutoranda e Mestre (2018) em Educação Científica e Formação de Professores. Especialista em Mídias na Educação (2013) pela Universidade Estadual do Sudoeste da Bahia (UESB). Graduada em Licenciatura em Ciências com Habilitação em Química (UESB/2002). Professora de Química e Ciências da Secretaria de Educação do Estado da Bahia (SEC-BA), desde 2003. Membro dos grupos GEPEQS (Grupo de Pesquisa em Ensino de Química e Sociedade (desde 2013) e Impressões (Grupo de Estudo e Pesquisa sobre Desenvolvimento Profissional de Professores - trabalho, narrativas e memórias formativas (desde 2016). Tem experiência docente no ensino superior e pós-graduação, de instituições privadas e públicas de ensino. Atua em pesquisas em ensino de Química, Interações Discursivas, Formação e desenvolvimento Profissional de Professores.

Roberto Nardi

Licenciado em Física pela Unesp (1972), Mestre em Science Education pela School of Education da Temple University, Filadélfia, EUA (1978), Doutor em Educação pela Faculdade de Educação da Universidade de São Paulo (FE-USP) (1989), com estágio de pós-doutoramento na Unicamp (2004-2005). Docente no Departamento de Física da UEL (1980-1993). Secretário para Assuntos de Ensino da Sociedade Brasileira de Física (SBF) (1991-1993), Secretário Executivo, Vice-Presidente e Presidente da Associação Brasileira de Pesquisa em Educação em Ciências (Abrapec) (2000-2005). É membro efetivo da European Science

Education Research Association (ESERA). Professor Associado e Livre Docente do Departamento de Educação e do Programa de Pós-graduação em Educação para a Ciência da Faculdade de Ciências da Unesp, câmpus Bauru. É Bolsista de Produtividade em Pesquisa 1-A do CNPq e um dos líderes do Grupo de Pesquisa em Ensino de Ciências. Coordenador da Área de Ensino de Ciências e Matemática e Membro do Conselho Técnico Consultivo do Ensino Superior (CTC-ES) da Capes no triênio 2008-2011. *Chair* da *International Commission on Physics Education (C14) da International Union of Pure and Applied Physics* (IUPAP) (2014-2021). Atualmente, é membro do Conselho das Conferências Interamericanas de Ensino de Física (CCIAEF), Membro Suplente do Conselho do Programa de Pós-graduação em Educação para a Ciência e Editor da revista *Ciência & Educação*, Unesp – câmpus de Bauru.

Rodolfo Langhi

Professor Assistente Doutor do Departamento de Física da Faculdade de Ciências da Unesp, câmpus Bauru, desde 2012. Docente e orientador no Programa de Pós-graduação em Educação para a Ciência (Unesp) desde 2013. Professor Adjunto (2010-2012) da Universidade Federal de Mato Grosso do Sul (UFMS/Campo Grande). Licenciado em Ciências (1996). Mestre (2004) e Doutor (2009) pelo Programa de Pós-graduação em Educação para a Ciência da Unesp, câmpus Bauru. É sócio efetivo da Sociedade Astronômica Brasileira (SAB) e da Sociedade Brasileira de Física (SBF). Desenvolve pesquisas, projetos e publicações na área de Educação em Astronomia, Formação de Professores, e Prática de Ensino de Ciências e de Física. Responsável pelo Observatório Didático de Astronomia "Lionel José Andriatto" da Unesp, câmpus Bauru.

Talamira Taita Rodrigues Brito

Graduada em Pedagogia pela Universidade do Estado da Bahia – UNEB (1997). Mestra (2006) e Doutora (2011) em Educação pela Universidade Federal de Uberlândia – UFU, com Doutorado Sanduíche pela Universidade Lusófona de Humanidades e Tecnologias, Lisboa – PT (2010). Pós-Doutorada pela UFU (2020). Professora Visitante na Universidade de Valencia/ES - Faculdade de Ciências Sociais (2019). Líder do Grupo IMPRESSÕES (CNPq) - Estudo e Pesquisa sobre Desenvolvimento Profissional Docente - trabalho, narrativas e memórias formativas. Professora Titular do Departamento de Filosofia e Ciências Humanas da Universidade Estadual do Sudoeste da Bahia - UESB. Pertence ao Quadro desta instituição desde 2001. Por mais de 15 anos atuou como Orientadora e Supervisora de Estágio do Curso de Pedagogia da UESB câmpus de Jequié. Atualmente se dedica à Área de Metodologia Científica na Graduação. É credenciada desde 2013 como professora e orientadora do Programa de Pós-graduação em Educação Científica e Formação Docente da mesma Universidade. Vice-coordenadora do Programa (Gestão 2021-2023) e Coordenadora (2023-2025). Atuou como Pró-Reitora de Graduação da UESB (2013-2018). Coordenou o Fórum Nordeste de Pró-Reitores de Graduação (2016-2017). Membro do Fórum Estadual de Educação da Bahia (desde abril de 2018) e Coordenadora do Fórum Municipal de Educação da Cidade de Vitória da Conquista (Triênio 2018-2021; 2022-2024). Representante da ANFOPE no Estado da Bahia (gestão 2024-2026). Membro do FORPROF-Ba (2021). Comissão Fiscal da Associação Nacional de Didática e Prática de Ensino (ANDIPE 2022-2024). Associada da ABRAPEC e da SBENBIO. Atualmente dedica-se aos estudos e pesquisas sobre Universidade e Docência Universitária - vida, formação e trabalho - especialmente de mulheres nas ciências.

Veleida Anahi da Silva

Doutora em Ciências da Educação pela Universidade de Paris 8, França (2002), com Pós-doutorado (2009) pela Universidade Federal de Sergipe (UFSE). Graduada em Ensino de Ciências e Matemática pela Universidade de Cuiabá (1992). Professora Titular da Universidade Federal de Sergipe, no Departamento de Educação. Membro dos Programas de Pós-graduação em Ensino de Ciências e Matemática (PPGECIMA), Educação (PPGED) e Mestrado Profissional em Ensino de Física (MNPEF) da UFS. Fundou e lidera o Grupo de Estudos e Pesquisa Educação e Contemporaneidade (Educon).

Wagner de Jesus Silva

Licenciado em Ciências Biológicas (2016) pela UESB com Especialização em Ciências da Natureza, Suas Tecnologias e o Mundo do Trabalho (2022) pelo Centro de Educação Aberta e a Distância da Universidade Federal do Piauí (UFPI). Mestre em Educação em Ciências e Matemática (2021) pelo Programa de Pós-graduação em Educação Científica e Formação de Professores da UESB. Membro do Grupo de Estudos e Pesquisas em ensino-aprendizagem de Botânica (GPENABOT) e do Grupo de Estudo e Pesquisa em Florística e Fitossociologia (GPFLOR). Atua principalmente nos seguintes temas: Currículo; Formação de professores; Ensino de Ciências/Biologia; Ensino de Botânica.

Willdson Robson Silva do Nascimento

Licenciado em Física pela Universidade Federal do Maranhão (UFMA) (2015), Mestre (2018) e Doutor em Educação para a Ciência, área Ensino de Ciências e Matemática, pela Unesp (2022). Especialista em processos didático-pedagógicos para cursos na modalidade a distância (Univesp) (2022); em Docência do Ensino Superior (2020) e em Educação Especial e Inclusiva (2021) pelas Faculdades Integradas De Itararé (Fafit). Professor do Centro Educa Mais Professora Margarida Pires Leal (Seduc/Maranhão). Monitor no Observatório Didático de Astronomia (Unesp). Membro dos Grupos de Ensino de Ciências e Inclusão Escolar (Encine) da Unesp e do Grupo de Estudo e Pesquisa Educação e Contemporaneidade (Educon), da UFSE. Membro do Comitê NOC Brasil, vinculado ao IAU Office for Astronomy Outreach.